iPad

Tu herramienta profesional definitiva

iPad

Tu herramienta profesional definitiva

Jason R. Rich

TÍTULOS ESPECIALES

Título de la obra original:
Your iPad at Work

Traductor:
Águeda Parra Pérez

Authorized translation from English language edition, entitled Your iPad at Work, 2nd Edition, 0789748525 by Rich, Jason; published by Pearson Education, publishing as Que Publishing.
Copyright © 2012.
All rights reserved.

Edición española:

© EDICIONES ANAYA MULTIMEDIA (GRUPO ANAYA, S.A.), 2012
Juan Ignacio Luca de Tena, 15. 28027 Madrid
Depósito legal: M-30977-2012
ISBN: 978-84-415-3251-9
Printed in Spain

Este libro está dedicado a Steve Jobs,
así como a mi sobrina recién nacida, Natalie.

Agradecimientos

Gracias a Laura Norman de la editorial por invitarme a trabajar en este libro, y por todas sus indicaciones mientras trabajaba en este proyecto. Mi agradecimiento también va para Mark Renfrow, Greg Wiegand, Tonya Simpson, Cindy Teeters, Todd Brakke, Gregg Kettell y Paul Boger, así como al resto de personas que han contribuido con su experiencia, trabajo y creatividad a la creación de este libro.

Gracias a mis amigos y familia por su apoyo continuo. Por último, gracias a usted, el lector. Espero que este libro le ayude a aprovechar al máximo el potencial y las posibilidades de uso de este increíble dispositivo, y así pueda utilizar completamente su iPad en todos los aspectos de su vida diaria.

Sobre el autor

Jason R.Rich, @JasonRich7 (`http://www.JasonRich.com`) es el autor de éxito de más de 52 libros, así como frecuente colaborador en una gran variedad de los principales diarios y revistas norteamericanas y populares sitios Web. También es un consumado fotógrafo y un ávido usuario de iPad, iPhone y Mac de Apple.

Puede leer más de 80 artículos gratuitos de Jason R. Rich que hablan del iPhone e iPad de Apple en el sitio Web de *Que Publishing*. Visite `http://www.iOSArticles.com` y haga clic en la ficha **Articles**. También puede seguir a Jason R. Rich en Twitter (`@JasonRich7`).

Índice

Además del precio de la propia tableta, puede que quiera invertir en una Smart Cover de Apple para su tableta (49 € para la edición de poliuretano o 69 € para la edición en piel), así como la garantía ampliada AppleCare (79 € para dos años de garantía).

> **Truco:** *El Apéndice A le muestra formas de ayudarle a ahorrar dinero cuando compra cosas en línea al utilizar su iPad, incluidos regalos de última hora. El apéndice B le enseña a divertirse utilizando su iPad al experimentar varios de los juegos más populares disponibles para la tableta.*

Las aplicaciones preinstaladas para todos los iPad que ejecutan iOS (5.1 o posterior)

Tanto el iPad 2 como el nuevo iPad ejecutan la última versión del sistema operativo iOS (5.1 o posterior) de Apple. Cada tableta, además, se distribuye con una variedad de aplicaciones preinstaladas. Aquí tiene una guía rápida de cada aplicación (listada en orden alfabético) que puede comenzar a utilizar tan pronto como se active el iPad (véase la figura I.2).

Figura I.2. *La pantalla Inicio del iPad con los iconos de aplicación preinstalados. Éste es el aspecto de la pantalla Inicio inmediatamente después de activar el iPad.*

- **App Store:** Encontrar, comprar, descargar e instalar aplicaciones directamente desde su iPad. Para aprender más, consulte el capítulo 7.

- **Calendario:** Gestionar su agenda en su iPad y sincronizar datos con iCloud y otro software de calendario/agenda en su Mac o PC. Para aprender más, consulte el capítulo 4.

- **Cámara:** Tomar fotos y hacer vídeos de alta definición al utilizar la cámara incorporada de su iPad.

- **Contactos:** Gestionar su base de datos de contactos personal y sincronizarla con iCloud u otro software de gestión de contactos en su ordenador principal. Para aprender más, consulte el capítulo 5.

- **FaceTime:** Participar en videoconferencias gratuitas en tiempo real desde su iPad al utilizar una conexión a Internet Wi-Fi. Para aprender más, consulte el capítulo 12.

- **Game Center:** Se trata de una comunidad en línea interactiva para participar en juegos multijugador vía su iPad. Puede competir y comunicarse con otros jugadores en todo el mundo y experimentar una variedad de juegos compatibles con Game Center.

- **iTunes:** Adquirir música, series de TV, películas y otro contenido iTunes Store desde su iPad. Para aprender más, consulte el capítulo 15.

- **Mail:** Gestionar una o más cuentas de correo electrónico existentes en su tableta. Enviar y recibir correos electrónicos, además de gestionar su archivo de mensajes. Para más información, consulte el capítulo 2.

- **Mapas:** Utilizar los mapas detallados en pantalla y seguir las direcciones de Google Maps cuando su iPad esté conectado a la Web. Puede encontrar también direcciones específicas de empresas.

- **Mensajes:** Enviar y recibir mensajes de texto de forma gratuita y comunicarse con otros usuarios Mac, iPad, iPhone o iPod touch, o enviar/recibir mensajes instantáneos al utilizar un servicio compatible. Para más información, consulte el capítulo 12.

- **Música:** Escuchar música, audiolibros y otro contenido de audio.

- **Quiosco:** Adquirir y leer las ediciones digitales de periódicos y revistas. Para aprender más, consulte el capítulo 14.

- **Notas:** Crear, organizar, compartir e imprimir notas con este editor de texto básico. No ofrece las posibilidades completas de un procesador de texto.

- **Photo Booth:** Realizar y compartir fotos en su iPad con temas fantásticos.

- **Fotos:** Visualizar, editar, imprimir y compartir fotos guardadas en su iPad. Para posibilidades de edición de foto mejoradas, compre la aplicación iPhoto de Apple para iPad.

- **Recordatorios:** Gestionar listas de tareas con esta potente aplicación. Como otras aplicaciones preinstaladas del iPad, funciona directamente con iCloud para sincronizar datos con otros dispositivos Mac o iOS. Para aprender más, consulte el capítulo 4.

- **Safari:** Utilice esta aplicación para navegar por la Web. Para aprender más, consulte el capítulo 3.

- **Ajustes:** Utilizar esta aplicación para personalizar los parámetros de su iPad y para personalizar cómo funciona. Más información sobre Ajustes se ofrece más adelante en esta introducción.

- **Vídeos:** Esta aplicación nos permite series de TV, películas y otro contenido de vídeo en su iPad. Para aprender más sobre esta característica, consulte el capítulo 15.

- **YouTube:** Ver vídeos gratuitos de YouTube. Para aprender más, consulte el capítulo 15.

Aplicaciones iPad opcionalmente indispensables desarrolladas por Apple

Las aplicaciones que se describen en el siguiente listado, desarrolladas por Apple, no vienen preinstaladas en el iPad 2 o nuevo iPad, pero debería considerar seriamente descargarlas desde App Store para mejorar las posibilidades de uso de su tableta.

- **Cards (gratuita):** Cree y envíe tarjetas de felicitación con diseños personalizados directamente desde su iPad para que Apple los imprima de forma profesional y los envíe a los destinatarios (con un cargo adicional). El resultado es una tarjeta de felicitación personalizada tan bonita como cualquiera que pudiera comprar en una tienda, solamente que con sus propias fotos y mensajes.

- **Buscar mi iPhone (gratis):** Benefíciese de la característica Buscar mi Mac, Buscar mi iPhone o Buscar mi iPad de iCloud para localizar la posición exacta de su otro equipo compatible con Apple. Esta aplicación ofrece una alternativa a visitar `http://www.iCloud.com/#find`.

- **Buscar a mis amigos (gratis):** Descubra la ubicación de amigos, familia o colaboradores en tiempo real que estén utilizando un iPhone o iPad (se requiere el permiso de la otra persona).

- **Garage Band (3,99 €):** Componga y grabe música al utilizar su iPad y transforme su tableta en un estudio de grabación.

- **iBooks (gratis):** Adquiera y lea ebooks de iBookstore de Apple en su tableta. Para aprender más, consulte el capítulo 14.

- **iMovie (3,99 €):** Edite vídeos de calidad profesional en su iPad al utilizar las imágenes tomadas con la cámara incorporada en la tableta (y la aplicación Cámara) o metraje transferido a su tableta desde otras fuentes.

- **iPhoto (3,99 €):** Visualice, edite, organice, imprima y comparta fotos digitales en su iPad. Esta aplicación ofrece muchas más características avanzadas de edición de imagen que la aplicación Fotos que viene preinstalada en la tableta.

- **Keynote (7,99 €):** Parte del trío de aplicaciones iWork de Apple, es una herramienta de presentación digital similar en funcionalidad (y compatible con) Microsoft PowerPoint.

- **Numbers (7,99 €):** También parte del trío de aplicaciones iWork de Apple, es una potente aplicación de gestión de hoja de cálculo que es compatible con Microsoft Excel.

- **Pages (7,99 €):** La última aplicación del trío de aplicaciones iWork de Apple. Es un procesador de texto completo compatible con Microsoft Word.

- **Twitter (gratis):** Gestione una o más cuentas Twitter desde su iPad y envíe tweets desde aplicaciones como Fotos o Safari. Para aprender más, consulte el capítulo 3.

Nota: Pages, Keynote y Numbers están directamente integradas en el servicio iCloud de Apple, haciendo que sea más sencillo sincronizar automáticamente datos, documentos y archivos entre su tableta, Mac y otros dispositivos iOS. Para aprender más sobre las aplicaciones iWork para iPad de Apple, consulte el capítulo 10.

La anatomía del iPad 2 y nuevo iPad

El iPad pesa menos de 670 gramos, mide 24,12x18,57 cm y tiene un fondo de 0,94 cm de grosor. Cuando mira de frente al iPad 2 o nuevo iPad, ve la pantalla principal. La cámara frontal está situada en la parte superior central de la tableta, y puede encontrar el botón **Inicio** en la parte frontal central inferior del iPad, así como los otros puertos y botones físicos en su parte superior, inferior y lateral (véase la figura I.3).

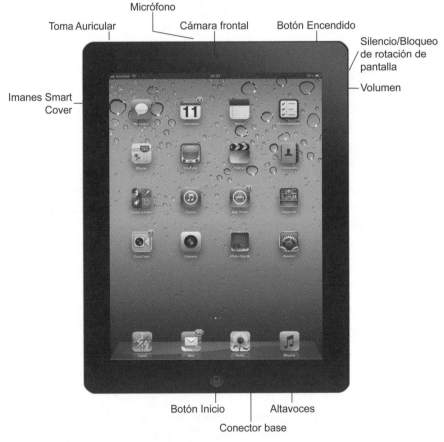

Figura I.3. *La parte frontal del iPad es una pantalla multitáctil a todo color de 9,7 pulgadas, el botón Inicio y la cámara frontal del dispositivo. En la parte trasera del iPad, en la esquina superior izquierda, tiene la cámara trasera. El botón de encendido del iPad se sitúa cerca de la esquina superior derecha de la tableta.*

Nota: El nuevo iPad viene con la pantalla Retina, que es la pantalla más avanzada y de alta definición ofrecida en cualquier dispositivo móvil. La cámara que está incorporada en el nuevo iPad también se ha mejorado considerablemente, al igual que el microprocesador principal de la tableta. También es compatible con Bluetooth 4.0.

Además de estos botones y puertos, puede hacer cualquier cosa mientras utiliza su iPad vía la pantalla táctil de la tableta. Para navegar adecuadamente por su tableta vía esta pantalla táctil, necesita utilizar varios movimientos sencillos de dedos.

Utilizar la pantalla táctil

Desde el momento que enciende su iPad 2 o nuevo iPad (o después de despertar del modo Reposo), además de pulsar el botón **Inicio** para regresar a la pantalla Inicio en cualquier momento, prácticamente toda su interacción con la tableta es mediante los siguientes movimientos de dedos y la pulsación de la pantalla táctil altamente sensible de la tableta:

- **Pulsar:** Pulsar sobre un icono o vínculo que se muestra en la pantalla de su iPad es lo mismo que hacer clic con el ratón cuando utiliza su ordenador principal. Y de igual forma que cuando utiliza un ordenador, dar un toque o doble toque es equivalente a hacer clic o doble clic con el ratón.

- **Mantener:** En lugar de un toque rápido, en algunas ocasiones, es necesario pulsar y mantener su dedo en un icono u opción de comando en pantalla. Cuando se requiere una acción de mantener, sitúe su dedo en el icono u opción de comando apropiado y manténgalo ahí. Nunca hay necesidad de pulsar fuerte sobre la pantalla de la tableta.

- **Deslizar:** Deslizar se refiere a pasar rápidamente un dedo por la pantalla de derecha a izquierda, izquierda a derecha, arriba abajo o abajo a arriba para desplazarse a la izquierda, derecha, abajo o arriba, respectivamente, dependiendo de qué aplicación esté utilizando.

- **Pellizcar:** Utilice su dedo gordo y dedo índice (el dedo junto a su dedo gordo) para llevar a cabo un gesto similar al de un pellizco en la pantalla táctil para alejar cuando utiliza ciertas aplicaciones. O bien, separe los dedos rápidamente para acercar lo que está viendo en la pantalla cuando utiliza la mayoría de las aplicaciones.

- **Agarrar:** Al utilizar sus cinco dedos, comience por extenderlos en la pantalla de la tableta y, luego, rápidamente, póngalos juntos en un movimiento de agarre. Esto le devuelve inmediatamente a la pantalla Inicio del iPad (en lugar de pulsar el botón **Inicio**).

- **Arrastrar hacia abajo:** Al utilizar su dedo índice, deslícelo rápidamente hacia abajo desde la parte superior del iPad. Esto hace que aparezca la ventana del Centro de notificaciones, alertándole de mensajes de correo electrónico entrantes, mensajes de texto, alarmas u otras acciones sensibles con las que tiene que tratar. Puede mantener el iPad en modo retrato o paisaje para que funcione. Para hacer que desaparezca esta ventana, pulse en cualquier parte de la pantalla fuera de la ventana del Centro de notificaciones.

- **Arrastrar hacia arriba cuatro dedos:** Al utilizar todos los dedos de una mano (excepto su dedo gordo), comience en la parte inferior de la pantalla y deslícese hacia arriba. Esto activa el modo multitarea del iPad. O bien puede pulsar rápidamente el botón **Inicio** dos veces para acceder al modo multitarea y alternar entre aplicaciones.

Nota: Otra forma de acercar o alejar cuando mira la pantalla del iPad es pulsar dos veces sobre el área de la pantalla que quiere agrandar.

Explorar la pantalla Inicio del iPad

La pantalla Inicio de su iPad sirve como un eje central desde donde puede lanzar aplicaciones individuales y utilizar las diferentes características y funciones de su tableta. Con independencia de qué esté haciendo en su tableta o qué aplicación utilice, en cualquier momento puede regresar a la pantalla Inicio si pulsa el botón **Inicio** en la parte inferior frontal de la tableta.

La figura I.4 muestra un ejemplo de la pantalla Inicio con varias aplicaciones preinstaladas y opcionales de terceros, así como iconos e indicadores en pantalla importantes.

En el área principal de la pantalla Inicio, están todos los iconos de aplicaciones actualmente instaladas en su iPad. En la pantalla principal Inicio del iPad puede mostrar simultáneamente 20 iconos de aplicación (o iconos de carpetas, explicados en breve) además de 6 iconos de aplicación adicionales en la parte inferior de la pantalla. También puede tener múltiples pantallas Inicio con diferentes iconos de aplicación en cada una.

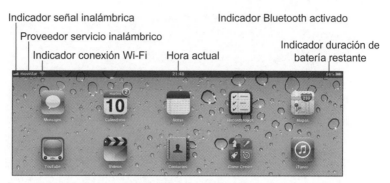

Figura I.4. *Una parte de la pantalla principal de Inicio.*

Truco: *Puede elegir mostrar hasta seis iconos de aplicación en la parte inferior de la pantalla* **Inicio.** *Estos iconos permanecen constantes, con independencia de qué pantalla* **Inicio** *esté viendo. Además, debería seleccionar las aplicaciones que utiliza más y situarlas en esas ubicaciones.*

El fondo de pantalla del iPad se muestra detrás de sus iconos de aplicación. También puede personalizar esto desde la aplicación Ajustes. Personalizar el fondo de pantalla de la pantalla Inicio es una de las formas en las que puede personalizar su iPad.

Organizar iconos en la pantalla Inicio

Además de seleccionar su imagen de fondo de pantalla, puede determinar la posición de los iconos de aplicación en su pantalla Inicio. Para mover los iconos de aplicación, mantenga pulsado cualquier icono de aplicación en pantalla durante dos o tres segundos hasta que todos los iconos en la pantalla Inicio empiecen a moverse. Ahora, sitúe su dedo en cualquier icono de aplicación que quiera mover y arrástrelo a una nueva posición en la pantalla Inicio. Puede mover un icono de aplicación cada vez mientras los iconos continúan moviéndose.

Durante este proceso (véase la figura I.5), algunos de los iconos de aplicación muestran una pequeña x blanca y negra en la esquina superior izquierda del icono. Puede eliminar los iconos que muestran la x desde el iPad en cualquier momento al pulsar sobre ella y confirmar su eliminación. Sin embargo, no puede eliminar los iconos de las aplicaciones preinstaladas en su iPad.

Cuando termine de mover los iconos, pulse el botón **Inicio** para salir de este modo y guardar sus cambios. Los iconos dejan de moverse y puede volver al uso normal de su tableta.

Figura I.5. *Cuando se están moviendo los iconos de aplicación, puede eliminar los que tienen un icono con una x. Los iconos sin x representan las aplicaciones que vienen preinstaladas en su tableta.*

Crear carpetas para organizar los iconos de aplicación

Puede utilizar carpetas para ayudar a organizar su pantalla Inicio, agrupar aplicaciones en función de su categoría y eliminar la saturación de su pantalla Inicio al consolidar los iconos de aplicación que se muestran.

Para crear una carpeta, desde la pantalla Inicio, pulse y mantenga pulsado cualquier icono de aplicación durante dos o tres segundos. Cuando todos los iconos comiencen a moverse, pulse sobre un icono de aplicación que quiera mover a una nueva carpeta. Mantenga su dedo en ese icono de aplicación y arrástrelo directamente por encima de un segundo icono de aplicación que también quiera incluir en la carpeta que está creando.

Cuando los dos iconos de aplicación se sobreponen, se crea automáticamente una carpeta. Tan pronto como sucede esto, los otros iconos de aplicación de la pantalla Inicio se desvanecen un poco y aparece una ventana que contiene las dos aplicaciones en la carpeta recién creada.

En la parte superior de esta ventana está el campo de texto que contiene el nombre por defecto de la carpeta (su iPad asigna a la carpeta un nombre predeterminado apropiado en función de la categoría en la que se encuentran las dos aplicaciones). Puede mantener este nombre al pulsar sobre cualquier parte de la pantalla fuera de la ventana de la carpeta. No obstante, puede cambiar el nombre de la carpeta al pulsar sobre el icono circular **x** que se muestra en la esquina derecha del campo de nombre de la carpeta.

Para guardar su carpeta, pulse sobre cualquier parte fuera de la ventana de la carpeta. Verá que aparece la carpeta recién creada junto a sus iconos de aplicación en la pantalla Inicio. En la figura I.6, la carpeta se denominada `Fotografía` y contiene múltiples aplicaciones.

Figura I.6. *Cuando aparece una carpeta en la pantalla Inicio, se muestra junto a los iconos de aplicación aunque ligeramente diferente. Las imágenes en miniatura de las aplicaciones que se guardan en la carpeta se muestran en el icono de carpeta.*

Después de crear inicialmente una carpeta, ésta contiene dos iconos de aplicación. Puede añadir más iconos siempre que todos los iconos de aplicación de la pantalla Inicio estén moviéndose. Simplemente, sitúe su dedo en el icono de aplicación que quiere mover a la carpeta y arrastre ese icono sobre el icono de carpeta.

Cuando haya terminado de añadir iconos de aplicación a la carpeta, puede mover la carpeta por la pantalla Inicio como si moviera cualquier icono de aplicación, o pulsar sobre el botón **Inicio** para guardar sus cambios y devolver a la pantalla Inicio su apariencia normal (haciendo que los iconos de aplicación dejen de moverse).

Para lanzar una aplicación que está guardada en una carpeta, desde la pantalla Inicio, pulse sobre el icono de carpeta. Cuando aparece la ventana de la carpeta en la pantalla del iPad (véase la figura I.7), muestra todos los iconos de aplicación guardados en la carpeta. Pulse sobre el icono de la aplicación que quiere utilizar.

Figura I.7. *Una carpeta abierta y su ventana de carpeta (que, en este ejemplo, contiene aplicaciones relacionadas) en la pantalla Inicio del iPad.*

Para eliminar un icono de aplicación de una carpeta, desde la pantalla Inicio, pulse sobre el icono de carpeta que representa la carpeta en la que se guarda la aplicación. Cuando aparezca la ventana de carpeta, mantenga su dedo en el icono de aplicación que quiera mover. Cuando los iconos de aplicación comiencen a moverse, arrastre el icono de aplicación de la ventana de la carpeta de vuelta a la pantalla principal de Inicio.

Si quiere eliminar una aplicación de una carpeta y del iPad, cuando los iconos comiencen a moverse, pulse sobre el icono de la x en blanco y negro en la esquina superior izquierda del icono. Todas las aplicaciones que adquiere para su iPad se guardan automáticamente en su cuenta gratuita iCloud de Apple y se pueden reinstalar en su tableta en cualquier momento.

Truco: *Además de los iconos y carpetas de aplicación, puede configurar iconos de marcadores de Safari para que se muestren en su pantalla de Inicio.*

1. Activar y personalizar su iPad

Antes de poder utilizar el iPad que acaba de adquirir, primero tiene que activarlo. Después, además de elegir la pantalla de bloqueo y el fondo de pantalla de su tableta y recolocar los iconos de aplicación de su pantalla de inicio, puede personalizar su iPad, así como las aplicaciones individuales, de varias formas. Activar y personalizar su iPad es el objetivo de este capítulo.

Encender o apagar su iPad

Como cualquier otro dispositivo electrónico, su iPad tiene un botón **Reposo/Activación**, que está situado cerca de la esquina superior derecha de la tableta. Para encender el iPad cuando está apagado, pulse el botón **Reposo/Activación** entre uno y tres segundos. Verá que aparece el logotipo de Apple y el iPad se reiniciará en unos 15 segundos, haciendo que se muestre la pantalla de bloqueo.

Para apagar el iPad, pulse y mantenga pulsado el botón **Reposo/Activación** entre tres y cinco segundos hasta que aparezca el deslizador para apagado. Después, arrastre su dedo de izquierda a derecha por este deslizador.

> **Nota:** Cuando su iPad esté completamente apagado, sus aplicaciones dejarán de funcionar en segundo plano y no podrá conectarse automáticamente a Internet.

Poner el iPad en modo de reposo

Además de estar encendido o apagado, su iPad también puede quedarse en modo reposo si no se está utilizando. Las aplicaciones se siguen ejecutando en segundo plano y la tableta se activará automáticamente si se genera una alerta, alarma o notificación por parte de una aplicación que requiera su atención. Además, el iPad accederá automáticamente a Internet para comprobar los correos entrantes o actualizar datos en una aplicación específica.

Para activar este modo, pulse el botón **Reposo/Activación** una vez (no lo mantenga pulsado durante varios segundos como si lo apagase). O bien, simplemente sitúe una *Smart Cover* de Apple (o funda compatible) sobre la pantalla del iPad.

Mientras esté en este modo, la pantalla de su iPad estará apagada. Para despertar el iPad, pulse y suelte rápidamente bien el botón **Reposo/Activación** o el botón **Inicio**. Siempre que despierte el iPad, se mostrará la pantalla de bloqueo.

> **Truco:** Si va a utilizar una Smart Cover con su iPad2 o nuevo iPad, siempre que sitúe la funda sobre la pantalla de la tableta, ésta entrará automáticamente en modo reposo. Sin embargo, cuando se retire, la tableta despertará mostrándole la pantalla de bloqueo.
> Dependiendo de cómo esté configurado el iPad, puede ajustar la característica Bloqueo automático para que la tableta esté en modo reposo si se pretende su suspensión por un determinado período de tiempo.

Activar su iPad

Cuando compre por primera vez su iPad 2 o nuevo iPad, lo saque de la caja y lo encienda, verá una pantalla negra que muestra el logotipo de iPad. Antes de que pueda comenzar a utilizar su tableta, deberá inicializarla y configurarla por primera vez. Cuando se le solicite, arrastre el dedo por el deslizador en pantalla para comenzar con el proceso de configuración.

Truco: El procedimiento incorporado de configuración inalámbrica en iOS 5.1 se utiliza para configurar inicialmente su iPad. Para hacer esto, su tableta necesita acceso a una red Wi-Fi. O bien, puede conectar su tableta a su ordenador principal a través del cable USB incluido y luego utilizar el software iTunes en su ordenador principal (PC o Mac) para la configuración inicial. Este proceso de configuración es obligatorio y solamente necesitará hacerlo una vez.

Configuración inalámbrica del iPad

Si está configurando un nuevo iPad que viene con iOS 5.1 (o superior) instalado, y está en una red Wi-Fi, puede utilizar el procedimiento de configuración inalámbrica.

La primera vez que encienda una tableta verá una pantalla negra que muestra la palabra "iPad" en el centro de la pantalla (véase la figura 1.1). Cerca de la mitad inferior de la pantalla hay un deslizador virtual de encendido. Mueva este deslizador de izquierda a derecha.

Figura 1.1. Esto es lo primero que verá cuando encienda su nuevo iPad.

Cuando aparezca la pantalla de bienvenida (véase la figura 1.2), seleccione su idioma (la opción por defecto es inglés) y, luego, pulse sobre el icono de la flecha que apunta a la derecha, en la esquina superior derecha de la pantalla.

Figura 1.2. Seleccione sus preferencias de idioma y pulse sobre el icono de flecha para continuar con el procedimiento de configuración inicial.

A continuación, seleccione su país o región. Pulse sobre el icono **Siguiente** que se encuentra en la esquina superior derecha de la pantalla para continuar.

En esta pantalla, podrá habilitar o deshabilitar la característica de servicios de localización de iPad. Esta opción permite que su iPad (y las aplicaciones que se ejecutan en él) localicen su posición exacta y utilicen (y a veces compartan) su información de posición. Las ventajas y desventajas de esta característica se tratan con más detalle más adelante, en este capítulo, pero por ahora active esta característica. Desde la aplicación Ajustes, podrá decidir qué aplicaciones específicas pueden utilizar esta característica.

Desde la pantalla Redes Wi-Fi (véase la figura 1.3), seleccione la red Wi-Fi a la que debería conectarse su tableta. Las redes Wi-Fi disponibles se muestran en esta pantalla. Cuando pulse sobre la red que quiera elegir, aparecerá una pequeña marca de confirmación junto al nombre de la red. Pulse sobre el icono **Siguiente** para continuar.

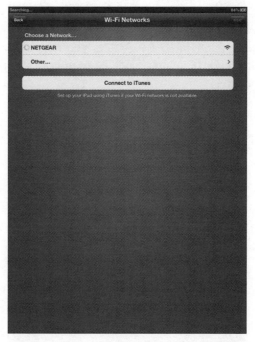

Figura 1.3. *Para continuar con la configuración inalámbrica,*
su tableta debe estar conectada a un punto Wi-Fi.

La pantalla Ajustes iPad se mostrará a continuación. Desde esta pantalla, puede configurar su iPad desde cero o restaurar la tableta desde una copia de seguridad anterior. En la parte inferior de esta pantalla se muestran las tres opciones siguientes (véase la figura 1.4):

- Configurar como un nuevo iPad.

- Restaurar copia de seguridad de iCloud.

- Restaurar copia de seguridad de iTunes.

Si está actualizando desde un iPad original a iPad 2, o desde el iPad 2 a un nuevo iPad, y quiere cargar todas sus aplicaciones, personalizaciones y datos, tiene dos opciones. Si sus datos de copia de seguridad están guardados en iCloud, seleccione la opción Restaurar copia de seguridad de iCloud. O bien, si los datos de copia de seguridad de su iPad original están guardados en su ordenador principal (porque se crearon utilizando el proceso de sincronización con iTunes), conecte su tableta a su ordenador principal a través del cable USB proporcionado y siga las instrucciones en pantalla.

Sin embargo, si no está actualizando, seleccione la opción Configurar como un nuevo iPad y, luego, pulse sobre el icono **Siguiente** para continuar.

Cuando aparece la pantalla ID de Apple, verá una colección de iconos de aplicación distribuidos por la misma. En la parte inferior de esta pantalla existen dos iconos de comando:

- Iniciar sesión con un ID de Apple.

- Crear un ID de Apple gratuito.

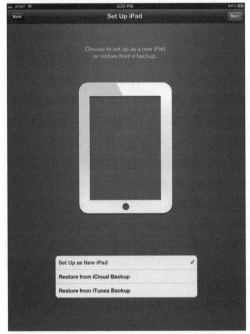

Figura 1.4. *Cuando active su iPad, elija entre si quiere configurarlo como un nuevo dispositivo o restaurar sus datos a partir de un iPad anterior.*

Si ya dispone de cualquier otro ordenador Apple o dispositivo iOS, es probable que ya tenga configurada una cuenta Apple. Pulse por lo tanto sobre el icono Iniciar sesión con un ID de Apple para continuar. Cuando aparezca la siguiente pantalla, utilice el teclado virtual de iPad para introducir su ID de Apple y contraseña.

Cuando escriba su ID de Apple y contraseña existentes, su nuevo iPad cargará automáticamente los datos guardados en iCloud de aplicaciones relacionadas, incluida su base de datos de Contactos, datos de Calendarios, Favoritos Safari y la información de cuenta de correo relacionada con iCloud.

Nota: *Si todavía no tiene un ID de Apple, pulse sobre el icono Crear un ID de Apple gratuito y siga las instrucciones en pantalla para crear uno. Una vez que lo tenga, podrá continuar con el proceso de configuración. Si no recuerda su ID de Apple o contraseña, visite* `https://appleid.apple.com`.

A continuación, podrá configurar los servicios iCloud desde la pantalla Configurar iCloud. En la parte inferior de esta pantalla, podrá activar o desactivar el servicio iCloud. Una vez realizada su selección, pulse sobre el icono **Siguiente** en la esquina superior derecha de la pantalla.

Configurar iCloud es gratuito y, puesto que muchas aplicaciones le permiten compartir datos y sincronizar archivos utilizando este servicio de compartición en línea, es algo que debería hacer ahora. Sin embargo, tendrá la oportunidad de configurar iCloud más adelante, a través de la aplicación Ajustes.

Continúe trabajando en este procedimiento de activación de iPad paso a paso, que le debería llevar menos de cinco minutos. Cuando haya terminado, aparecerá una pantalla de agradecimiento.

Si está activando un nuevo iPad, tendrá la opción de activar la nueva característica Dictado (véase la figura 1.5). Pulse sobre esta opción para activarla.

Figura 1.5. *Si está activando su nuevo iPad, podrá activar la característica Dictado. Esta característica no está disponible en el iPad original o iPad 2.*

Ahora que ya ha configurado su iPad, se mostrará la pantalla de Inicio de la tableta. En esta pantalla están los iconos de todas las aplicaciones principales preinstaladas.

> *Truco:* Su iPad está ahora completamente activado y listo para usarse. Sin embargo, es posible que desee cargar la batería. Puede ver el nivel de carga de la batería al observar el icono situado en la esquina superior derecha de la pantalla. Podrá utilizar el iPad mientras se carga. Aparecerá un gráfico de un rayo en el icono para indicar que se está cargando.

Activar los servicios de datos de su iPad

Ahora que ya tiene activado su iPad, si tiene un modelo iPad 2 Wi-Fi + 3G o un nuevo iPad Wi-Fi + 4G, podrá activar una tarifa de servicio de datos inalámbrico. Para hacer esto, asegúrese de que su iPad no está en Modo Avión. Debería ver las barras de la señal de conexión 3G o 4G junto al logotipo de su operador en la parte superior izquierda de la pantalla. A continuación, pulse sobre el icono de aplicación Safari desde la pantalla Inicio.

Personalizar la configuración del iPad

Además de añadir aplicaciones a su iPad para personalizar las características y funcionalidad de la tableta, podrá utilizar la aplicación Ajustes incorporada para personalizar el amplio conjunto de opciones que afectan a su interacción con la tableta, cómo se conecta a Internet y cómo funcionan sus aplicaciones.

Con independencia de para qué utilice su iPad, en ocasiones necesitará acceder a la aplicación Ajustes. Piense en esta aplicación como el centro de control para el sistema operativo de la tableta. Por ejemplo, desde aquí puede poner su tableta en Modo Avión, encontrar y conectarse a una zona Wi-Fi, configurar sus cuentas de correo y personalizar los fondos de pantalla. De hecho, existen decenas de opciones disponibles desde los varios menús y submenús que directamente afectan a cómo funciona su iPad. Siempre que lance la aplicación Ajustes, verá que la pantalla se divide en dos secciones. A la izquierda, están las opciones principales ofrecidas en la aplicación Ajustes, comenzando con el interruptor virtual del Modo Avión, situado en la esquina superior izquierda de la pantalla (véase la figura 1.6).

Figura 1.6. *La parte izquierda de la pantalla muestra el menú de Ajustes.*
Pulse sobre una opción de menú para mostrar un submenú
relevante en la parte derecha de la pantalla.

A la derecha de la pantalla encontrará las opciones de submenú disponibles en función de la selección resaltada en el lado izquierdo. Si mantiene su iPad en posición vertical, podrá ver toda la pantalla principal Ajustes a la vez. Como puede ver, la opción General de la izquierda está resaltada (en azul en su pantalla) y las opciones específicas que puede ajustar en su iPad bajo la opción General se muestran a la derecha de la pantalla.

Para seleccionar una categoría diferente, pulse sobre su opción de menú listada en la columna izquierda de la pantalla.

Cambiar a Modo Avión

La primera opción que se encuentra bajo la cabecera Ajustes, en la columna izquierda de la pantalla principal, es el activador virtual de Modo Avión. Esta opción le permitirá desactivar la posibilidad del iPad de comunicarse con Internet utilizando conexión 3G (4G) o Wi-Fi. Para activar o desactivar el Modo Avión, alterne entre las opciones mostradas.

Cuando está desactivado el Modo Avión, y utiliza un iPad con 3G (4G), la tableta se conectará a la red de datos inalámbrica a la que esté subscrito (siempre y cuando no esté en el radio de señal de una red Wi-Fi). Las barras de señal para esta conexión de datos inalámbrica se muestran en la esquina superior izquierda de la pantalla.

Si activa el Modo Avión, se apaga la conexión de datos inalámbrica de la tableta y su conexión Wi-Fi existente también se apaga. El resto de cosas en su tableta siguen funcionando. Sin embargo, algunas aplicaciones (como FaceTime) requieren de una conexión activa Wi-Fi para funcionar. Cuando su tableta está en Modo Avión, aparece un pequeño icono con forma de avión en la esquina superior izquierda de la pantalla.

> *Truco: Mientras esté activado el Modo Avión, tiene la opción de volverse a conectar a una red Wi-Fi desde la opción de ajustes Wi-Fi. Esto es útil si está a bordo de un avión que ofrece Wi-Fi pero no le permite utilizar las opciones 3G/4G de su tableta. También puede activar el Modo Avión cuando viaje al extranjero y quiera conectarse a la Web utilizando solamente redes Wi-Fi.*

Conectarse a una red Wi-Fi

Situado inmediatamente por debajo de Modo Avión está la opción Wi-Fi. Cuando pulsa Wi-Fi, en la columna izquierda de la pantalla principal Ajustes, la parte derecha de la pantalla muestra las opciones disponibles para elegir y conectarse a una red Wi-Fi.

En la parte superior, la primera opción seleccionable por el usuario se denomina Wi-Fi y va acompañada de un interruptor virtual de encendido/apagado a su derecha. Cuando se activa la opción Wi-Fi, su iPad inmediatamente comienza a buscar todas las redes Wi-Fi de la vecindad.

Las redes que se encuentran disponibles se muestran bajo la cabecera Seleccione una red, a la derecha de la pantalla. Un icono de candado a la derecha de cada red listada indica si la red Wi-Fi está protegida con contraseña. La fuerza de la señal de cada red Wi-Fi se muestra también a la derecha del nombre de la red.

Pulse sobre una red pública que no muestre un icono de candado, a menos que tenga la contraseña para acceder a ella. Tenga en cuenta que las opciones de red mostradas debajo de la cabecera Seleccione una red se basan en los puntos de acceso Wi-Fi activos en su vecindad.

Cuando seleccione una red Wi-Fi protegida con contraseña, aparecerá una ventana de Contraseña en su pantalla. Con ayuda del teclado virtual del iPad, introduzca la contraseña correcta para conectarse a la red Wi-Fi seleccionada. Puede que también tenga que hacer esto cuando se conecte a una red Wi-Fi pública en un hotel.

En unos segundos, aparecerá una marca de confirmación a la izquierda de la red Wi-Fi seleccionada y un indicador de señal en la esquina superior izquierda de la pantalla para confirmar que se ha establecido una conexión Wi-Fi.

Si deja la opción Wi-Fi activada, su iPad puede automáticamente encontrar y conectarse a una red Wi-Fi disponible, con o sin su aprobación, en función de si tiene activada o desactivada la opción Preguntar al conectar.

Beneficios de acceder a la Web a través de una red Wi-Fi

Existen varios beneficios respecto a la conexión a Internet mediante una conexión Wi-Fi frente a una conexión 3G o 4G (si utiliza un iPad 2 o nuevo iPad con posibilidades Wi-Fi + 3G o Wi-Fi + 4G). Estos beneficios incluyen:

- Una conexión Wi-Fi, a menudo, es mucho más rápida que una conexión 3G o incluso una 4G; sin embargo, la fuerza de la señal y el número de personas que accedan simultáneamente a la red Wi-Fi afecta a su velocidad de conexión.

- Cuando se conecta a Internet a través de Wi-Fi, puede enviar y recibir tantos datos como quiera, navegar por la Web y subir o descargar grandes archivos sin preocuparse por agotar su asignación mensual de datos asociada a su tarifa de datos inalámbrica 3G o 4G.

- Al utilizar una conexión Wi-Fi, puede utilizar la aplicación FaceTime para conferencias de vídeo, además de descargar películas y episodios de series de TV desde iTunes directamente en su tableta.

Nota: La principal desventaja de utilizar Wi-Fi para conectarse a Internet desde su iPad es que debe estar accesible una red Wi-Fi y debe encontrarse en el radio de esa señal para permanecer conectado a Internet. La señal de la mayoría de las redes Wi-Fi solamente se extiende unos metros desde el router inalámbrico. Si va más allá de este radio de señal, su conexión a Internet se perderá.

Configurar la opción Notificaciones

La opción Notificaciones, también mostrada en la columna izquierda de la aplicación Ajustes, le permite activar o desactivar globalmente las notificaciones que aparecen a la derecha de la pantalla. Cuando se desactiva, se desactivan todos los sonidos y alertas de la pantalla Inicio. Desde la opción Notificaciones, en Ajustes, también podrá personalizar el Centro de notificaciones, que está continuamente operativo cuando está encendido su iPad.

Opciones de configuración de localización

La cuarta opción que se muestra a la izquierda de la pantalla se denomina Localización. Con esta opción activada, el iPad podrá utilizar automáticamente la funcionalidad GPS incorporada en el dispositivo junto con varias aplicaciones. Ciertas aplicaciones y servicios, como Mapas o Buscar mi iPad, se basan en conocer su posición exacta para funcionar correctamente.

Cuando está seleccionado Localización en el menú de la columna izquierda, a la derecha se muestra un interruptor virtual que activa o desactiva esta característica. Por debajo aparece una lista de todas las aplicaciones actualmente instaladas en su iPad que pueden utilizar Localización. Puede activar la opción general Localización pero desactivar la característica en relación a las aplicaciones específicas que de otra forma lo utilizarían.

Cuando la opción está activada, su iPad podrá utilizar sus posibilidades GPS mientras que, con la opción desactivada, su tableta no será capaz de determinar (o difundir) su posición exacta.

Algunas aplicaciones rastrean automáticamente su paradero y añaden esa información geográfica a archivos. Por ejemplo, con Localización activada, cuando tome una fotografía desde la aplicación Cámara, la posición exacta de dónde se tomó la fotografía se guardará automáticamente. De forma similar, cuando publique un tweet podrá configurar la aplicación Twitter para que muestre automáticamente su posición exacta en ese mensaje tweet. Y, teóricamente, su jefe o cualquier otra persona que conozca su ID de Apple podría rastrear su paradero al utilizar el servicio Buscar mi iPad desde cualquier ordenador. O bien, con su permiso, la aplicación Buscar a mis amigos se puede utilizar para este propósito.

Nota: Si no quiere que el iPad rastree su paradero en tiempo real, desactive esta característica. Cuando utilice Mapas, por ejemplo, si la característica está desactivada, deberá introducir manualmente su ubicación cada vez que utilice la aplicación.

Opciones de configuración de datos móviles

Cuando seleccione la opción Datos móviles, un interruptor virtual de encendido/apagado aparece en el lado derecho de la pantalla (véase la figura 1.7). La opción Itinerancia de datos también aparece y, en el nuevo iPad, también estará disponible la opción para activar LTE.

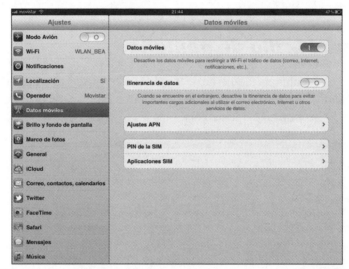

Figura 1.7. *Desde la opción Datos móviles, puede controlar si su iPad puede conectarse a la red de datos inalámbrica 3G o 4G. También tiene la posibilidad de itinerancia (por una cuota adicional) a otras redes para acceso a Internet 3G o 4G.*

Nota: *Esta opción de Datos móviles solamente se aplica a los modelos iPad Wi-Fi + 3G original, iPad 2 Wi-Fi + 3G y el nuevo iPad Wi-Fi + 4G.*

Cuando está activa la opción Datos móviles, su tableta podrá acceder a los datos inalámbricos 3G o 4G a los que se suscriba. Cuando está desactivada, su iPad podrá acceder solamente a Internet al utilizar una conexión Wi-Fi, asumiendo que esté presente una.

Cuando está activa, la opción Itinerancia de datos permitirá que su iPad se conecte a una red 3G (o 4G) ajena a la que se ha suscrito. La posibilidad de entrar en otra red de datos inalámbrica puede ser útil si tiene que conectarse a Internet, no hay redes Wi-Fi presentes y está fuera del área de cobertura de su red de datos inalámbrica (como cuando se viaja al extranjero).

Advertencia: Si su iPad está en itinerancia y puede conectarse a otra red de datos inalámbrica 3G o 4G (como cuando viaja al extranjero), puede incurrir en importantes cargos de itinerancia. Absténgase de utilizar esta característica a menos que haya contratado una tarifa de itinerancia de datos 3G o 4G de antemano con su proveedor de servicios, o prepárese a pagar una fortuna por acceder a la Web.

Ajustar el brillo de pantalla

También en la columna izquierda de la aplicación Ajustes está la configuración de Brillo y fondo de pantalla. Cuando pulse sobre ésta, aparecerán las opciones Brillo y fondo de pantalla a la derecha (véase la figura 1.8).

Figura 1.8. *Utilice el deslizador Brillo para controlar la luminosidad con la que aparece la pantalla de su iPad. Puede cambiar esto en función de las condiciones de luz externas en las que utilice su iPad para que sea más sencillo ver lo que se muestra en la pantalla.*

En la parte superior de la pantalla está el deslizador Brillo. Sitúe su dedo en el punto blanco del deslizador y arrástrelo a la derecha para que la pantalla sea más luminosa, o arrástrelo a la izquierda para que la pantalla sea más oscura. Ajustar manualmente el brillo restablece el brillo "base" de la opción Brillo automático, haciendo que la pantalla sea más sencilla de leer en ciertas condiciones de iluminación (en función de su preferencia personal).

La opción **Brillo automático**, que se muestra bajo el deslizador de brillo, tiene asociado un interruptor virtual. La configuración predeterminada para esta característica es encendida, lo que significa que el iPad utiliza el sensor de luz ambiente incorporado para ajustar automáticamente el brillo de la pantalla. Déjelo activado a menos que de forma habitual tenga dificultad para ver lo que se muestra en la pantalla de su iPad en función de su configuración de brillo.

Personalizar la pantalla de bloqueo y fondos de pantalla

Una de las formas en las que puede personalizar la apariencia de su iPad es cambiar el fondo de pantalla mostrado en la pantalla de bloqueo del dispositivo y detrás de sus iconos de aplicación de la pantalla Inicio.

Elegir un fondo de pantalla preinstalado

Desde la opción **Brillo y fondo de pantalla** en la aplicación Ajustes, puede cambiar rápidamente los fondos de pantalla que se muestran en la tableta. Su iPad tiene 34 diseños de fondo de pantalla preinstalados, además de poder utilizar cualquiera de las imágenes digitales almacenadas en su iPad (en la aplicación Fotos) como su pantalla de bloqueo o fondo de pantalla.

Debajo del deslizador de brillo está la opción **Fondo de pantalla**. Aquí, verá un gráfico en miniatura de la pantalla de bloqueo de su iPad a la izquierda y la pantalla Inicio a la derecha. Pulse sobre cualquiera de estas imágenes en miniatura para cambiar su apariencia. La parte derecha de la pantalla Ajustes cambia y se listan dos opciones. La opción **Fondo de pantalla** está en la parte superior y la opción **Carrete** está en la inferior.

Pulse sobre la opción **Fondo de pantalla** para mostrar miniaturas para los 34 gráficos de fondo de pantalla preinstalados entre los que puede elegir (véase la figura 1.9).

Cuando examine la colección de gráficos de fondo de pantalla, pulse sobre el que le gustaría utilizar, como el gráfico del planeta tierra que se muestra en la fila superior. A continuación, se muestra el gráfico que ha seleccionado en modo pantalla completa. En la esquina superior derecha de la pantalla existen tres botones de comando. Elija una de estas opciones al pulsar sobre su icono:

- **Pantalla bloqueada:** Pulse sobre este icono para cambiar el gráfico de fondo de pantalla de la pantalla de bloqueo de su iPad. Ésta es la pantalla que ve cuando activa por primera vez su tableta o la despierta del modo reposo.

Figura 1.9. *Elija entre los 34 gráficos de fondo de pantalla preinstalados para su pantalla de bloqueo y pantalla Inicio de su iPad.*

- **Pantalla de inicio:** Pulse sobre este icono para cargar solamente el gráfico de fondo de pantalla de la pantalla Inicio de su iPad. Es el gráfico que se muestra detrás de sus iconos de aplicación en cada una de sus páginas de pantalla de inicio.

- **Ambas:** Pulse sobre este icono para utilizar el mismo gráfico de fondo de pantalla tanto para los fondos de pantalla de la pantalla bloqueada y la pantalla de inicio.

Después de realizar su selección, se muestra el nuevo gráfico de fondo de pantalla seleccionado cuando regresa a la pantalla bloqueada o pantalla de inicio del iPad. En lugar de elegir uno de los gráficos de fondo de pantalla preinstalados, también tiene la opción de utilizar cualquiera de sus propias imágenes digitales. Esto incluye fotos que haya transferido a su iPad y que haya guardado en la aplicación Fotos, y fotos que haya capturado al utilizar la aplicación Cámara de la tableta.

Mostrar una imagen personalizada como fondo de pantalla

Para seleccionar una de sus fotos y utilizarla como fondo de pantalla, pulse la opción Brillo y fondo de pantalla en la aplicación Ajustes. A la derecha de la pantalla, pulse en las miniaturas de la pantalla de bloqueo y pantalla de inicio de su iPad. Debajo de la opción Fondo de pantalla, seleccione la carpeta que contiene la imagen que quiere utilizar como su fondo de pantalla. Esto podría ser una foto que ha tomado al utilizar su iPad (y que se encuentra en la carpeta Carrete), o una foto que ha importado a la aplicación Fotos de su tableta. También podría utilizar una foto que haya guardado en su iPad desde Fotos en streaming de iCloud, una característica que se trata más adelante en este libro.

Cuando aparezca la imagen en miniatura, pulse sobre la que quiera utilizar como su fondo de pantalla para su pantalla bloqueada o pantalla de inicio (o ambas). Cuando aparezca la foto que ha seleccionado en modo pantalla completa, pulse sobre uno de los tres iconos de comando que aparecen en la esquina superior derecha de la pantalla. Una vez más, sus opciones incluyen Pantalla bloqueada, Pantalla de inicio o Ambas. Después de que haya hecho su selección, el gráfico de fondo de pantalla seleccionado se mostrará en su pantalla bloqueada y pantalla de inicio, como se ve en la figura 1.10 y figura 1.11.

Figura 1.10. *Un gráfico de pantalla bloqueada, elegido desde una foto guardada en el iPad en la aplicación Fotos.*

Transformar su iPad en un marco de fotos digital

Cuando no utilice el iPad, podrá dejarlo descansar tranquilamente en su escritorio. Si éste es el caso, podría transformar el dispositivo en un marco de fotos digital y hacer que muestre diapositivas animadas de sus imágenes favoritas. Podrá configurar y personalizar una presentación de diapositivas animadas al utilizar la opción Marco de fotos de la aplicación Ajustes.

Figura 1.11. *Se muestra la imagen seleccionada en la aplicación Ajustes como su fondo de pantalla.*

Opciones generales

Las distintas opciones bajo la cabecera General son cosas que probablemente nunca necesitará ajustar, como Internacional o Accesibilidad, de modo que déjelas en su configuración predeterminada. Otras son cosas que podría necesitar cambiar a menudo a medida que utiliza su iPad para diferentes tareas.

La opción General le permite visualizar y ajustar las siguientes opciones:

- Información: Pulse sobre esta opción para acceder a información sobre su iPad, incluido su número de serie, la versión de iOS, la capacidad de memoria y la actualmente disponible en el dispositivo. Es una pantalla meramente informativa sin opciones para personalizar o ajustar.

- Actualización de software: Periódicamente, cuando Apple lanza una revisión del sistema operativo iOS, deberá descargar e instalar una actualización. Podrá hacerlo de forma inalámbrica al utilizar esta característica. Cuando pulse sobre Actualización de software, su iPad comprueba si está disponible una nueva versión de iOS; si es así, le indica que la descargue e instale.

- Uso: Pulse sobre esta opción para decidir si mostrar el nivel de carga de la batería como un porcentaje numérico (como 73%) o solamente como un icono gráfico con forma de batería. Además, desde esta pantalla podrá ver cuántos datos ha enviado o recibido el iPad al utilizar la red de datos inalámbrica 3G/4G a la que se conecte.

Pulse sobre la opción Restablecer estadísticas para restablecer los ajustes de Enviados y Recibidos. Cuando sume los números de Enviados y Recibidos podrá determinar su uso total de datos desde la última vez que pulsó el icono. Esta característica es particularmente útil para determinar cuánto pagará cuando esté en el extranjero, o para asegurarse de que no se pasa del uso de datos mensual asignado en función de la tarifa de datos 3G/4G que tenga.

- Sonidos: Pulse sobre esta opción para ajustar el volumen total de los altavoces incorporados del iPad (o el volumen del audio que escucha a través de los auriculares), así como activar o desactivar varios tonos y alarmas que es capaz de generar su tableta. Todas estas opciones relacionadas con sonidos tienen un interruptor virtual asociado.

- Red: Esta opción le permite seleccionar y conectar su iPad a cualquier VPN (*Virtual Private Network*, Red privada virtual) o red Wi-Fi, asumiendo que existe alguna. Para ayuda sobre cómo conectarse a una VPN, contacte con el departamento de sistemas de su compañía.

- Bluetooth: Si tiene intención de utilizar cualquiera de los dispositivos Bluetooth con su tableta, como los altavoces externos inalámbricos, un auricular o un teclado inalámbrico, lo primero que necesita es activar esta característica en su iPad y, luego, asociar ese dispositivo a su tableta. Puede gestionar los dispositivos Bluetooth desde el submenú Bluetooth en Ajustes.

Truco: Si está utilizando su iPad sin tener un dispositivo Bluetooth conectado, puede desactivar la característica Bluetooth para evitar recibir avisos sobre dispositivos Bluetooth y prolongar el tiempo de batería de la tableta.
Cuando active esta característica, su iPad buscará cualquier dispositivo compatible con Bluetooth en los alrededores. La primera vez que utilice un determinado dispositivo Bluetooth con su iPad, deberá asociarlo. Siga las instrucciones que vienen con el dispositivo o accesorio para llevar a cabo esta tarea de configuración inicial.

- Sincr. con iTunes vía Wi-Fi: En lugar de utilizar iCloud o el proceso tradicional de sincronizar con iTunes para hacer una copia de seguridad o sincronizar su iPad, esta opción le permite utilizar el proceso de sincronización con iTunes sin conectar directamente su iPad a su ordenador principal, al utilizar el cable USB proporcionado. En lugar de eso, puede vincularlo de forma inalámbrica, siempre y cuando el ordenador y el iPad estén conectados a la misma red inalámbrica.

- **Búsqueda en Spotlight:** Determina qué aplicación se busca cuando se utiliza esta característica incorporada en el iPad.

- **Bloqueo automático:** Configure su iPad para que pase a modo reposo en cualquier momento que se quede inactivo durante una determinada cantidad de tiempo. Esto ayuda a conservar el tiempo de batería. Desde esta opción puede determinar si debería activarse después de 2, 5, 10 o 15 minutos de no uso. O bien puede elegir la opción Nunca para que nunca pase automáticamente a modo reposo, incluso si lo deja desatendido durante un período de tiempo prolongado.

- **Bloqueo con código:** Utilice esta característica para configurar y luego activar y desactivar la opción Bloqueo con código incorporada en el sistema operativo del iPad. Esta característica se trata más adelante en este capítulo.

- **(Des)bloqueo mediante tapa:** Esta característica solamente es aplicable si utiliza una funda *Smart Cover* de Apple con su iPad. Si es así, cuando la característica esté activa, su tableta automáticamente entra en modo reposo cuando la *Smart Cover* se sitúa sobre la pantalla y se despierta de nuevo tan pronto como se retire.

- **Restricciones:** Utilice estas características para convertir su tableta en un dispositivo "a prueba de niños" . Dispondrá de la opción de **Activar restricciones** y luego, manualmente, establecer estas restricciones. Por ejemplo, puede bloquear el uso de ciertas aplicaciones, evitar que el usuario elimine o añada aplicaciones al iPad, evitar que alguien realice compras de aplicaciones o que alguien acceda a ciertos tipos de contenidos iTunes o aplicaciones (incluidas las series de TV, películas, música y podcasts).

- **Usar interruptor lateral para:** Existe un pequeño interruptor situado en la parte derecha de su iPad, justo encima del botón de subir/bajar volumen. Puede determinar qué función principal debería tener este interruptor. Utilícelo como interruptor de Bloquear rotación o un interruptor de Silenciar.

- **Gestos para multitarea:** Cuando está activada esta opción, se permiten varios movimientos adicionales de dedo/mano cuando interactúa con la pantalla táctil de su tableta. Por ejemplo, puede llevar a cabo un movimiento de juntar dedos para regresar a la pantalla Inicio. O bien puede deslizar hacia arriba para mostrar la barra de multitarea (en lugar de pulsar dos veces el botón Inicio). Luego, puede deslizar hacia izquierda/derecha para cambiar entre aplicaciones en el modo multitarea.

- **Fecha y hora**: Cambie entre reloj de 12 o 24 horas y determine si quiere que su iPad establezca automáticamente la hora y fecha (cuando está conectado a Internet). Para asegurarse de que son correctas la hora y la fecha con independencia de la zona horaria en la que viaje, deje activada la opción **Ajuste automático**.

- **Teclado**: Puede realizar ciertas personalizaciones desde la pantalla Ajustes que afectan a cómo responde el teclado virtual cuando teclea. La opción **Teclado** le ofrece seis parámetros configurables, como **Mayúsculas automáticas**, **Autocorrección** y **Comprobar ortografía**. También tiene la opción de activar o desactivar la característica **Teclado dividido**, además de crear y editar métodos abreviados de teclado, útiles cuando escribe texto. Un método abreviado de teclado podría incluir escribir **pq** que el iPad traduce como "porque".

Truco: Si es un nuevo usuario iPad, desde la ventana del submenú Teclado en Ajustes, puede activar y desactivar la característica Dictado. Cuando está desactivada, la tecla de Dictado con forma de micrófono no se muestra en el teclado virtual. Esta opción no está disponible con el teclado en Español.

- **Internacional**: El idioma predeterminado, también para las opciones de teclado, es el inglés. Sin embargo, puede ajustar estos parámetros al pulsar sobre la opción **Internacional**.

- **Accesibilidad**: Las opciones de **Accesibilidad** del dispositivo se encuentran diseñadas para hacer que el iPad sea más sencillo de utilizar para personas con varias dificultades de vista y audición, o con algún tipo de limitación física.

- **Restablecer**: Cada cierto tiempo, podría encontrarse con algún problema con su iPad, como cuando el sistema falla o necesita restablecer parámetros específicos. Para restaurar su iPad a sus parámetros predeterminados de fábrica y eliminar todo lo guardado, pulse sobre esta opción y, luego, sobre la opción **Borrar contenidos y ajustes**. En general, debería evitar utilizar estos parámetros a menos que se lo indique una persona de soporte técnico.

Advertencia: *Antes de utilizar cualquiera de las opciones Restablecer que eliminan potencialmente datos importantes de su iPad, asegúrese de llevar a cabo una sincronización con iTunes o copia en iCloud para crear una copia de seguridad.*

Mantener su iPad privado con la característica Bloqueo con código

Existen varias formas sencillas de proteger los datos guardados en su iPad y mantenerlos alejados de usuarios no autorizados. Si quiere mantener los datos de su tableta privados, lo primero que debe hacer es establecer y activar la característica Bloqueo con código que está incorporada en iOS.

Para establecer la característica Bloqueo con código, desde la aplicación Ajustes, pulse sobre el parámetro General a la izquierda de la pantalla. A continuación, pulse sobre la opción Bloqueo con código que se lista a la derecha de la pantalla, y actívela (por defecto, está desactivada).

Cuando aparece la pantalla Bloqueo con código (véase la figura 1.12), pulse sobre el botón **Activar código** para activar esta característica de seguridad.

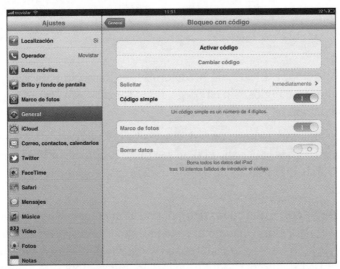

Figura 1.12. *Desde la pantalla Bloqueo con código puede establecer y luego activar la característica Bloqueo con código incorporada en el iPad. Utilícela para evitar que personas no autorizadas utilicen su tableta o accedan a datos sensibles.*

Cuando aparezca la ventana **Ajustar código** en la pantalla de la tableta (véase la figura 1.13), utilice el teclado numérico virtual para crear un código de seguridad de cuatro dígitos para su dispositivo. Debe introducir este código cada vez que encienda la tableta o se despierte del modo reposo.

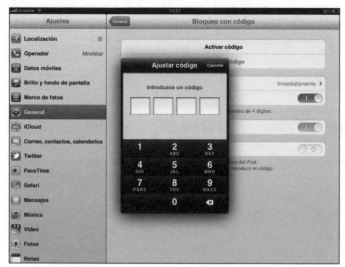

Figura 1.13. *Cree un código numérico de cuatro dígitos para su iPad desde la ventana Ajustar código.*

Puede introducir cualquier código de cuatro dígitos como su código. Cuando se le pida, teclee el mismo código una segunda vez. La ventana **Ajustar código** desaparece y la característica se activa. Desde la pantalla **Bloqueo con código** en la aplicación Ajustes, puede seguir personalizando esta característica. Por ejemplo, pulse sobre la opción **Solicitar** para determinar cuándo el iPad solicita al usuario que introduzca el código. La opción predeterminada es **Inmediatamente**, lo que significa cada vez que se active o despierte.

Si no cree que un código de cuatro dígitos es lo suficientemente seguro, desactive la opción **Código simple** que hace que aparezca la ventana **Cambiar código** junto con el teclado virtual del iPad. Puede crear un código alfanumérico más complejo para proteger su dispositivo de uso no autorizado.

Desde la pantalla **Bloqueo con código**, puede determinar si la opción de aplicación **Marco de fotos** se muestra en su pantalla bloqueada. Cuando se activa esta opción, el icono de la aplicación **Marco de fotos** se mostrará en la pantalla bloqueada. Cuando está desactivado, no puede activar la aplicación **Marco de fotos** desde la pantalla bloqueada porque no se muestra el icono. Además, en la pantalla **Bloqueo con código**, está la opción **Borrar datos**. Si un usuario no autorizado introduce el código erróneo 10 veces consecutivas, el iPad automáticamente borra todos los datos que tenga guardados cuando la característica se activa.

Advertencia: Activar la característica Borrar datos le proporciona una capa añadida de seguridad si su tableta cae en manos erróneas. Sin embargo, para recuperar los datos más tarde, debe tener una copia de seguridad creada utilizando el proceso de sincronización con iTunes o la característica Copia en iCloud; de lo contrario, los datos se perderán para siempre.

Personalizar parámetros de iCloud

En la parte izquierda de la pantalla Ajustes, pulse sobre la opción iCloud para personalizar los parámetros asociados con el servicio de compartir datos en línea y copia de seguridad de datos de Apple. Aprenderá más sobre estas características más adelante, en este libro.

Desde Ajustes, sin embargo, puede ajustar sobre qué datos se realiza automáticamente una copia de seguridad de forma inalámbrica o se sincronizan con el servicio iCloud, incluido Correo, Contactos, Calendarios, Recordatorios, Favoritos, Notas y Fotos en streaming. También puede activar o desactivar el servicio Buscar mi iPad. Sus opciones se muestran en la figura 1.14.

Su cuenta iCloud gratuita viene con una cantidad predeterminada de espacio de almacenamiento en línea. Pulse sobre la ficha Almacenamiento y copias, cerca de la parte inferior de la pantalla iCloud, para gestionar su espacio de almacenamiento en línea existente o comprar espacio de adicional. Desde la pantalla Almacenamiento y copias, también puede activar o desactivar la característica Copia en iCloud. Esto determina si su iPad automáticamente y de forma inalámbrica hace una copia de seguridad de su tableta utilizando iCloud.

Ajustar los parámetros de Correo, contactos, calendarios

Si utiliza su iPad para trabajar, tres aplicaciones que seguramente utilizará ampliamente son Correo, contacto, calendarios. Desde la aplicación Ajustes, puede personalizar numerosas opciones pertenecientes a cada una de estas tres aplicaciones y configurar sus cuentas de correo de trabajo y personal existentes para que funcionen con su tableta.

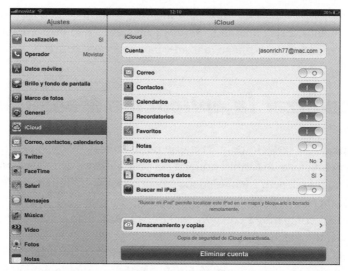

Figura 1.14. *Poder crear una copia de seguridad de su iPad y transferir archivos de forma inalámbrica utilizando el servicio iCloud de Apple es una mejora importante para el iPad 2 y nuevo iPad sobre iOS 5.1 (o superior). Puede personalizar sus parámetros iCloud desde la aplicación Ajustes.*

Configurar la aplicación Twitter

El servicio de red social Twitter está completamente integrado en iOS 5.1 y su iPad, y es accesible desde varias aplicaciones principales iPad, así como la actual aplicación oficial Twitter.

Las características de Twitter incorporadas en el sistema operativo del iPad funcionan con su cuenta Twitter existente; sin embargo, tiene que descargar la aplicación Twitter oficial. También puede configurar una cuenta Twitter gratuita si no tiene ya una. Personalice estos parámetros como desee para poder enviar tweets desde una variedad de aplicaciones iPad, incluidas Fotos o Safari.

Personalizar su experiencia de navegación Web con Safari

Safari es la aplicación de navegación Web incorporada en el iPad. Es similar al navegador Web Safari disponible en los ordenadores Mac. La aplicación Safari tiene un conjunto de parámetros útiles que puede personalizar al utilizar Ajustes, como qué motor de búsqueda utilizar, si mostrar la barra de favoritos o si quiere bloquear ventanas. Estas opciones, así como las otras que se encuentran en los parámetros de Safari, se explican más adelante en este libro.

Personalizar la aplicación Mensajes

iMessage es un servicio de mensajería de texto en línea operado por Apple. Este servicio funciona de forma similar a las posibilidades de mensajería de texto de su teléfono móvil, pero además puede enviar y recibir gratuitamente un número ilimitado de mensajes. El servicio es compatible con todos los Mac, así como con los dispositivos compatibles con iOS, incluido el iPad, iPad2, nuevo iPad, iPhone 3G, iPhone 4, iPhone 4s e iPod touch.

Desde su iPad, se debe acceder al servicio iMessage desde la aplicación Mensajes, que viene preinstalada en la tableta. Pulse sobre la opción Mensajes en Ajustes para configurar una cuenta iMessage utilizando su ID de Apple para gestionar su cuenta. Aprenderá más sobre esto más adelante, en este libro.

Personalizar los parámetros de Música

Una de las aplicaciones incorporadas en su iPad es la aplicación Música, que transforma su tableta en un reproductor de música digital y le permite disfrutar de la música y los archivos de audio que tiene guardados en su tableta. Esto incluye música, podcasts y audiolibros adquiridos en iTunes.

Al utilizar la aplicación Ajustes, puede personalizar una variedad de opciones relacionadas con la aplicación Música. Desde la columna izquierda de la pantalla principal de aplicación Ajustes, pulse sobre el parámetro Música. Luego, a la derecha de la pantalla, ajuste las opciones Ajuste de volumen, Ecualizador, Límite de volumen y Agrupar por artista del álbum.

Personalizar los parámetros de Video

Utilice la aplicación Video que viene en su iPad para ver episodios de series de TV y películas que compre o alquile desde iTunes Store. Desde la aplicación Ajustes, puede ajustar cómo funciona la aplicación Video al activar o desactivar varios parámetros.

Desde la aplicación Ajustes, pulse sobre el parámetro Video en la columna izquierda. Cuando aparezcan las opciones de Video a la derecha de la pantalla, puede ajustar cuatro opciones principales, comenzando con la característica Iniciar. La opción predeterminada para esta característica es reiniciar un vídeo desde donde se paró. Sin embargo, puede cambiar esta opción para que el vídeo siempre comience desde el principio. También puede activar o desactivar los subtítulos, por ejemplo.

Aprenderá más sobre la aplicación Video más adelante, en este libro.

Crear ajustes específicos de aplicación

También puede personalizar los parámetros de las aplicaciones preinstaladas, como las aplicaciones Fotos, FaceTime, Notas y Store. Todas éstas se muestran hacia el final de la columna izquierda de la pantalla principal de Ajustes.

Para realizar ajustes que son específicos a cualquiera de las aplicaciones listadas, pulse sobre el nombre de aplicación (mostrado en la columna izquierda de la pantalla Ajustes) y ajuste los parámetros específicos de aplicación, a la derecha de la pantalla. Las personalizaciones que puede hacer son específicas a cada aplicación.

A medida que comience a instalar aplicaciones opcionales en su iPad, las aplicaciones que tengan opciones personalizables también se ajustan desde la aplicación Ajustes. Cuando éste sea el caso, esas aplicaciones se listan en la columna izquierda de la pantalla principal de la aplicación Ajustes. Por ejemplo, las aplicaciones de Páginas, Números y Notas se listan en la aplicación Ajustes después de que las instale.

2. Trabajar con el correo

Mientras su iPad tenga acceso a Internet vía Wi-Fi, conexión 3G o 4G, tiene la posibilidad de acceder de forma segura virtualmente a cualquier tipo de cuenta de correo electrónico. De hecho, al utilizar la aplicación Mail preinstalada de la tableta, tiene la posibilidad de gestionar múltiples cuentas de correo electrónico simultáneamente sin tener que abrir y cerrar cuentas para alternar entre ellas.

Nota: *Cualquier modelo iPad puede acceder a un dispositivo opcional de red personal 4G vía Wi-Fi o a cualquier otro dispositivo inalámbrico que ofrezca una característica 4G.*

Su iPad también puede ver ciertos tipos de anexos que acompañan los correos electrónicos, incluidos archivos PDF, fotos y documentos Microsoft Office. Además, si tiene acceso a una impresora compatible con AirPrint, puede imprimir correos entrantes y salientes desde la aplicación Mail.

Con su iPad, puede enviar y recibir fácilmente mensajes de correo electrónico y gestionar las cuentas de correo electrónico personal y de trabajo a la vez, manteniendo el contenido de varias cuentas de manera totalmente separado.

Antes de que pueda gestionar una o más cuentas de correo electrónico desde su iPad, es necesario acceder a la aplicación Ajustes para configurar su tableta y trabajar con sus cuentas de correo electrónico.

Configurar su iPad para trabajar con cuentas de correo electrónico

El proceso de configuración de cuenta de correo electrónico descrito aquí funciona virtualmente con todas las cuentas de correo electrónico. Si tiene una cuenta de correo electrónico que no funciona inicialmente al utilizar el procedimiento de configuración definido en este capítulo, contacte con el departamento informático de su empresa o con el soporte técnico de Apple para recibir ayuda.

Nota: El proceso de configuración de una cuenta de correo electrónico existente para que se utilice con su iPad y la aplicación Mail tiene que hacerse solamente una vez por cuenta.

Siga los siguientes pasos para que su iPad trabaje con su cuenta de correo existente:

1. Desde la pantalla Inicio, pulse sobre el icono de la aplicación Ajustes.

2. A la izquierda de la pantalla, pulse sobre la opción Correo, contactos, calendarios.

3. Cuando se muestren las opciones de Correo, contactos, calendarios a la derecha de la pantalla (véase figura 2.1), pulse sobre la opción Añadir cuenta que se muestra cerca de la parte superior de la pantalla, debajo de la cabecera Cuentas. Si ya ha configurado iCloud en su iPad, dentro de la configuración inicial su tableta, la cuenta de correo relacionado con iCloud aparecerá listada debajo de la cabecera Cuentas, justo por encima de la opción Añadir cuenta.

4. Desde la pantalla Añadir cuenta, seleccione el tipo de cuenta de correo que tiene: iCloud, Microsoft Exchange, Gmail, Yahoo!, AOL, MobileMe u otras. Pulse sobre la opción apropiada (véase figura 2.2). Si tiene una cuenta de correo electrónico compatible con POP3 o IMAP, pulse sobre la opción Otras y siga las instrucciones en pantalla.

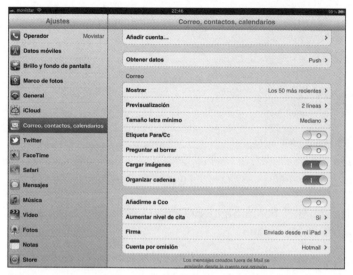

Figura 2.1. *Pulse sobre la opción Correo, contactos, calendarios en Ajustes y luego sobre la opción Añadir cuenta.*

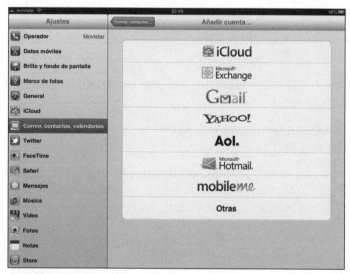

Figura 2.2. *Seleccione el tipo de cuenta de correo electrónico que está configurando al pulsar sobre el icono apropiado.*

Si tiene una cuenta de correo Yahoo!, por ejemplo, pulse sobre el icono Yahoo!. Cuando aparezca la pantalla de Yahoo! (véase la figura 2.3), utilice el teclado virtual del iPad para introducir el nombre de la cuenta, la dirección de correo, la contraseña y una descripción para la cuenta.

Figura 2.3. Con ayuda del teclado virtual del iPad, introduzca los detalles relacionados con su cuenta de correo electrónico existente.

5. Pulse sobre el botón **Siguiente** que está situado en la esquina superior derecha de la ventana.

6. Su iPad se conecta al servidor de la cuenta de correo electrónico y confirma los detalles de cuenta que ha introducido.

7. Después de que haya verificado la cuenta, se muestra una nueva ventana con múltiples opciones (las opciones listadas varían en función del tipo de cuenta de correo electrónico que haya configurado). Cada opción tiene un interruptor virtual asociado. Estas opciones se refieren a los datos de cuenta que se sincronizarán con su iPad.

8. Pulse sobre el botón **Guardar** que está localizado en la esquina superior derecha de esta ventana.

9. Los detalles sobre la cuenta de correo electrónico que acaba de configurar se añaden a su iPad y son accesibles desde su aplicación Mail.

10. Si tiene otra cuenta de correo existente que configurar, desde la pantalla Correo, contactos, calendarios, en la aplicación Ajustes, pulse de nuevo en la opción Añadir cuenta y repita los pasos anteriores.

Mientras configura su cuenta de correo electrónico y responde a las instrucciones en pantalla en la aplicación Ajustes, el campo Nombre debería incluir su nombre completo. Esto es lo que se mostrará más adelante en el campo De de todos los mensajes de correo electrónico que envíe. Correo es su dirección de correo electrónico y debería introducirlo en el formato *sunombre@serviciocorreo.com*. La Contraseña es la que utiliza actualmente para acceder a su cuenta de correo existente. Para la Descripción, puede introducir cualquier texto que le ayude a diferenciar la cuenta de correo electrónico de otras, como "Cuenta Yahoo!" o "Cuenta del trabajo".

> **Truco:** *Si se encuentra intentado configurar una cuenta POP3, IMAP o Microsoft Exchange, por ejemplo, y se le solicita información de la que no dispone, como el nombre de host del servidor de correo entrante, número de puerto del servidor de correo, servidor de correo saliente o tipo de autenticación del servidor saliente, contacte con su proveedor de servicio de Internet o la compañía que le proporciona la cuenta de correo electrónico.*

Dependiendo del tipo de cuenta de correo electrónico en concreto que se encuentre configurando, la información que se le presenta podrá experimentar ligeras variaciones.

Personalizar sus parámetros de cuenta de correo electrónico

Desde la aplicación Ajustes, en la pantalla Correo, contactos, calendarios observará una variedad de opciones personalizables que pertenecen a sus cuentas de correo electrónico. Pulse sobre cada una estas opciones, una cada vez, para personalizar los parámetros disponibles en función de sus preferencias y necesidades.

Obtener datos

Configure su iPad para acceder automáticamente a Internet y recuperar nuevos mensajes de correo electrónico al pulsar la opción Obtener datos y ajustar sus parámetros. También puede asegurarse de que está activada la opción Push, listada en la parte superior de la pantalla Obtener datos (véase figura 2.4). Esto permite que el iPad recupere automáticamente nuevos correos desde el servidor de forma continua.

Si desactiva la opción Push, configure la opción Obtener datos para que compruebe la presencia de nuevos correos cada 15 minutos, cada 30 minutos, cada hora o manualmente. Dos razones por las que debería considerar desactivar la característica Push y utilizar Obtener datos para comprobar periódicamente los correos (o hacer esto manualmente) es reducir el uso de datos inalámbricos 3G o 4G y ampliar el tiempo de batería de su tableta entre cargas (comprobar constantemente si han llegado nuevos correos electrónicos y descargar estos correos agota la vida de la batería del iPad más rápido).

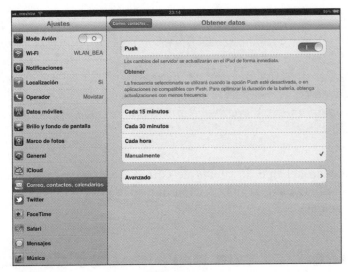

Figura 2.4. *Active la opción Push para permitir que su iPad compruebe automáticamente nuevos correos y los recupere desde el servidor.*

Advertencia: Cuando contrata una tarifa de datos inalámbrica 3G o 4G, tiene una asignación de datos inalámbricos predeterminada por mes. Hacer que su iPad compruebe constantemente la presencia de nuevos correos entrantes (al utilizar la característica Push) agota rápidamente esta asignación. Sin embargo, esto no es una preocupación si está utilizando una conexión a Internet Wi-Fi.

Tenga en cuenta que descargar y leer correos electrónicos con anexos grandes, como fotos, archivos Microsoft Office o PDF acaba con su asignación de datos mensual con más rapidez, al igual que hacer que su iPad compruebe nuevos correos periódicamente.

Personalizar opciones de correo

Debajo de la cabecera Correo de la pantalla Correo, contactos, calendarios existen varias características personalizables adicionales, relacionadas con cómo su iPad gestiona sus cuentas de correo electrónico. Estas opciones incluyen:

- Mostrar: Esta característica determina cuántos mensajes se descargan en una determinada cuenta de correo electrónico desde el servidor y se muestran a la vez. Sus opciones incluyen 50, 100, 200, 500 o 1.000 más recientes.

- **Previsualización:** Al examinar su buzón de entrada con la aplicación Mail, puede determinar la cantidad de texto de cada mensaje de correo que será visible desde la pantalla de resumen en Buzones, además de las líneas De, Fecha/Hora y Asunto.

- **Tamaño letra mínimo:** Con independencia del tamaño de fuente utilizado por el emisor, su iPad puede ajustar el tamaño de letra de modo que los mensajes sean más legibles en la tableta. La opción predeterminada es Mediano, lo que es aceptable para la mayoría de los usuarios de iPad.

- **Etiqueta Para/Cc:** Para ahorrar espacio en su pantalla mientras lee correos electrónicos puede desactivar la etiqueta Para y CC en cada mensaje de correo al pulsar el interruptor virtual asociado con esta opción.

- **Preguntar al borrar:** Esta opción sirve como una red de seguridad para asegurarse de que no elimina accidentalmente un mensaje de correo importante. Cuando esta característica se activa, se le preguntará que confirme su eliminación antes de que se borre realmente un correo electrónico. Tenga en cuenta que, por defecto, no puede eliminar mensajes de correo electrónico guardados en el servidor de su cuenta de correo. Cuando elimina un mensaje, solamente se elimina de su iPad.

- **Cargar imágenes:** Cuando un correo electrónico tiene una foto o gráfico incorporado, esta opción determina si esa foto o gráfico se descarga y se muestra junto con el mensaje de correo electrónico. Puede optar por evitar que su iPad descargue automáticamente gráficos junto con mensajes de correo electrónico. Esto reduce la cantidad de datos transferidos a su tableta y puede ayudar a protegerse contra spammers que utilizan el rastreo de imagen para verificar direcciones de correo electrónico válidas. Siempre tiene la opción de pulsar un icono en el mensaje de correo para descargar el contenido gráfico de ese mensaje, incluidas las fotos.

- **Organizar cadenas:** Esta característica le permite revisar mensajes en orden cronológico inverso si un sólo mensaje se convierte en un mensaje en cadena, donde múltiples participantes siguen pulsando en el botón **Responder** para responder a mensajes con el mismo tema. Cuando se activa, esto hace que sea más sencillo seguir las conversaciones de correo electrónico, especialmente si está gestionando varias cuentas de correo en su iPad. Si está desactivada, los mensajes se muestran en orden cronológico según se reciben, y no se agrupan juntos por asunto.

- **Añadirme a Cco:** Para asegurarse de que mantiene una copia de todo el correo saliente que envía, active esta característica. De esta forma, se envía una copia de cada correo saliente a su buzón de entrada.

- **Firma:** Para cada correo saliente que redacte, puede añadir automáticamente una firma de correo. La firma predeterminada es: "Enviado desde mi iPad". Al pulsar esta opción, podrá redactar una o más firmas personalizadas. Una firma podría incluir su nombre, dirección postal, dirección de correo electrónico, número de teléfono, etc.

Después de realizar los ajustes que quiera en las opciones relacionadas con la aplicación Mail en la aplicación Ajustes, salga de esta última aplicación al pulsar el botón Inicio en su iPad y regresar a la pantalla de inicio. Ahora está listo para comenzar a utilizar la aplicación Mail para acceder y gestionar sus cuentas de correo electrónico.

Gestionar sus cuentas de correo electrónico con la aplicación Mail

La aplicación Mail que está preinstalada en su iPad viene con características que hacen que gestionar múltiples cuentas de correo electrónico sea un proceso sencillo.

Nota: Si necesita gestionar múltiples cuentas de correo con su iPad, es importante entender que, aunque la aplicación Mail le permite visualizar mensajes de correo electrónico de todas sus cuentas simultáneamente (cuando está seleccionada la opción Todos), la aplicación mantiene separados los mensajes de sus diferentes cuentas.

Cuando accede a sus mensajes entrantes de correo electrónico, por defecto, la aplicación agrupa los correos por tema, permitiéndole seguir una conversión de correo que se amplía por medio de múltiples correos y respuestas. Cuando está activada, esta característica muestra los correos del mismo tema en orden cronológico inverso, con el mensaje más nuevo primero.

Nota: Para enviar y recibir correos electrónicos al utilizar la aplicación Mail, su tableta debe estar conectada a Internet vía una conexión Wi-Fi, 3G o 4G.

Después de que haya configurado inicialmente sus cuentas de correo existentes para trabajar con la aplicación Mail, puede utilizarla para gestionar sus cuentas de correo desde cualquier sitio. Abra la aplicación Mail desde la pantalla Inicio.

Para alertarle de correos entrantes sin tener que ejecutar la aplicación Mail, acceda a la aplicación Ajustes para hacer que el iPad muestre un distintivo en el icono de la aplicación Mail que se muestra en la pantalla Inicio cuando llega correo nuevo.

> **Nota:** *Un distintivo es un pequeño número que aparece en la esquina superior derecha del icono de la aplicación Mail, en la pantalla Inicio. En este caso, indica cuántos correos nuevos ha recibido su iPad. Consulte la parte inferior de la figura 2.5 para ver el aspecto que tiene.*

Además, puede hacer que el Centro de notificaciones liste los correos entrantes. Si la ventana del Centro de notificaciones muestra una alerta de mensajes entrantes (véase la figura 2.5), pulse ahí automáticamente para abrir la aplicación Mail y mostrar ese nuevo mensaje. Aprenderá más sobre el Centro de notificaciones más adelante en este libro.

Figura 2.5. *Éste es el aspecto del Centro de notificaciones cuando se muestran alertas de mensajes de correo electrónico entrante.*

Al abrir la aplicación Mail, puede acceder al buzón de entrada de una o más de sus cuentas de correo electrónico existentes, redactar correos o gestionar sus cuentas de correo. Igual que en el buzón de entrada del software de correo electrónico de su ordenador principal, el buzón Entrada de la aplicación Mail (véase figura 2.6) muestra sus correos entrantes.

Trabajar con el buzón de entrada

A la izquierda de la pantalla de buzón de entrada de la aplicación Mail hay una lista de los correos individuales dentro de su buzón de entrada. Un punto azul a la izquierda de un mensaje indica que el mensaje todavía no se ha leído.

En función de las personalizaciones que haya hecho desde la aplicación Ajustes respecto a la aplicación Mail, para cada mensaje entrante se muestran el emisor, asunto, fecha/hora y hasta cinco líneas del texto del cuerpo del mensaje.

Figura 2.6. *La ventana del buzón de entrada de la aplicación Mail.*

> **Truco:** *Como se muestra en la figura 2.7, un punto azul mostrado en su buzón de entrada, junto a un mensaje, indica que el mensaje es nuevo y no se ha leído. Un icono de bandera indica que el mensaje es urgente. Un icono de flecha circular apuntando a la izquierda indica que ya ha enviado una contestación a ese mensaje. Una flecha apuntando hacia la derecha indica que ha remitido el mensaje a uno o más destinatarios.*

El mensaje de correo electrónico que está resaltado en azul a la izquierda de la pantalla es el que, en esos momentos, se visualiza por completo a la derecha de la pantalla. Pulse sobre cualquier elemento del correo electrónico a la izquierda de la pantalla para ver todo el mensaje a la derecha de la misma.

En la parte inferior de la lista de correo del buzón de entrada (a la izquierda de la pantalla) hay un icono de flecha circular. Pulse sobre este icono para actualizar su buzón de entrada y comprobar manualmente los nuevos correos entrantes. El mensaje Actualizado, acompañado de la hora y fecha, indica la última vez que se ha actualizado su buzón de entrada.

En la parte superior de la lista de mensaje del buzón de entrada hay dos botones denominados **Buzones** y **Editar**. Entre estos dos iconos está la cabecera Entrada junto con un número entre paréntesis. Este número indica cuántos correos nuevos, no leídos, están actualmente guardados en su buzón de entrada. Justo debajo de la cabecera Entrada está el campo Buscar. Pulse sobre este campo para introducir una frase de búsqueda y rápidamente encontrar un determinado mensaje de correo electrónico. Puede buscar en el contenido de la aplicación Mail al utilizar cualquier palabra clave, un nombre del remitente o asunto del correo, por ejemplo.

Figura 2.7. *Los pequeños iconos gráficos mostrados a la izquierda de cada lista de mensaje de correo electrónico en su buzón de entrada indican cosas diferentes.*

Organizar acciones del buzón con el botón Buzones

Cuando revise su buzón de entrada, el botón **Buzones** se mostrará en la esquina superior izquierda de la pantalla. Si solamente está gestionando una cuenta de correo con la aplicación Mail, cuando pulse sobre este icono, podrá acceder inmediatamente a su carpeta Borradores, carpeta Enviado, carpeta Papelera y otras carpetas asociadas con su cuenta de correo electrónico.

Sin embargo, si está gestionando múltiples cuentas de correo al utilizar la aplicación Mail, cuando pulse sobre el botón Buzones, verá una lista de los buzones de entrada de cada una de las cuentas de correo, así como cada cuenta de correo.

Las fichas para el buzón de entrada de cada cuenta de correo se muestran en la parte superior izquierda. En la parte superior de esta lista hay una ficha Todos. Pulse sobre este icono para ver una lista de todos sus correos entrantes, de todas sus cuentas, en una sola pantalla (estos mensajes se muestran juntos pero se mantienen separados por la aplicación Mail).

Dependiendo de la cuenta de correo, debería poder añadir nuevas carpetas para guardar mensajes de correo en su iPad. Mientras ve la lista actual de carpetas asociadas con una cuenta de correo, pulse sobre el botón **Editar** que se muestra en la parte superior de la pantalla, junto a la cabecera **Buzones**. Ahora, en la parte inferior de la pantalla, en la esquina inferior derecha de la columna izquierda de la carpeta del buzón de correo, verá un nuevo botón denominado **Nuevo buzón** (véase la figura 2.8).

> *Truco:* Cuando esté gestionando múltiples cuentas, puede pulsar sobre la ficha *Buzones* para cambiar entre los buzones de entrada de cuentas de correo individuales. Debajo de la cabecera Cuentas, también puede acceder a Entrada, Enviado, Papelera y otras carpetas para cada cuenta de forma separada.

Figura 2.8. *En la mayoría de los tipos de cuentas de correo puede crear un número ilimitado de carpetas de correo (cada una con un nombre personalizado) para organizar los mensajes de correo.*

Pulse sobre el botón **Nuevo buzón** para escribir el nombre de una nueva carpeta y decidir debajo de qué cuenta de correo (Ubicación del buzón) se mostrará.

Seleccionar mensajes a utilizar con un botón Editar

Situado en la parte superior de la lista de mensajes del buzón de entrada (a la derecha de la cabecera Entrada) hay un botón **Editar**. Cuando pulsa sobre este botón, puede seleccionar rápidamente múltiples mensajes desde su buzón de entrada para eliminar o mover a otra carpeta (véase figura 2.9).

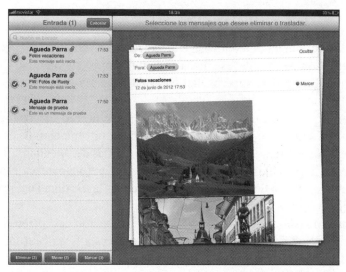

Figura 2.9. *Después de pulsar el botón Editar puede eliminar o mover rápidamente múltiples mensajes de correo electrónico actualmente guardados en su buzón de entrada.*

Después de pulsar sobre el botón **Editar**, se muestra un círculo vacío a la izquierda de cada resumen de mensaje de correo. Para mover o eliminar uno o más mensajes de esta lista de buzón de entrada, pulse el círculo vacío de ese mensaje. Una marca de verificación roja y blanca rellena el círculo vacío cuando hace esto y se muestran los botones **Eliminar** y **Mover** en la parte inferior de la pantalla.

Después de que haya seleccionado uno o más mensajes, pulse sobre el botón **Eliminar** para eliminar rápidamente los mensajes del buzón de entrada (que los envía a la carpeta Papelera), o pulse sobre el botón azul y blanco y seleccione a qué carpeta quiere mover estos mensajes de correo.

Eliminar mensajes individuales entrantes

Mientras esté en la lista de mensajes de su buzón de entrada, puede eliminar mensajes individuales, uno de cada vez, de varias formas. Deslice su dedo de izquierda a derecha sobre un mensaje a la izquierda de la pantalla. Aparecerá un botón **Eliminar** rojo y blanco a la derecha de cada mensaje de correo. Pulse sobre este botón **Eliminar** para eliminar el mensaje.

Otra forma de eliminar un único mensaje desde su buzón de entrada (o cualquier otra carpeta) es pulsar sobre el mensaje que se muestra a la izquierda de la pantalla, que se resalta en azul. Al mismo tiempo, todo el mensaje se muestra a la derecha de la pantalla. Para borrar entonces el mensaje, pulse sobre el icono **Papelera** mostrado en la esquina superior derecha de la pantalla.

Ver su correo electrónico

Cuando se resalta un único mensaje de correo electrónico a la izquierda de la pantalla del buzón de entrada, ese mensaje se muestra en su totalidad a la derecha de la pantalla. En la parte superior del mensaje, verá las líneas Para, Cc, Cco, Asunto y Fecha /Hora.

En la esquina superior derecha del mensaje de correo electrónico hay un comando azul Ocultar. Si pulsa sobre él, parte de la información de cabecera del mensaje deja de mostrarse. Esto le permite mostrar más de este mensaje de correo electrónico en la pantalla de la tableta. Para hacer que reaparezca esa información, pulse en el comando Detalles que aparece en la esquina superior derecha del mensaje.

Localizado a la derecha de la fecha y hora de recepción del correo electrónico, hay un comando azul Marcar. Cuando pulsa sobre esta ficha Marcar, aparecen dos nuevos iconos de comando, denominados Marcar con indicador y Marcar como no leído.

> *Truco: Si Marca con indicador un mensaje, aparecerá una pequeña bandera naranja junto a su mensaje a la izquierda de la pantalla (véase la figura 2.10), lo que indica que el mensaje es urgente. Si pulsa sobre la opción Marcar como no leído, ese mensaje permanecerá en su buzón de entrada con un punto azul junto a él, indicando que es un mensaje nuevo que todavía no se ha leído.*

Figura 2.10. *Mientras lee cualquier mensaje de correo entrante en su iPad, puede marcarlo para indicar que se trata de un mensaje urgente.*

Acceder a los anexos del correo entrante

La aplicación Mail le permite acceder a ciertos tipos de archivos adjuntos que acompañan un mensaje de correo entrante. Puede ver y acceder a los archivos siguientes: fotos (en formato .JPEG, .GIF, .PNG y .TIFF), archivos de audio (en formato .MP3, .AAC, .WAV y .AIFF), archivos PDF, así como archivos de Páginas, Notas, Microsoft Word, Microsoft Excel y Microsoft Power Point. Si un mensaje de correo entrante contiene un anexo que no es compatible o accesible desde su iPad, verá que hay un anexo presente pero que no puede abrirlo o acceder a él. En este caso, debería acceder a este contenido desde su ordenador principal.

Para abrir un archivo anexo compatible en un mensaje de correo entrante, pulse y mantenga pulsado sobre el icono de anexo de uno a tres segundos. Si el anexo es compatible con una aplicación que está instalada en su iPad, se le ofrece la opción de transferir el archivo a esa aplicación y directamente abrir o acceder al archivo con esa aplicación. O bien, puede abrir un anexo compatible en el propio visualizador de la aplicación Mail.

Transferir mensajes a otras carpetas

Mientras consulta un mensaje de correo a la derecha de la pantalla, puede moverlo desde su buzón de entrada a otra carpeta de dos formas. En primer lugar, puede pulsar sobre el botón **Editar**, o puede pulsar sobre el icono con forma de carpeta de archivo que se muestra en la esquina superior derecha de la pantalla. Cuando pulse sobre este icono, las diferentes carpetas disponibles para esa cuenta de correo se mostrarán a la izquierda de la pantalla. Pulse sobre la carpeta a la que quiere mover el mensaje. Las carpetas disponibles varían para diferentes tipos de cuentas de correo electrónico.

Reenviar, Responder e Imprimir

Desde la aplicación Mail, puede responder el mensaje, remitir cualquier mensaje entrante a otra persona, o imprimir el correo al pulsar sobre el icono de flecha apuntando a la izquierda que se muestra en la esquina superior derecha de la pantalla principal del buzón de entrada (junto al icono **Papelera**). Se muestra un menú en la esquina superior derecha de la pantalla (véase figura 2.11).

Figura 2.11. *Mientras está leyendo cualquier mensaje de correo, pulse sobre el icono de flecha apuntando a la izquierda para Responder, Reenviar, Guardar o Imprimir ese mensaje.*

Para responder al mensaje que esté leyendo, pulse sobre el botón **Responder**. Aparecerá una plantilla de mensaje de correo electrónico en blanco en la pantalla. Más adelante, en el libro, se ofrecen detalles de cómo escribir y enviar un mensaje de correo desde la aplicación Mail. Para reenviar el correo electrónico que está leyendo a otro destinatario, pulse el botón **Reenviar**. Si existen anexos asociados con este mensaje, se le preguntará si quiere incluirlos. Verá dos iconos, denominados **Incluir** y **No incluir**. Elija la respuesta adecuada.

Nota: Cuando opta por reenviar un correo electrónico, se muestra una nueva plantilla de mensaje. Sin embargo, en el cuerpo del mensaje de correo están los contenidos del mensaje que está reenviando.

Comience el proceso de reenvío de mensaje al completar el campo Para. También puede modificar el campo Asunto (o dejar el asunto original del mensaje) y, luego, añadir al cuerpo del mensaje del correo su propio texto. El texto añadido se muestra por encima del contenido del mensaje reenviado.

Truco: Para reenviar un correo electrónico a múltiples destinatarios, introduzca la dirección de correo electrónico de cada persona en el campo Para del mensaje saliente, pero separe cada dirección con una coma. También puede pulsar sobre el icono más (+) que aparece a la derecha del campo Para para añadir más destinatarios.

Truco: Si está enviando un correo electrónico a un contacto guardado en la base de datos de su aplicación Contactos, en lugar de teclear manualmente la dirección de correo electrónico, puede comenzar a escribir el nombre de la persona. La aplicación Mail ofrece sugerencias basadas en la información guardada en la aplicación Contactos.

Cuando esté listo para reenviar el mensaje a uno o más destinatarios, pulse el botón azul y blanco de **Enviar** que aparece en la esquina superior derecha de la ventana del mensaje de correo electrónico. O bien pulse el botón **Cancelar** (situado en la esquina superior izquierda de la ventana del mensaje) para abortar el proceso de reenvío de mensaje.

Si tiene una impresora inalámbrica configurada para su iPad, puede imprimir correos electrónicos entrantes y salientes desde su tableta al utilizar el comando **Imprimir**. Aprenderá más sobre esta funcionalidad más adelante en este libro.

Redactar mensajes

Desde la aplicación Mail, puede fácilmente redactar un correo electrónico desde cero y enviarlo a uno o más destinatarios. Para redactar un nuevo correo electrónico, pulse sobre el icono **Nuevo mensaje** que se muestra cerca de la esquina superior derecha de la pantalla principal del buzón de Entrada. El icono **Nuevo mensaje** se parece a un cuadrado con un bolígrafo dentro. Cuando pulsa el icono **Nuevo mensaje**, aparece una plantilla de mensaje de correo electrónico en blanco (véase la figura 2.12). Utilizando el teclado virtual, complete los campos Para, Cc/Cco y Asunto. Al menos, debe completar el campo Para con una dirección de correo electrónico válida para, al menos, un destinatario. Los otros campos son opcionales.

Figura 2.12. *Después de pulsar el icono Nuevo mensaje puede crear un correo electrónico desde cero y enviarlo desde su iPad.*

Puede enviar el mismo correo a múltiples receptores al añadir múltiples direcciones de correo electrónico en el campo Para, o al añadir direcciones de correo electrónico adicionales en los campos Cc o Cco.

> ***Truco:*** *Si sólo gestiona una dirección de correo electrónico desde su iPad, el campo De se completa automáticamente con su dirección de correo electrónico y no se muestra. Sin embargo, si está gestionando múltiples direcciones de correo electrónico desde la tableta, pulse sobre el campo De para seleccionar la dirección de correo electrónico a la que quiere enviar el mensaje.*

Pulse sobre el campo Asunto y utilice el teclado virtual para introducir el asunto de su mensaje. Mientras hace esto, el Asunto se mostrará en la barra de título de la ventana Nuevo mensaje.

Para comenzar a crear el cuerpo principal del mensaje de correo electrónico saliente, pulse sobre el área del cuerpo principal de la plantilla del mensaje y utilice el teclado virtual (o el teclado externo que esté utilizando con su iPad) para componer su mensaje.

Si tiene un nuevo iPad, en lugar de escribir un mensaje de correo electrónico, puede utilizar la característica Dictado. Para hacer esto, pulse sobre la tecla micrófono en el teclado virtual de su nuevo iPad. Luego, cuando se agrande el icono y escuche un tono, comience a hablar (dictar) el cuerpo de su mensaje de correo electrónico. Cuando haya hecho esto, pulse sobre el botón **Dictado** de nuevo.

Cualquier cosa que diga, su iPad la traduce a texto y se lo presenta insertado en el cuerpo de su mensaje de correo electrónico saliente.

Advertencia: Si tiene activada una característica Autocorrección o Comprobar ortografía (ambas se ajustan desde la aplicación Ajustes) mientras escribe, el iPad corrige automáticamente cualquier cosa que perciba como un error o palabra mal escrita. Tenga cuidado cuando utilice estas características porque pueden incorporar la palabra incorrecta en una frase. Si está creando documentos y correos electrónicos importantes, asegúrese de que ha revisado todo lo que escribe en su iPad antes de enviarlo. Normalmente, estas características son útiles pero tienen fallos que pueden conducir a errores embarazosos y poco profesionales.

La Firma que configure en la aplicación Ajustes se muestra automáticamente en la parte inferior del mensaje recién creado. Puede regresar a la aplicación Ajustes para desactivar la característica Firma, o puede cambiar la firma que aparece. Cuando su correo electrónico está complemente escrito y listo para enviarse, pulse sobre el botón azul y blanco **Enviar** en la esquina superior derecha de la ventana Nuevo mensaje. En unos segundos, se envía el mensaje desde su iPad, asumiendo que la tableta está conectada a Internet. Una copia del mensaje va a la carpeta Enviado.

Guardar borradores o un mensaje de correo electrónico

Si quiere guardar un borrador de un correo electrónico (en su carpeta Borradores, por ejemplo) mientras compone el mensaje del correo electrónico, pulse sobre el botón **Cancelar** que aparece en la esquina superior izquierda de la ventana del mensaje Nuevo mensaje. Se muestran los botones **Eliminar borrador** y **Guardar borrador**. Para guardar el borrador, pulse sobre **Guardar borrador**. Este borrador se guarda en su carpeta Borradores hasta que se envíe o se elimine.

Enviar un correo electrónico con un anexo

Para enviar un mensaje de correo electrónico que contiene uno varios anexos, éstos se deben enviar desde una aplicación específica, no desde la aplicación Mail.

Por ejemplo, puede enviar un documento Páginas, Word o PDF desde la aplicación Páginas, un archivo Números o Excel (hoja de cálculo) desde la aplicación Números, o una foto desde la aplicación Fotos. Otras aplicaciones también le permiten adjuntar archivos específicos de aplicación a correos electrónicos salientes que se componen y envían desde esa aplicación. Para hacer esto, pulse sobre el icono **Compartir** que se muestra en la aplicación y elija la opción Correo electrónico.

Nota: Actualmente, los anexos no se pueden añadir a mensajes salientes compuestos con la aplicación Mail.

Características adicionales de la aplicación Mail

Cuando comience a utilizar la aplicación Mail para gestionar una o más cuentas de correo electrónico en su iPad, probablemente descubrirá que esta aplicación ofrece la misma funcionalidad que el programa de correo electrónico que utiliza en su ordenador principal o en la Web.

Además de utilizar un comprobador ortográfico incorporado, por ejemplo, Mail es compatible con las características Seleccionar, Copiar, Cortar y Pegar incorporadas en el sistema operativo de iOS. Esto le permite mover texto y contenido de mensaje de correo electrónico entre mensajes a otras aplicaciones con facilidad.

Además, la aplicación Mail automáticamente se vincula con la aplicación Contactos para recuperar direcciones de correo electrónico desde su base de datos Contactos. Así, en lugar de introducir la dirección de correo electrónico de alguien en el campo Para de un mensaje que está componiendo, puede comenzar a teclear el nombre del destinatario y la aplicación automáticamente recupera las direcciones de correo electrónico de su base de datos Contactos y le proporciona una lista de potenciales destinatarios.

Utilizar la Web u otras aplicaciones para que accedan al correo electrónico

Además de utilizar la aplicación Mail para acceder a su correo electrónico, en algunos tipos de cuentas de correo electrónico también puede utilizar el navegador Web Safari para acceder a su cuenta de correo electrónico directamente desde el servidor.

Al visitar App Store también puede encontrar aplicaciones iPad de terceros que pueden sustituir la aplicación Mail y ayudarle a gestionar mejor una o más cuentas de correo electrónico. Para encontrar estas aplicaciones, lance la aplicación App Store y, dentro del campo Buscar, introduzca la palabra clave **email**.

Si es usuario de Microsoft Outlook, por ejemplo, descubrirá la aplicación Outlook Web Email (3,99 €) o la aplicación Outlook Mail Pro (7,99 €). Para enviar correos electrónicos a grupos de personas, puede utilizar la aplicación MailShot Pro (2,99 €). Para personas que utilizan Google Gmail, la aplicación gratuita Gmail le permite gestionar mejor este tipo de cuenta de correo electrónico desde su iPad.

3. Navegar por la red

En el siglo XVI, mucho antes de que la gente pensara en los iPad e Internet, Sir Francis Bacon dijo: "El conocimiento es poder". En el mundo actual de los negocios, esta afirmación es incluso más cierta que nunca.

Las personas que poseen el conocimiento y que constantemente se mantienen actualizados tienen una ventaja clara sobre las masas que no cumplan con esta habilidad, conocimientos, herramientas y educación.

El navegador Web Safari que viene preinstalado en su iPad ofrece la posibilidad de acceder a Internet desde cualquier sitio donde haya señal Wi-Fi, 3G o 4G. Como resultado, su tableta puede ofrecer una amplia cantidad de información al alcance de sus manos justamente cuando lo necesita. Como nunca antes, el iPad es una herramienta que puede mantenerle informado y puede proporcionarle el conocimiento que necesita para ser una fuerza poderosa en el mundo de los negocios.

Si ya está familiarizado con cómo navegar por la Web en su ordenador principal al utilizar un navegador Web, como Microsoft Internet Explorer, Firefox, Google Chrome o la versión Mac de Safari, no debería tener problema para navegar por la Web en su iPad. La versión de Safari del iPad está diseñada de forma personalizada para que su tableta le proporcione la más auténtica y robusta experiencia de navegación Web posible desde un dispositivo móvil.

> *Truco:* Su iPad le permite visitar virtualmente cualquier sitio Web y navegar por Internet con facilidad al utilizar movimientos de dedos ahora familiares en la pantalla táctil de la tableta.
>
> A medida que visita páginas Web utilizando Safari, puede utilizar hipervínculos o iconos de comando, desplazarse arriba y abajo, ampliar una área específica o desplazarse a la izquierda o derecha con sólo mover, pulsar o deslizar sus dedos por la pantalla.

Personalizar parámetros Safari

La aplicación Safari ofrece varios parámetros personalizables por el usuario ajustables desde la aplicación Ajustes de su iPad. Varios de estos parámetros se relacionan con la seguridad y la privacidad.

Para acceder y personalizar los parámetros para Safari, pulse sobre el icono de aplicación Ajustes que se muestra en la pantalla Inicio de su tableta, y pulse sobre la opción Safari listada a la izquierda de la pantalla. A la derecha de la pantalla, se mostrarán algunas opciones específicas de Safari.

En la parte superior de la pantalla Ajustes (a la derecha), cuando se ha seleccionado la opción Safari (a la izquierda), verá la cabecera General con cuatro opciones debajo: Buscador, Autorrelleno, Abrir pestañas nuevas en 2.º plano y Mostrar la barra de favoritos.

Mientras navega por la Web y desde la pantalla principal Safari (véase la figura 3.1), observe el campo Buscador en la esquina superior derecha de la pantalla, justo debajo del icono de batería. Desde la aplicación Ajustes, puede determinar si su buscador por defecto debería ser Google, Yahoo! o Bing. Esto determina qué buscador utiliza Safari cuando lleva a cabo una búsqueda de palabra clave en su navegación por la Web.

La opción de Autorrelleno tiene dos usos principales cuando se activa. En primer lugar, mientras navega por la Web, una vez se le pide que introduzca su información personal, como su nombre, dirección, número de teléfono o dirección de correo electrónico, Safari inserta automáticamente la información en los campos apropiados de la página Web.

Para utilizar Autorrelleno, asegúrese de que está activado el interruptor virtual asociado con la opción Datos de contacto. También necesita pulsar sobre la opción Mis datos y seleccionar su propia información de contacto desde su base de datos Contactos. Más abajo, en la pantalla Autorrelleno, está la opción Nombres y contraseñas. Éste es el segundo uso principal de Autorrelleno. Cuando está activada, esta característica le recuerda sus nombres de usuario y contraseñas para los sitios Web que visita, y los completa automáticamente cuando vuelve a visitar los sitios Web que le solicitan introducir un nombre de usuario y contraseña.

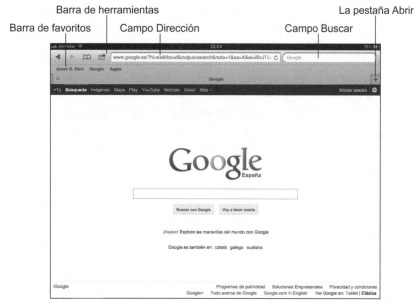

Figura 3.1. *La pantalla principal del navegador Safari se parece a la pantalla del navegador Web de un ordenador.*

Advertencia: Si está preocupado por la seguridad y que otras personas accedan a información personal sobre usted desde la Web cuando utilizan su iPad, asegúrese de que la opción Nombres y contraseñas está desactivada. Esto evita que otros usuarios accedan a sus cuentas o se registren en sitios Web como usted.

La opción Borrar todo, en la parte inferior de la pantalla Autorrelleno, restablece todos los datos de nombres y contraseñas desde los sitios Web que ha visitado y elimina esta información de su tableta.

La siguiente opción que se encuentra debajo de la cabecera General es Abrir pestañas nuevas en 2.º plano. Safari le permite abrir múltiples páginas Web a la vez al utilizar pestañas y luego alternar entre ellas con el toque del dedo.

Con la característica Abrir pestañas nuevas activada, cuando se abre una nueva página Web automáticamente (y se crea una nueva pestaña), esta página no tiene prioridad sobre la página Web actualmente en uso. Tiene que pulsar sobre la pestaña de la nueva página para acceder a ella. También, debajo de la cabecera General, está la opción Mostrar la barra de favoritos. Esta opción está acompañada de un interruptor virtual a la derecha. Mientras navega por la Web utilizando Safari, debajo de los iconos de comando de la barra de título, en la parte superior de la pantalla, puede optar por mostrar su barra Favoritos personalizada.

Cuando está activada la opción Mostrar la barra de favoritos, se muestra la barra Favoritos en todo momento, proporcionándole acceso a sus sitios Web favoritos. Puede asignar qué sitios Web aparecen junto a la barra Favoritos, o puede sincronizar esta información con el navegador que utilice en su ordenador principal.

Cuando está desactivada la opción Mostrar la barra de favoritos, se conserva una línea de espacio en pantalla. La barra Favoritos, sin embargo, se muestra automáticamente siempre que utilice el campo Buscar en Safari para llevar a cabo una búsqueda, o cuando pulse sobre la barra de dirección.

Debajo de la cabecera Privacidad de la pantalla Safari, en Ajustes, puede personalizar varias opciones relacionadas con seguridad. Por ejemplo, puede activar o desactivar la opción Navegación privada, que impide que Safari guarde cookies u otros datos relativos a los sitios Web que visita. Por defecto, esta opción está desactivada.

También puede optar por evitar que Safari guarde cookies relacionadas con los sitios Web que visita, o eliminar cookies que ya ha guardado Safari al pulsar sobre la opción Borrar cookies y datos que se encuentra debajo de la cabecera Privacidad.

La opción Aceptar cookies permite que Safari guarde información relacionada con sitios Web específicos que visita para que estos sitios le recuerden en siguientes visitas. Al seleccionar la opción De las visitadas, solamente se guarda información que se relaciona con los sitios Web que ha elegido visitar.

Truco: Safari mantiene un listado detallado de cada sitio Web que visita. Cuando pulsa sobre la opción Borrar historial, se restablece y elimina ese listado.

Debajo de la cabecera Seguridad de la pantalla Safari, en Ajustes, puede activar o desactivar la opción Aviso de fraude. Por defecto, esta opción está activada y debería seguir activada para su protección. Esta opción le ayuda a evitar que accidentalmente navegue a sitios Web de impostores o fraudulentos, por ejemplo.

Para salir de la aplicación Ajustes y guardar automáticamente sus cambios, pulse sobre el botón **Inicio** en su iPad. Esto le devuelve a la pantalla de inicio. Desde aquí, puede lanzar Safari y comenzar a navegar por la Web.

> **Nota:** *La opción JavaScript la permite visitar y acceder a sitios Web que utilizan programación JavaScript. La opción Bloquear ventanas evita que las molestas ventanas emergentes (que normalmente son anuncios) saturen su pantalla mientras está navegando por la Web.*

¿Dónde está el Flash?

La principal desventaja de navegar por la Web utilizando Safari en su iPad es la incapacidad del navegador Web de mostrar gráficos y animaciones basadas en Adobe Flash. Sin embargo, esta limitación se debe a que su tableta carece de capacidad tecnológica. Es el resultado de sucesivos desacuerdos entre Apple y Adobe respecto a ofrecer compatibilidad Flash mediante el sistema operativo iOS. Desafortunadamente, los sitios Web que se basan ampliamente en Flash no son accesibles al utilizar Safari. Sin embargo, la aplicación opcional Photon Flash Web Browser soporta Flash mientras navega por la Web desde su iPad. También puede utilizar una aplicación de escritorio remoto, como Splashtop, para controlar su ordenador principal desde la pantalla de su iPad, lo que le permite ejecutar el navegador Web de su ordenador para navegar por la Web y acceder a los sitios Web basados en Flash.

> **Nota:** *Aprenderá más sobre las aplicaciones Photon Flash Web Browser y Splashtop más adelante en este libro.*

Está listo para comenzar a navegar

Para acceder a la Web utilizando su iPad, asegúrese de que está conectado a Internet y, luego, pulse sobre el icono de aplicación Safari que se muestra en la pantalla de inicio de la tableta. Aparecerá la pantalla principal del navegador Web Safari.

Utilizar las características de la barra de herramientas de Safari

En la parte superior de la pantalla Safari está la barra de herramientas, que incluye varios iconos de comandos que utilizará para navegar por la Web. Aunque los iconos pueden parecer diferentes de los que ha utilizado cuando navega por la Web al utilizar el navegador instalado en su ordenador principal, sus características y funciones son similares.

Truco: Mientras navega por la Web utilizando Safari, puede mantener su tableta en modo Retrato o Paisaje. El modo Paisaje hace que la parte de los sitios Web que visualiza sea más grande en la pantalla, pero el modo Retrato le permite ver más de la página Web verticalmente.

Situado en la esquina superior izquierda de la pantalla de Safari están los iconos con forma de flecha **Adelante** y **Atrás** que se utilizan para saltar a una página Web previa que haya visitado.

El icono del libro abierto en la barra de herramientas (véase la figura 3.2) le permite acceder a su Lista de lectura, Historial, Barra de favoritos y favoritos que ha añadido a su lista de favoritos. Más adelante, en este capítulo, aprenderá cómo sincronizar sus favoritos entre Safari en su iPad con los favoritos guardados en el software del navegador Web de su ordenador principal.

Figura 3.2. Pulse sobre el icono del libro abierto para acceder a su Lista de lectura, así como a su Historial, Barra de favoritos y favoritos guardados.

Cuando visite cualquier sitio Web, puede pulsar sobre el icono rectangular con una flecha que apunta hacia la derecha (el icono **Compartir**), localizado a la izquierda del campo de dirección, para acceder a un submenú con las siguientes opciones (véase figura 3.3): Añadir favorito, Añadir a la lista de lectura, Añadir a pantalla de inicio, Enviar enlace por correo, Publicar en Twitter e Imprimir.

El comando Añadir favorito añade la URL del sitio Web de la página que se encuentra visualizando actualmente a su menú Favoritos o Barra de favoritos. Cuando pulse sobre el comando Añadir favorito, se mostrará la ventana Añadir favorito.

Con ayuda del teclado virtual, escriba el título para esta página Web, o utilice el título predeterminado y luego elija si quiere guardar el favorito en su menú Favoritos o mostrarlo en su Barra de favoritos.

Figura 3.3. *Este submenú ofrece varias opciones útiles de navegación Web.*

Nota: Si tiene Twitter configurado en su iPad (desde la aplicación Ajustes), se muestra una sexta opción denominada Publicar en Twitter, que le permite enviar un tweet a sus seguidores, en un mensaje de 140 caracteres y un vínculo al sitio Web que esté visualizando.
El menú *Compartir* que se ofrece en otras aplicaciones, como Fotos, YouTube y Mapas, también ofrece una opción Publicar en Twitter si tiene Twitter activado y está registrado en su cuenta Twitter desde la aplicación Ajustes.

El menú Favoritos es un menú desplegable que lista sus favoritos. Es una lista que puede crear y mantener mientras navega por la Web. Puede acceder a ella al pulsar sobre el icono de libro abierto en la parte superior de la pantalla de Safari.

Truco: Asegúrese de pulsar en el botón azul y blanco *Guardar*, en la esquina superior derecha de la ventana *Añadir favorito*, para guardar sus cambios antes de regresar a la pantalla principal de Safari.

La opción Añadir a la lista de lectura guarda la página Web que está visualizando en la memoria del iPad y le permite acceder a ella más adelante (incluso si no está en línea). Cuando añade un sitio Web a su lista de lectura, puede acceder a él al pulsar sobre el icono de libro abierto y, luego, pulsar sobre la opción Lista de lectura. Esta característica es particularmente útil si encuentra un artículo interesante o entrada de blog y no tiene tiempo para leerlo en ese momento pero sabe que va a volver a él más adelante.

En lugar de añadir un favorito al menú Favoritos o a la Barra de favoritos, ambos son solamente visibles cuando se está ejecutando Safari y está navegando por la Web, puede crear un icono de favorito para una página Web específica en su pantalla de inicio al utilizar el comando Añadir a la pantalla de inicio.

Cuando pulse sobre un icono de favorito en la pantalla de inicio, se lanzará el navegador Safari y cargará automáticamente la página Web marcada. Esto le permite acceder a sus sitios Web favoritos desde la pantalla de inicio del iPad. Los iconos de favoritos de la pantalla de inicio se parecen a los iconos de aplicación en su pantalla de inicio. Sin embargo, en lugar de lanzar una aplicación cuando pulsa sobre uno, Safari lanza y abre la página Web específica con la que está asociado el icono.

Cuando pulse sobre el comando Añadir a la pantalla de inicio, se mostrará una ventana Añadir a Inicio. Con ayuda del teclado virtual, escriba el título del favorito en el campo mostrado y, luego, pulse sobre el botón azul y blanco **Añadir** que se muestra en la esquina superior derecha de la ventana. Después de hacer esto, cuando acceda a la pantalla de inicio, aparecerá el nuevo icono de favorito en la pantalla de inicio.

Después de añadir un icono favorito a la pantalla de inicio, puede tratarlo como cualquier icono de aplicación en la pantalla de inicio, lo que significa que puede pulsar sobre él o lanzar el sitio Web, moverlo por la pantalla o situarlo en una carpeta.

Truco: Cuando pulse sobre el comando Enviar enlace por correo, se mostrará una pantalla de mensaje de correo electrónico. Complete el campo Para para especificar quién debería recibir el correo electrónico. Un vínculo al sitio Web que está visualizando actualmente se sitúa en el cuerpo del correo electrónico. Puede añadir texto adicional al cuerpo del correo electrónico antes de pulsar en el botón Enviar.

Si tiene una impresora conectada a su iPad compatible con la característica AirPrint, puede imprimir páginas Web que esté visualizando al utilizar la aplicación Safari. Pulse sobre el icono de comando **Imprimir** para hacer esto. Más adelante en este libro tiene más información sobre cómo utilizar su tableta con una impresora.

Editar sus favoritos

Mientras esté visualizando su menú Favoritos, pulse sobre el botón **Editar** en la esquina superior derecha de la ventana para editar su lista de favoritos.

Después de pulsar sobre el comando **Editar**, el menú Favoritos muestra iconos adicionales a la derecha e izquierda de cada título de favorito (véase figura 3.4). A la izquierda de cada lista de favorito añadida por el usuario hay un icono circular rojo y blanco con un signo menos dentro. Pulse sobre este icono para eliminar el favorito del menú Favoritos.

Figura 3.4. Puede editar los favoritos listados en su menú Favoritos o Barra de favoritos al pulsar sobre el botón Editar en la esquina superior derecha de la ventana del menú Favoritos.

Utilice el icono de libro abierto o el símbolo > (que se muestra a la derecha de cada título de favorito) para editar el título del favorito, URL o dónde se lista el favorito. En el extremo derecho de cada título de favorito añadido por el usuario existe un icono con tres líneas horizontales. Sitúe su dedo en uno de estos iconos para arrastrar un favorito arriba o abajo en la lista de favoritos y cambiar el orden de la lista.

Además de tener todos los favoritos mostrados en una amplia lista en el menú Favoritos, puede pulsar sobre el botón **Carpeta nueva**, en la esquina superior izquierda de esta ventana del menú Favoritos, para crear carpetas separadas que pueda utilizar para organizar mejor sus favoritos al ordenarlos en categorías personalizadas. Cuando cree una nueva carpeta de favoritos, debe también asignarle un nombre personalizado. Cuando haya terminado de editar el menú Favoritos, asegúrese de pulsar sobre el botón azul y blanco **OK**, en la esquina superior derecha de la ventana, para guardar sus cambios y regresar al menú general Favoritos.

Acceder y gestionar su lista de lectura

Para acceder y gestionar su lista de lectura, pulse sobre el icono **Libro abierto** y luego sobre la opción Lista de lectura. Aparecerá una nueva ventana Lista de lectura. Debajo de la cabecera Lista de lectura, existen dos pestañas: Todo y No leído. Para abrir una entrada de lista de lectura, pulse sobre su lista o deslice su dedo de izquierda a derecha por la entrada para eliminar una entrada de su lista de lectura. Cuando aparezca el icono rojo y banco **Eliminar**, púlselo. Para salir de la ventana Lista de lectura, bien pulse sobre el icono **Favoritos** que se muestra en la esquina superior izquierda o pulse en cualquier sitio de la pantalla de la tableta que esté fuera de la ventana.

Su Lista de lectura puede estar compuesta por sitios Web o páginas Web específicas a las que quiera hacer referencia más tarde para leer un artículo específico, nuevo elemento o entrada de blog, por ejemplo. En cualquier momento, si está leyendo un artículo en un sitio Web, otra forma de añadirlo a su lista de lectura es pulsar sobre el icono **Libro abierto**, seleccionar la opción Lista de lectura y, luego, pulsar sobre el icono más (+) en la esquina superior derecha de la ventana Lista de lectura.

Campo dirección de Safari

La barra de dirección está situada en la parte superior de la ventana principal Safari. Cuando pulse sobre ella, aparecerá el teclado virtual del iPad y podrá escribir la dirección de cualquier sitio Web (URL) al que quiera acceder, como se muestra en la figura 3.5. Mientras comienza a escribir, se muestra una lista de sugerencias en función de los sitios Web que haya visitado anteriormente.

Figura 3.5. Escriba la URL de cualquier sitio Web en la barra de dirección y luego pulse la tecla Ir en el teclado virtual para visitar cualquier sitio Web.

Si un sitio Web se muestra ya en la barra de dirección, pulse sobre el icono **x** que aparece a la derecha de la barra de dirección para eliminar los contenidos de la barra de dirección.

> *Truco:* En Safari, el teclado virtual incluye varias teclas para introducir direcciones URL, incluidos los dos puntos (:), barra invertida (/), subrayado (_), guión (-) y .com. Estas teclas se sitúan en la fila inferior del teclado virtual. Estas teclas le permiten escribir más rápidamente la URL del sitio Web que quiere visitar. Cuando haya terminado de escribir la URL, pulse sobre **Ir** en el teclado virtual para navegar a ese sitio. Además, si mantiene pulsada la tecla *.com* en el teclado virtual, un menú emergente le permite elegir entre .net, .eu, .org, .com, .es, .edu, que son extensiones comunes de sitio Web.

Utilizar el campo Buscar

Situado en la esquina superior derecha de la pantalla está el campo Buscar de Safari. Aquí puede introducir una palabra clave o frase de búsqueda para llevar a cabo una búsqueda Web utilizando Google, Yahoo! o Bing, dependiendo de qué motor de búsqueda haya seleccionado previamente en la aplicación Ajustes.

Utilizar pestañas

Las pestañas le permiten cargar múltiples páginas Web con Safari y alternar entre ellas. La barra de pestaña se muestra debajo de la barra Favoritos, cerca de la parte superior de la pantalla de Safari. Cuando carga Safari la primera vez, solamente se abre una pestaña. Sin embargo, en cualquier momento, puede pulsar sobre el icono más (+) que se muestra en el extremo derecho de la barra de pestañas para abrir una nueva ventana de navegador y crear una nueva pestaña.

Puede tener múltiples pestañas abiertas en la parte superior de la pantalla de Safari. Cuando están abiertas múltiples pestañas, pulse sobre cualquiera de ellas para cambiar al sitio Web al que corresponde la pestaña. El sitio Web que se muestra en la pantalla del iPad es la pestaña activa. A la izquierda del título de la pestaña activa hay un icono **x**. Pulse este icono para eliminar la pestaña y cerrar la página Web asociada con ella. Para mantener la página Web abierta pero visualizar una página Web diferente, pulse sobre otra pestaña o abra una nueva y manualmente navegue a otro sitio Web. La posibilidad de cambiar rápidamente entre páginas Web abiertas hace que navegar por la Web en el iPad sea rápido y adecuado.

Utilizar la característica Lector de Safari

Algunas veces, las páginas Web constan de anuncios, gráficos, menús y otro contenido que hace que la lectura del artículo de texto sea confusa. La opción Lector incorporada en Safari hace que el navegador Web automáticamente elimine esta saturación, y le permite leer el artículo en modo texto más fácilmente y sin distracciones en pantalla. Cuando está opción está disponible, aparece un pequeño icono **Lector** a la derecha de la URL del sitio Web, en el campo Dirección de Safari (véase la figura 3.6). Pulse sobre esta opción y se mostrará el artículo en modo texto en una nueva ventana.

Figura 3.6. *Cuando aparece el icono Lector en la barra Dirección de Safari, puede pulsar sobre él para leer el contenido en modo texto en ese sitio en una ventana.*

Mientras lee el artículo en modo texto en **Lector**, en la esquina superior derecha de la pantalla existe un icono **aA**. Pulse sobre él para incrementar o reducir el tamaño del texto en pantalla.

Comprender el área de visualización de la página Web

Volviendo a la navegación Web, debajo de la barra de título y la barra Favoritos (si tiene esta opción activada) está el área de visualización principal del sitio Web de Safari. Mientras visualiza el contenido del sitio Web puede desplazarse por la página deslizando los dedos hacia arriba, hacia abajo, a la izquierda o a la derecha.

Para saltar instantáneamente a la parte superior de la página Web, pulse sobre cualquier sitio en la barra de estado en la parte superior de la pantalla del iPad (encima de la barra de título). La barra de estado muestra las barras de señal de la conexión Internet, la hora actual y el indicador de la duración de la batería.

Para acercar o alejar un área determinada de una página Web, bien pulse dos veces sobre el área que quiera acercar o lleve a cabo un movimiento de ampliación con los dedos. Para alejar, pulse dos veces en la pantalla de nuevo o reduzca con los dedos. Si ve un hipervínculo o botón de comando en una página Web, púlselo para seguir el vínculo o para activar el botón. Para ver dónde le lleva el vínculo antes de realmente navegar por él, mantenga su dedo sobre el vínculo o botón durante dos o tres segundos. Se muestra la dirección URL del vínculo junto con un menú que contiene tres comandos:

- Abrir: Esto abre la página Web a la que le dirige el vínculo.

- Abrir en una pestaña nueva: Esto abre la página Web a la que le dirige el vínculo pero lo hace en una nueva ventana del navegador Safari.

- Copiar: Esto copia la URL del sitio Web al bloc de notas virtual de su iPad, de modo que pueda pegar esta información en cualquier sitio.

Truco: Mientras visualiza casi cualquier gráfico o foto que se muestre en un sitio Web, puede mantener su dedo sobre la imagen para guardarla en su iPad, donde estará accesible desde la aplicación Fotos.

Si, por alguna razón, una página Web no se carga completamente o quiere actualizar la información mostrada en una página Web que está visualizando, pulse sobre el icono de flecha circular que se muestra en el extremo derecho de la barra de dirección. Sin embargo, si quiere detener una página Web mientras se carga, pulse el icono **x** en el extremo derecho de la barra de dirección durante el proceso de carga de la página Web.

Siempre que necesite introducir texto o datos numéricos en un campo de un sitio Web que esté visualizando, pulse sobre el campo vacío, lo que hará que se muestre el teclado virtual del iPad. Para moverse a otro campo que requiera la introducción de datos, pulse con el dedo en el campo siguiente o sobre el icono **Siguiente** o **Anterior** que aparece en la pantalla por encima del teclado virtual.

Sincronizar los favoritos con su ordenador principal

Para asegurarse de que su experiencia de navegación Web resulta ser similar a cuando explora la Web utilizando el navegador Web tradicional de su ordenador principal, tiene la opción de sincronizar sus favoritos entre su ordenador y su iPad.

Existen dos métodos para sincronizar sus favoritos Safari. Uno sucede automáticamente al utilizar el servicio iCloud, y el otro se realiza mediante el procedimiento de sincronización iTunes cuando su tableta está conectada a su ordenador principal vía cable USB. Este proceso de sincronización funciona con Safari para Mac, Microsoft Internet Explorer en un PC, así como en una variedad de otras aplicaciones de navegador Web populares.

Si utiliza el servicio en línea iCloud, puede sincronizar automáticamente sus favoritos de forma inalámbrica entre su tableta y su ordenador principal (así como su iPhone). Para configurar esto, después de que tenga una cuenta iCloud, acceda a la aplicación Ajustes desde la pantalla de inicio de su tableta y pulse sobre la opción iCloud que se muestra en la columna izquierda. Cuando aparezca la pantalla iCloud, a la derecha de la pantalla Ajustes, active la opción Favoritos.

Acceder a las redes sociales en su iPad

Tanto si utiliza Facebook, Twitter, Google+ o LinkedIn para promocionar su negocio, un producto o servicio que le ayude a posicionarse como un experto en una materia, para conocer gente nueva o simplemente para estar en contacto con sus amigos y familia, puede utilizar ampliamente estos sitios de redes sociales al utilizar aplicaciones especializadas disponibles desde App Store.

La posibilidad de compartir información en redes sociales desde cualquier sitio al utilizar su iPad ofrece un nuevo nivel de interactividad a estos servicios.

Trabajar con Facebook

La aplicación oficial de Facebook para iPad (gratuita) está disponible en App Store. Ofrece casi todas las funcionalidades de Facebook en la pantalla de su tableta, incluida la posibilidad de acceder a su Muro, actualizar su estado, enviar/recibir mensajes, gestionar sus álbumes de fotos, cargar y compartir fotos al utilizar su iPad y chatear en tiempo real con sus amigos.

Tweetear desde su iPad

Existe una aplicación oficial Twitter, diseñada específicamente para su iPad (gratuita), así como decenas de aplicaciones de terceros que funcionan con Twitter.

La aplicación oficial Twitter, así como la funcionalidad Twitter, están integradas completamente en iOS 5.1, de modo que puede enviar un tweet desde una variedad de diferentes aplicaciones al estar la aplicación oficial Twitter cargada en su tableta. Para configurar inicialmente Twitter en su iPad, acceda a la aplicación Ajustes y pulse sobre la opción Twitter que se muestra a la izquierda de la pantalla. A la derecha de la pantalla tiene la opción de instalar la aplicación oficial Twitter al pulsar sobre el icono **Instalar ahora**. Después de la instalación, lance la aplicación Twitter en su iPad. Luego ,puede registrarse al utilizar una o múltiples cuentas Twitter o crear una nueva (algo que también puede hacer desde la pantalla Twitter en Ajustes, al pulsar sobre la opción Añadir cuenta).

> *Truco: Para que la integración de Twitter funcione con las aplicaciones principales incorporadas en su iPad (al contrario que la aplicación oficial Twitter) tiene que registrarse en su cuenta Twitter desde Ajustes una sóla vez.*

Puede utilizar la aplicación oficial Twitter para crear y enviar sus propios tweets, y ver lo que envían personas a las que sigue. Además, otras aplicaciones principales, como Fotos, Safari, Cámara, Contactos, YouTube y Mapas, están completamente integradas con Twitter y le permiten enviar tweets con un anexo.

La figura 3.7 muestra la opción Twitter en Fotos, que se muestra cuando visualiza una foto y pulsa sobre el icono **Compartir**. Cuando aparece el menú, una de las opciones es Publicar en Twitter la foto directamente desde la aplicación Fotos.

Figura 3.7. *Puede enviar tweets desde la aplicación Fotos mientras visualiza una foto. Pulse sobre el icono Publicar en Twitter para enviar un tweet de la foto directamente desde la aplicación Fotos.*

Pulse sobre la opción Publicar en Twitter en Fotos y aparecerá una ventana Tweet (véase la figura 3.8) que le permite componer un tweet que automáticamente adjunta la foto. Si pulsa sobre la opción Añadir ubicación en la esquina inferior izquierda de esta ventana, su ubicación exacta se añadirá automáticamente también al tweet saliente.

Figura 3.8. *Cuando elige enviar un tweet desde una aplicación, aparece una ventana especial de tweet que le permite componer y enviar un mensaje de 140 caracteres y (si aplica) adjuntar una foto, URL o su ubicación exacta.*

Conectarse a LinkedIn para estar en red con profesionales de negocios

Más de 65 millones de profesionales de negocios, trabajando en miles de campos e industrias diferentes, son participantes activos en el servicio de red social LinkedIn (`http://www.linkedin.com`).

Para acceder a LinkedIn desde su iPad, descargue la aplicación gratuita LinkedIn, denominada IN. Está disponible en App Store. IN está diseñada para iPhone pero también funciona en el iPad.

Gestionar su cuenta Google+ desde su iPad

También disponible en App Store está la aplicación gratuita Google+. Le permite gestionar la mayoría de los aspectos de su cuenta Google+ directamente desde su tableta. Sin embargo, la aplicación oficial Google+ está diseñada como una aplicación específica de iPhone que funciona en un iPad, si bien no utiliza completamente la gran pantalla de la tableta.

Además de visitar sitios Web, utilizar su iPad para gestionar múltiples cuentas de correo y acceder a Internet para gestionar su página de Facebook o cuenta Twitter, por ejemplo, también puede acceder a contenido de audio y/o vídeo directamente desde la Web.

> *Truco: Cuando utilice cualquier aplicación, incluida Safari, puede desbloquear el teclado virtual de su posición fija en la parte inferior de la pantalla y moverlo a la parte superior. Para hacer esto, sitúe y mantenga pulsado su dedo en la esquina derecha del icono **Ocultar teclado** (en la esquina inferior derecha del teclado virtual) y arrástrelo hacia arriba. O bien, cuando aparezca una ventana emergente con las opciones **Soltar** y **Dividir**, pulse sobre la opción **Soltar**. El teclado virtual salta hacia la mitad de la pantalla. Ahora, sitúe su dedo de nuevo sobre el extremo derecho de la tecla **Ocultar teclado** y arrastre hacia arriba o hacia abajo para mover el teclado virtual. Para poner el teclado en su posición por defecto en la parte inferior de la pantalla y bloquearlo ahí, mantenga su dedo en la esquina de la tecla **Ocultar teclado** y seleccione el comando **Fijar** que aparece en la ventana emergente. Ésta es una nueva característica que se ha añadido a iOS 5.1.*

4. Utilizar las aplicaciones de Calendario, Recordatorios y Centro de notificaciones

Citas, reuniones, llamadas de teléfono, reuniones virtuales en Web, viajes de negocios, recados, respondiendo correos electrónicos, obligaciones personales y vacaciones son algunas de las maneras como las personas pasan su tiempo.

Aquellas personas que normalmente son las más productivas y eficientes en el trabajo y que viven con la menor cantidad de estrés en el día a día, a menudo han descubierto los secretos de la gestión eficaz de su tiempo, lo que les permite priorizar tareas y sus responsabilidades, delegar cuando sea posible y mantenerse organizados.

Puede utilizar su iPad como un gestor del tiempo y una herramienta de lista de tareas para hacer juegos malabares y un seguimiento efectivo de su agenda diaria, plazos y responsabilidades.

Fundamentos de la aplicación Calendario

La aplicación Calendario viene preinstalada en su tableta. Con múltiples opciones de visualización para hacer un seguimiento de la información de la agenda, Calendario es una herramienta de agenda altamente personalizable que le permite sincronizar fácilmente sus datos de agenda con el software de agenda de su ordenador principal (como Microsoft Outlook en un PC o iCal en un Mac), así como su iPhone o Smartphone. Como muchas otras aplicaciones, Calendario funciona con el **Centro de notificaciones** y el servicio iCloud de Apple. Al utilizar Calendario, puede compartir parte o toda su información de agenda con los colegas, y mantener varios calendarios separados, con códigos de color para mantener las responsabilidades personales, del trabajo y los proyectos listados de forma separada y que, al mismo tiempo, pueda verlos en el mismo calendario.

> **Truco:** La aplicación Calendario está diseñada para funcionar con el servicio iCloud de Apple, Microsoft Exchange y otros software y programas de agenda/calendario en línea (incluido Google Calendar y Yahoo! Calendar, por ejemplo). Esta compatibilidad de archivo le permite sincronizar fácilmente sus datos de agenda entre su iPad y otros dispositivos.

Controlar la vista

Cuando lance la aplicación Calendario, elija qué perspectiva de visualización le gustaría utilizar para mostrar sus datos de agenda. Tiene cinco opciones, seleccionables al pulsar las pestañas mostradas en la parte superior de la pantalla:

Vista Día

Esta vista (véase la figura 4.1) muestra sus citas y eventos de agenda de forma individual a la derecha de la pantalla, en función de su hora.

Figura 4.1. La vista Día de la aplicación Calendario.

Vista Semana

Esta vista utiliza un formato de cuadrícula (véase la figura 4.2) para mostrar los días de la semana en la parte superior de la pantalla y los intervalos horarios en la parte izquierda. De esta forma, tiene una visión general de todas las citas y eventos fijados para una determinada semana.

Figura 4.2. *La vista Semana de la aplicación Calendario.*

Vista Mes

Esta vista del mes (véase la figura 4.3) le permite ver las citas y eventos de un mes a la vez. Puede pulsar sobre cualquier día para cambiar inmediatamente a la vista **Día** y revisar el detalle de citas y eventos programados.

Vista Año

Esta vista (véase la figura 4.4) le permite ver 12 minicalendarios y una visión general de su agenda. Por ejemplo, puede bloquear días de vacaciones, días de viaje, etc., y tener una visión completa de su agenda anual general.

Vista Lista

Esta vista le ofrece una lista resumen completa de todas las citas y eventos guardados en la aplicación Calendario (véase la figura 4.5). Puede pulsar sobre una lista individual para ver sus detalles completos.

Figura 4.3. *La vista Mes de la aplicación Calendario.*

Figura 4.4. *La vista Año de la aplicación Calendario.*

Figura 4.5. *La vista Lista de la aplicación Calendario.*

Cuando esté utilizando esta vista, se mostrará una lista de todas las próximas citas a la izquierda, y las citas y notas relacionadas con el día actual a la derecha de la pantalla.

Con independencia de qué vista seleccione, en cualquier momento puede ver la agenda del día actual al pulsar sobre el botón **Hoy**, situado en la esquina inferior izquierda de la pantalla. En el propio calendario, el día actual se resalta siempre en azul.

Nota: *La aplicación Calendario funciona en modo paisaje o retrato, de modo que el que elija será cuestión de sus preferencias personales. Con independencia de en qué sentido mantenga su tableta, la información en pantalla de su agenda es la misma.*

Introducir una nueva cita

Con independencia de la vista de calendario que utilice, para introducir una nueva cita, pulse sobre el icono del signo más que se muestra en la esquina inferior derecha de la pantalla. Esto muestra una ventana Añadir evento (véase la figura 4.6). Cuando utiliza la aplicación Calendario, las citas, reuniones y otros elementos que incorpore se conocen como eventos.

Figura 4.6. Desde la ventana Añadir evento, puede añadir una nueva cita para la aplicación Calendario y asociar una alarma a ese evento.

El primer campo en la ventana Añadir evento se denomina Título. Desde el teclado virtual del iPad, introduzca una título para la cita o evento, como: **Comida con David**, **Reunión de ventas** o **Llamar a Emilia**.

A continuación, si existe una ubicación asociada con la reunión o cita, pulse sobre el campo Lugar situado debajo del campo Título y, luego, utilice el teclado virtual para introducir la dirección o lugar de la cita. Introducir información en el campo Lugar es opcional. Puede ofrecer tanto detalle como quiera en este campo.

Para configurar la hora y día en la que comienza y termina la nueva cita, utilice los campos Empieza y Termina. Se muestra una nueva ventana Inicio y fin (véase la figura 4.7) que sustituye temporalmente la ventana Añadir evento.

Figura 4.7. *Desde la ventana Inicio y fin, seleccione las horas y fechas de inicio y fin para cada nueva cita que introduzca en la aplicación Calendario.*

En la ventana Inicio y fin, pulse sobre la opción Empieza para que esté resaltada en azul y, luego, utilice el deslizador de Día, Hora, Minuto para seleccionar la hora exacta de inicio de su cita.

Después de introducir la hora de inicio, pulse sobre la opción Termina y de nuevo utilice el deslizador de Día, Hora, Minuto para seleccionar la hora exacta de finalización de su cita. O bien, si la cita dura todo el día, pulse el interruptor virtual Día entero pasando de desactivado a activado.

También puede ajustar la opción Zona horaria si la reunión tendrá lugar en una zona horaria diferente de en la que está actualmente. Así, si está en Madrid pero la reunión o cita será a las 3:00 pm en Nueva York, puede introducir la hora correcta para la ubicación de la reunión y el iPad se ajustará en consecuencia cuando viaje.

Después de introducir la hora de inicio y hora de fin de la cita, debe pulsar el botón OK azul y blanco para guardar esta información y regresar a la ventana Añadir evento.

Truco: Si la cita que introduce se repite cada día, cada semana, cada dos semanas, cada mes o cada año, pulse sobre la opción Repetir y elija la opción adecuada. Lo predeterminado para esta opción es Nunca, lo que significa que es una cita que no se repite.

Asociar una o dos alarmas con cada evento

Para establecer una alarma para la cita, pulse la opción Alerta que se muestra debajo de la opción Repetir, en la ventana Añadir evento. En la ventana Alerta, pulse para especificar cuando quiere que suene la alarma para recordarle la cita. Sus opciones son Ninguna (la predeterminada), A la hora del evento, 5 minutos antes, 15 minutos antes, 30 minutos antes, 1 hora antes, 2 horas antes, 1 día antes o 2 días antes. Cuando pulsa sobre su selección, una marca de verificación que corresponde con la selección se muestra a la izquierda de la ventana.

De nuevo, pulse sobre el botón azul y blanco **OK** que se muestra en la esquina superior derecha de la ventana Alerta para guardar la información y regresar a la pantalla Añadir evento.

Formas adicionales de personalizar cada lista de evento

Cuando regresa a la ventana Añadir evento, si mantiene varios calendarios separados en la aplicación Calendario, puede elegir qué calendario quiere que liste la cita o evento al pulsar sobre la opción Calendarios y, luego, seleccionar el calendario apropiado.

Mientras se desplaza por la ventana Calendario, ve un campo opcional Notas. Con ayuda del teclado virtual, puede escribir notas pertenecientes a la cita (o pegar datos de otras aplicaciones en este campo). En el nuevo iPad, también puede utilizar la característica Dictado como otra forma de incorporar notas u otros datos de calendario.

Advertencia: Es esencial que pulse sobre el botón azul y blanco **OK** para guardar la nueva información de cita. De lo contrario, la información introducida no se guardará en su calendario y se perderá.

La alternativa a introducir manualmente información de cita en la aplicación Calendario es introducir su información de agenda en un programa de agenda en su ordenador principal, como Microsoft Outlook (PC), iCal o Calendario (para

Mac) o Microsoft Entourage (Mac) y sincronizar estos datos con su iPad mediante el proceso de sincronización iTunes, el proceso de sincronización con iTunes vía Wi-Fi o vía iCloud.

> **Truco:** *La aplicación Calendario funciona con varias aplicaciones iPad, incluida Contactos y Centro de notificaciones. Por ejemplo, en Contactos, puede introducir el cumpleaños de alguien en su registro y esa información se puede mostrar automáticamente en la aplicación Calendario. Para mostrar la lista de cumpleaños en Calendario, pulse sobre el botón **Calendarios** que se muestra en la esquina superior izquierda de la pantalla y, luego, pulse sobre la opción Cumpleaños para añadir una marca de verificación a esa selección. Todos los cumpleaños recurrentes guardados en su aplicación Contactos se muestran ahora en Calendario.*

También puede sincronizar datos de agenda en su iPhone, así como en varias aplicaciones de agenda en línea o basadas en red que se verán más adelante en este libro.

> **Nota:** *Si ha actualizado su Mac para que ejecute el sistema operativo OS X Mountain Lion, descubrirá que la aplicación iCal se denomina ahora Calendario, y se parece incluso más a la versión iOS de Calendario que ejecuta actualmente su iPad.*

Visualizar detalles individuales de citas

Desde la vista **Día, Semana, Mes, Año o Lista** en la aplicación Calendario, pulse sobre cualquier evento individual (cita, reunión, etc.) para visualizar todos los detalles relacionados con dicho elemento. Cuando se pulsa sobre un único elemento, se abre una nueva ventana. En la esquina superior derecha de la ventana se encuentra ubicado el icono **Editar**. Pulse sobre él para modificar cualquier aspecto del evento, como el título, lugar, hora de comienzo, hora fin, alerta o notas.

Para eliminar una entrada de evento por completo, pulse sobre el icono rojo y azul **Eliminar evento** que se muestra en la parte inferior de la ventana Editar. O bien, cuando haya hecho sus cambios en una entrada de evento, pulse sobre el botón azul y blanco **OK** que se muestra en la esquina superior derecha de la ventana para guardar su información de evento actualizada.

Suscribirse a calendarios

Desde Calendario, es posible subscribirse a calendarios Google, Yahoo! o iCal de sólo lectura guardados en formato `.ics`. Para subscribirse a un calendario que le permita leer entradas de calendario creadas en otros dispositivos o servicios pero no editar o crear nuevos eventos en esos calendarios, siga estos pasos:

1. Desde la pantalla de inicio del iPad, acceda a la aplicación Ajustes.

2. Desde el lado izquierdo de la pantalla Ajustes, seleccione la opción Correo, contactos, calendarios.

3. Debajo de la cabecera Cuentas, a la derecha de la pantalla Ajustes, pulse sobre la opción Añadir cuenta.

4. En la parte inferior de la lista de tipos de cuenta, pulse la opción Otras.

5. Cuando aparece la pantalla Otras a la derecha de la pantalla, pulse la opción Añadir calendario suscrito.

6. En la ventana Suscripción que aparece, introduzca la dirección del calendario al que quiera suscribirse en el campo denominado Servidor. Introduzca esta información utilizando el siguiente formato: `miservidor.com/cal.ics`.

7. Pulse sobre el icono **Siguiente**, situado en la esquina superior derecha de la pantalla, para validar la suscripción y, luego, pulse sobre el botón **Guardar**. Su tableta debe estar conectada a Internet para hacer esto.

Si utiliza iCal o Calendario en un Mac, por ejemplo, puede publicar (y compartir) un Calendario vía un servidor Web y ponerlo disponible para que se suscriba en su iPad. Desde iCal o Calendario en su Mac, seleccione el calendario que quiera publicar de la lista a la izquierda de la pantalla iCal o Calendario (en su Mac). Después de que se resalte, haga clic en el menú desplegable Calendario y seleccione la opción Publicar. Añada marcas de verificación a las opciones que quiere y luego publique. Se muestra la URL del calendario. Introduzca esa URL en la aplicación Calendario de su iPad al utilizar los pasos detallados anteriormente en este apartado.

El sitio Web de Apple también publica decenas de calendarios de sólo lectura a los que puede suscribirse en su iPad. Estos calendarios de sólo lectura listan vacaciones importantes, agendas de juegos de sus equipos favoritos, fases lunares, nuevas versiones de canciones en iTunes, nuevas versiones de DVD y más. Para una lista de estos calendarios, visite `http://www.apple.com/downloads/macosx/calendars`.

Truco: Si su agenda de trabajo la gestiona en un ordenador o red compatible con el estándar de la industria CalDAV o formato de archivo `.ics`, puede sincronizar fácilmente estos datos con la aplicación Calendario en su iPad. Para suscribirse a un calendario CalDAV o `.ics`, lance la aplicación Ajustes en su iPad y, luego, elija la opción Correo, contactos, calendarios. Pulse sobre la opción Añadir cuenta y elija de la lista Otras.

Cuando aparezca la pantalla Otras, seleccione la opción Añadir cuenta CalDAV. Se muestra la ventana CalDAV y se le solicita introducir la dirección del servidor (`cal.ejemplo.com`), su usuario, contraseña y una descripción del calendario. Esta información la puede obtener del administrador de sistemas de red de su empresa o departamento de sistemas.

*Después de introducir toda la información solicitada en la ventana CalDAV en su iPad, pulse el botón **Siguiente** para verificar la cuenta. Pulse el botón **Guardar** cuando se complete este proceso. Las citas y eventos incluidos en el calendario a los que se acaba de suscribir aparecen ahora en su calendario con su propio color cuando lance la aplicación Calendario en su iPad.*

Encontrar una cita

Además de ver la vista **Día, Semana, Mes, Año o Lista** en el Calendario para encontrar citas individuales, puede utilizar el campo Buscar en la esquina superior derecha de la aplicación Calendario. Pulse sobre el campo Buscar y, después, utilice el teclado virtual para introducir cualquier palabra clave o frase asociada con la cita que está buscando. O bien, desde la pantalla Inicio del iPad, deslice el dedo de izquierda a derecha para acceder a la pantalla principal Buscar de su tableta. En el campo Buscar que aparece, introduzca una palabra clave, frase de búsqueda o fecha asociada con una cita. Cuando se muestre una lista de elementos relevantes, pulse sobre la cita que quiera visualizar. Esto lanza la aplicación Calendario y muestra la cita específica.

Visualizar calendarios

Una de las características de la aplicación Calendario es que puede ver y gestionar múltiples calendarios con diferente color a la vez en la misma pantalla o alternar fácilmente entre ellos.

Para decidir qué información de calendario quiere ver, pulse sobre el icono **Calendarios**. Cuando se muestra la ventana Mostrar calendarios, seleccione qué calendario o calendarios quiere ver en la pantalla de su iPad. Puede ver uno o más calendarios a la vez, o seleccionar ver datos de todos sus calendarios en una pantalla simultáneamente. Cada calendario tiene un color, de modo que puede ver entradas separadas cuando visualiza múltiples calendarios en la pantalla a la vez.

Invitar a gente a reuniones y eventos

La aplicación Calendario es compatible con Microsoft Exchange. Por tanto, si tiene la característica adecuada activada y su compañía utiliza una aplicación de calendario compatible con CalDAV en su red, puede invitar a otras personas de esa red a sus eventos y responder a las invitaciones de otros.

Para responder a una reunión, cita o invitación de evento, su iPad debe tener acceso a Internet. Cuando recibe una invitación, el evento se muestra en su calendario con una línea de puntos alrededor. Pulse sobre ella para ver las opciones disponibles que le permiten ver de quién es la invitación y quién va a asistir al evento. También puede configurar su iPad para que le avise de la reunión y agregar comentarios propios que se refieran a la invitación de reunión.

Como invitado, puede luego aceptar o declinar la invitación. La persona que le ha invitado a la reunión o evento recibe su respuesta.

Personalizar la aplicación Calendario

Cuando comience a utilizar la aplicación Calendario, descubrirá que existen muchas formas de personalizarlo más allá de elegir entre la vista del calendario Día, Semana, Mes, Año o Lista o suscribirse a calendarios de sólo lectura. Por ejemplo, desde la aplicación Calendario puede configurar alertas que le recuerden citas, reuniones y eventos. Para personalizar la alerta que escucha, lance la aplicación Ajustes y seleccione la opción General, a la izquierda de la pantalla. A continuación, pulse sobre la opción Sonidos que se muestra a la derecha de la pantalla.

Asegúrese de que la opción Alertas calendario, en la pantalla Sonidos, está activada. Si esta opción está desactivada, se muestra un mensaje de texto en la pantalla del iPad como recordatorio del evento en lugar de una alarma.

Truco: Si recibe invitaciones de reuniones y eventos de otros, desde la aplicación Ajustes, pulse la opción Correo, contactos, calendario. Luego, desplácese hasta la cabecera Calendarios y asegúrese de que está activada la opción Alerta de invitación. Esto le permite escuchar una alarma cuando recibe una nueva invitación.

También desde Ajustes, listado debajo de la cabecera Calendarios, a la derecha, puede determinar desde cuándo quiere sincronizar datos de citas entre su ordenador principal y el iPad. Sus opciones incluyen De hace 2 sem., De hace 1 mes, De hace 3 meses, De hace 6 meses o Todos.

Cuando está activada la opción Soporte zona horaria y ha seleccionado la ciudad principal en la que se encuentra, todas las alarmas se activan en función de la zona horaria de esa ciudad. Sin embargo, cuando viaje, desactive esa opción. Con la opción Soporte zona horaria desactivada, el iPad determina la fecha y hora actual en función de la ubicación y zona horaria en la que se encuentre (cuando está conectado a Internet) y ajusta todas sus alarmas para que funcionen a la hora adecuada de esa zona horaria.

Para acceder a la característica de Soporte zona horaria, lance la aplicación Ajustes y seleccione la opción Correo, contactos, calendarios. A la derecha de la ventana, desplácese hasta las opciones listadas debajo de Calendarios y, despues, pulse sobre la opción Soporte zona horaria. Cuando aparezca la pantalla Soporte zona horaria, verá un interruptor virtual de encendido/apagado. Cuando está activado, debajo está la opción Zona horaria. Pulse sobre ella y luego elija su ciudad.

Sincronizar datos de agenda con su ordenador principal o smartphone

Dependiendo de si quiere sincronizar su aplicación Calendario con un PC o Mac, o acceder de forma inalámbrica a datos de agenda en una red, el proceso de configurar la conexión y sincronizar los datos de agenda es diferente.

Sincronizar datos de calendario con un PC o Mac utilizando la sincronización de iTunes

El proceso de sincronización de datos entre la aplicación Calendario y su ordenador principal en iTunes implica conectar los dos dispositivos utilizando el cable blanco USB que viene con su iPad. También necesita que se ejecute en su ordenador principal el software gratuito iTunes. Más información sobre este tema se facilita más adelante en este libro.

Sincronizar datos de calendario de forma inalámbrica utilizando iCloud

También es posible sincronizar sus datos de Calendario con otros dispositivos móviles iOS, así como su ordenador principal, utilizando el servicio en línea iCloud de Apple. Después de que haya creado una cuenta iCloud, configure su iPad para la sincronización automática del Calendario. Para hacer esto, lance la aplicación Ajustes y seleccione la opción iCloud que se muestra a la izquierda de la pantalla. A la derecha de la pantalla, cuando aparece la pantalla de menú iCloud, asegúrese de que está activada la opción Calendarios.

También tiene que activar la sincronización del Calendario vía iCloud en su ordenador principal, iPhone y/o otros dispositivos móviles iOS vinculados a la misma cuenta iCloud.

Truco: *Cuando sus datos de Calendario se sincronizan en tiempo real con iCloud, puede acceder a esa información en cualquier momento desde cualquier ordenador o dispositivo móvil que se conecte a Internet. Simplemente, visite* `http.//www.icloud.com/#calendar` *y regístrese al utilizar su ID de Apple y contraseña. Encontrará una aplicación en línea gratuita casi idéntica a la aplicación Calendario de su iPad. Se mostrarán sus datos personales de agenda.*

Sincronizar datos de calendario de forma inalámbrica con software de agenda en una red compatible con Microsoft Exchange

Para configurar la aplicación Calendario y que sincronice datos con software de agenda compatible con Microsoft Exchange utilizado en un entorno corporativo, lance la aplicación Ajustes en su tableta y elija la opción Correo, contactos, calendarios.

Pulse sobre la opción Añadir cuenta y seleccione a continuación Microsoft Exchange en el menú que se muestra en la pantalla de la derecha. Introduzca su información de cuenta cuando se le solicite. Esta información suele proporcionarla el administrador de sistemas o el departamento de sistemas de una empresa.

Cuando configure la conexión Microsoft Exchange con su iPad, asegúrese de que añade una marca de verificación junto a la opción Calendario para que pueda sincronizar estos datos.

Truco: *Muchas redes de empresa y redes privadas virtuales (VPN) utilizan software de agenda compatible con CalDAV. Para sincronizar su información de agenda entre su tableta y un paquete software de calendario/agenda compatible con CalDAV en una red corporativa, contacte con el departamento de sistemas de su empresa o administrador de sistemas para obtener los parámetros de cuenta y contraseña necesarios para realizar esta conexión. En su iPad, configure esta conexión desde la aplicación Ajustes. Si el administrador de sistemas de su empresa no le puede ayudar a sincronizar su tableta con la red de la empresa, concierte una cita en cualquier Apple Store.*

Sincronizar datos de calendario de forma inalámbrica con Google Calendar o Yahoo! Calendar

Si mantiene su información de agenda utilizando una aplicación de agenda en línea, como Google Calendar o Yahoo! Calendar, puede utilizar su iPad (cuando esté conectado a Internet) para sincronizar de forma inalámbrica los datos de agenda.

Para configurar esto, lance la aplicación Ajustes en su iPad, seleccione la opción Correo, contactos, calendarios y pulse sobre la opción Añadir cuenta.

Elija la opción Google, Yahoo! o AOL en función de dónde mantenga un calendario en línea. Cuando se le solicite, introduzca su nombre, la dirección de correo electrónico existente, la contraseña utilizada para ese servicio y una pequeña descripción de la cuenta.

Por último, pulse sobre los servicios que quiere vincular con su iPad, como Calendarios, Contactos, etc. Las opciones disponibles varían en función del servicio que utilice.

Utilizar la aplicación Recordatorios

A simple vista, Recordatorios es un gestor de listas de tareas pendientes. Sin embargo, después de comenzar a utilizar esta aplicación innovadora, descubrirá que ofrece una amplia variedad de características interesantes y útiles.

Recordatorios funciona con el Centro de notificaciones e iCloud, y sincroniza fácilmente la aplicación Recordatorios de su Mac si está ejecutando OS X Mountain Lion, o iCal si está ejecutando OS X Lion. La aplicación Recordatorios también puede sincronizarse con Microsoft Outlook en su ordenador principal. Además, puede crear tantas listas de tareas pendientes separadas como necesite para gestionar adecuadamente su vida personal y profesional, o varios proyectos de los que sea responsable.

> **Nota:** *Al utilizar iCloud, Recordatorios puede sincronizarse con su ordenador principal, iPhone u otros dispositivos iOS. Asegúrese de activar la funcionalidad iCloud para Recordatorios desde la aplicación Ajustes y así iniciar la sincronización automática en tiempo real. OS X Mountain Lion para Mac incluye ahora la aplicación Recordatorios, que simplifica la sincronización de la lista de tareas pendientes iCloud.*

Para que le sea más sencillo hacer malabares con las tareas y hacer un seguimiento de los plazos y responsabilidades, puede asignar a cada elemento de su lista de tareas una alarma única, que se puede asociar con tiempos y fechas específicos, o ambos.

> **Truco:** *Puede establecer una alarma de recordatorio que le avise de una fecha cercana y tener una segunda alarma que le avise cuando haya llegado esa fecha.*

Cuando lanza Recordatorios por primera vez, a la izquierda de la pantalla verá el centro del control de esta aplicación. A la derecha de la pantalla (véase la figura 4.8) se simula una hoja de papel con la cabecera Recordatorios en la parte superior.

Para comenzar a crear una lista de tareas debajo de esta cabecera Recordatorios, pulse en la línea superior vacía de lo que simula ser la hoja de papel, o pulse sobre el botón de signo más que se muestra cerca de la parte superior derecha de la pantalla. Aparece el teclado virtual del iPad. Introduzca el primer elemento a añadir a su lista de tareas y pulse sobre el botón **intro** del teclado.

Después de pulsar **intro**, se muestra una casilla de verificación vacía en el margen izquierdo del elemento que se acaba de introducir (véase la figura 4.9). Puede marcar esta tarea como completada al pulsar sobre la casilla de verificación, lo que añade una marca de verificación. Después, el elemento se mueve a la lista Completado, accesible a la izquierda de la pantalla, debajo de la cabecera Completado.

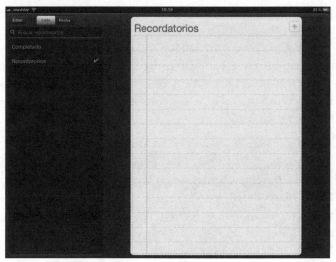

Figura 4.8. *Éste es el aspecto de la pantalla Recordatorios cuando lanza la aplicación por primera vez.*

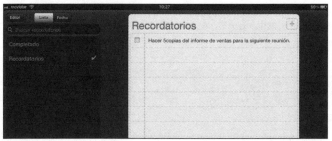

Figura 4.9. *Tan pronto como crea un elemento en la lista de tareas pendientes y pulse sobre la tecla intro del teclado, aparece una casilla de verificación a la izquierda.*

Truco: *Si es un nuevo usuario de iPad, también puede introducir elementos de tareas pendientes e información relacionada en la aplicación Recordatorios utilizando la característica Dictado.*

Mientras introduce la tarea pendiente, puede pulsar en ella para que aparezca la ventana Detalles de la aplicación. Configure una alarma Avisar al pulsar sobre la opción Avisar. O bien, puede pulsar sobre la opción Mostrar más para fijar una fecha de vencimiento y prioridad para la tarea. Si está gestionando múltiples listas de tareas, también puede asignar el elemento de tarea a una lista específica. Cuando se desplaza por la ventana Detalles, verá una opción **Eliminar**. Pulse sobre ella para eliminar el elemento de su lista.

> **Nota:** *Las alarmas se pueden asociar con cada elemento de la lista de tareas pendientes. También tiene la opción de crear un elemento de tarea pendiente sin asociarle ningún tipo de alerta o alarma.*
>
> *Cuando se activa una alarma con un elemento de tarea pendiente, se muestra una notificación en la ventana del Centro de notificaciones de su iPad, asumiendo que tiene esta característica activada.*
>
> *Para asegurarse de que Recordatorios funciona con el Centro de notificaciones, lance la aplicación Ajustes y pulse sobre la opción Notificaciones. Cuando aparece la pantalla Notificaciones a la derecha de la pantalla, pulse sobre la opción Recordatorios para asegurarse de que está activada esta opción.*

Cuando se trata de gestionar su lista de tareas pendientes y realizar las tareas que se listan, mientras las completa, pulse sobre la casilla de verificación asociada con ese elemento. Esto hace que aparezca una marca de verificación en la casilla de verificación y el elemento de la lista de tareas pendientes se mueve al apartado Completado (mostrado a la izquierda de la pantalla).

En cualquier momento, puede ver su lista de elementos completos al pulsar sobre la cabecera Completado a la izquierda de la pantalla.

Gestionar múltiples listas de tareas pendientes simultáneamente

El botón **Editar** está en la esquina superior izquierda de la pantalla Recordatorios. Pulse este botón para crear una nueva lista, eliminar una lista existente o cambiar el orden en que se muestran sus listas a la izquierda de la pantalla.

Tan pronto como pulse sobre las opciones Crear nueva lista, aparece el teclado virtual del iPad y puede introducir un nombre o título para la nueva lista (véase figura 4.10).

Además, en el modo **Editar**, puede eliminar una lista al pulsar sobre el icono de círculo rojo y blanco con un signo menos dentro que está asociado con la lista que quiere eliminar. O bien, para cambiar el orden de sus listas, sitúe su dedo en el icono que aparece con tres líneas horizontales y arrastre de arriba hacia abajo. Para salir del modo **Editar**, pulse sobre el botón **OK** en la esquina superior izquierda de la pantalla.

Cuando está seleccionado el botón **Lista** que se muestra cerca de la esquina superior izquierda de la pantalla, la parte izquierda de la pantalla Recordatorios muestra los nombres de las listas, permitiéndole ver cualquier elemento con un sólo clic. Sin embargo, cuando pulsa sobre el botón **Fecha**, a la derecha del botón **Lista**, el lado izquierdo de la pantalla Recordatorios se reemplaza con los calendarios mes a mes. Puede pulsar sobre una fecha específica para ver las próximas fechas asociadas con elementos específicos de la lista de tareas.

Figura 4.10. *En el modo Editar, puede crear una nueva lista, eliminar listas enteras o cambiar el orden de las listas.*

> **Truco:** *Para encontrar rápidamente elementos en cualquier lista de tareas pendientes, pulse sobre el campo Buscar recordatorios en la parte superior izquierda de la pantalla y, luego, utilice el teclado virtual para introducir cualquier texto relacionado con lo que está buscando.*

Cuando tenga el hábito de introducir todos los elementos de lista de tareas pendientes, plazos o cualquier otro tipo de información en la aplicación Recordatorios, descubrirá con agrado que se puede utilizar para gestionar muchos tipos diferentes de información de su vida personal y profesional.

Mantenerse informado con el Centro de notificaciones

Siempre que se activa una alarma de la aplicación Calendario, puede estar informado por medio del Centro de notificaciones. De forma similar, puede recibir una alerta si ha recibido un nuevo correo electrónico, una llamada pérdida en FaceTime, un nuevo mensaje vía Mensajes o cualquier otro tipo de notificaciones generadas por otras aplicaciones.

El Centro de notificaciones (véase la figura 4.11) es totalmente personalizable. Por defecto, cuando se activa una nueva alerta, si algo sucede en una aplicación que requiera su atención, el Centro de notificaciones muestra un mensaje en una ventana que aparece en la parte superior de la pantalla.

Figura 4.11. *La ventana del Centro de notificaciones aquí muestra solamente eventos relacionados con el Calendario. Sin embargo, puede mostrar simultáneamente alertas, alarmas y notificaciones de múltiples aplicaciones.*

Truco: *Para acceder al Centro de notificaciones en cualquier momento, puede deslizar su dedo desde la parte superior del iPad. El Centro de notificaciones sirve como una ventana central donde se pueden mostrar todas las alertas en una ubicación conveniente y de fácil acceso.*

El Centro de notificaciones siempre se ejecuta en segundo plano y funciona con independencia de la aplicación que se esté utilizando. Para personalizar el Centro de notificaciones y determinar qué alertas, alarmas y mensajes se muestran, así como qué alertas y alarmas escucha, lance la aplicación Ajustes y seleccione la opción Notificaciones, a la izquierda de la pantalla.

Cuando aparezca la ventana Notificaciones, a la derecha de la pantalla (véase la figura 4.12), verá todas las aplicaciones compatibles con el Centro de notificaciones listadas bajo esta cabecera. Tenga en cuenta que, a medida que añade nuevas aplicaciones a su iPad, muchas serán compatibles con el Centro de notificaciones.

Pulse sobre una aplicación de la lista que se muestra debajo de la cabecera del Centro de notificaciones, comenzando con Calendario. Cuando haga esto, a la derecha de la pantalla Ajustes se muestran las opciones de personalización (véase la figura 4.13).

Desde la primera opción, puede determinar si el Centro de notificaciones presta atención a alertas y alarmas creadas al utilizar la aplicación Calendario. Para utilizar esta aplicación con el Centro de notificaciones, active esta opción.

A continuación, determine cuántos elementos (alertas individuales, alarmas, etc.) muestra para esa aplicación en cualquier momento en el Centro de notificaciones. Sus opciones incluyen 1, 5, 10 o 20 ítems.

Al activar la opción Ver en la pantalla bloqueada, puede determinar si las alertas y alarmas asociadas con el Calendario aparecen en la pantalla bloqueada del iPad cuando la tableta está en modo reposo.

Figura 4.12. *Puede personalizar cómo recibirá las alertas y alarmas en cada aplicación compatible con el Centro de notificaciones*

Activar o desactivar el Centro de notificaciones

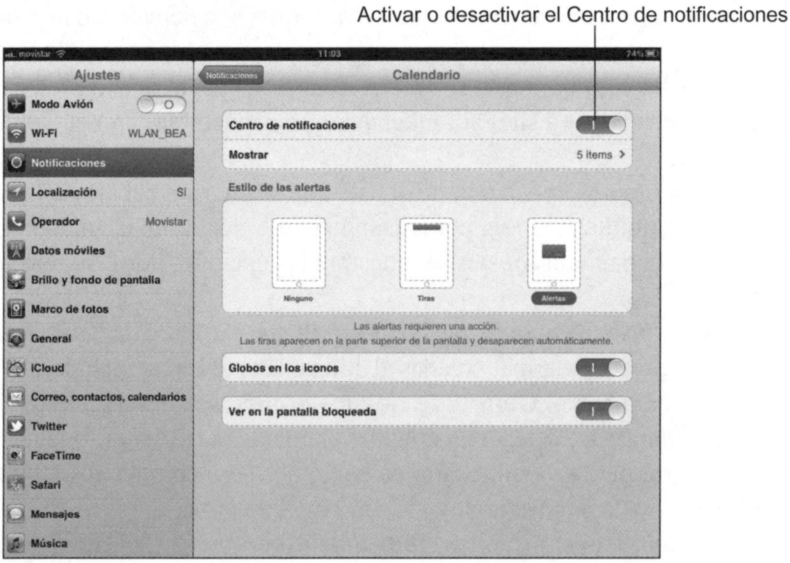

Figura 4.13. *La pantalla de personalización del Centro de notificaciones para la aplicación Calendario, que se puede encontrar en Ajustes.*

También puede ajustar el Estilo de las alertas y decidir si la ventana de alerta visible se muestra como un banner en la parte superior de la pantalla o como una alerta en la parte central de la pantalla.

Aparece un banner y luego desaparece de manera automática después de unos segundos. Sin embargo, una alerta permanece en la pantalla hasta que pulse sobre el icono apropiado en la ventana de alerta para que desaparezca. Dependiendo de la aplicación, también puede activar o desactivar los Globos en los iconos, que se muestran en la pantalla Inicio como parte del icono de la aplicación correspondiente.

Cuando visualiza la ventana del centro de notificaciones, puede pulsar en cualquier elemento, alerta o alarma listada, y se lanza la aplicación apropiada. Por ejemplo, si pulsa sobre una alerta para una cita próxima en el Calendario, cuando pulse sobre ella en el Centro de notificaciones, se lanzará la aplicación Calendario y aparecerán los detalles de la cita específica en la pantalla. De forma similar, si pulsa sobre la alerta de un nuevo correo entrante, se abrirá la aplicación Mail y se mostrará el nuevo mensaje.

Cuando se activa una nueva alerta o alarma entrante, la ventana del Centro de notificaciones aparece automáticamente en la parte superior de la pantalla. Puede detener lo que esté haciendo y atender esa alerta o alarma, o puede continuar con lo que estaba haciendo en su iPad y atender esa alerta o alarma cuando pueda.

Truco: Mientras su iPad está en modo reposo, el Centro de notificaciones continúa funcionando. Desde Ajustes, puede configurar el Centro de notificaciones para mostrar nuevas alertas, alarmas y contenido relacionado en la pantalla bloqueada de su tableta. Además, cuando despierte su iPad inmediatamente se muestran todas las nuevas alertas, alarmas y mensajes. Desde la pantalla bloqueada, puede desplazarse por el listado del Centro de notificaciones para desbloquear el iPad y acceder a la aplicación y contenido apropiado.

Después de haberlo configurado y personalizado con las aplicaciones que utilice con mayor frecuencia, el Centro de notificaciones resulta una potente herramienta que le ayuda a mantenerse informado en todo momento de todas sus responsabilidades y obligaciones. Como puede esperar, el Centro de notificaciones también funciona con la aplicación Recordatorios (para mantener listas interactivas de tareas pendientes), Twitter, Mensajes, Mail y FaceTime, de modo que puede fácilmente estar conectado con sus amigos, familiares, colaboradores y clientes.

Elegir la aplicación de agenda correcta

Cuando visita App Store, con un poco de búsqueda, puede encontrar aplicaciones de agenda, gestión del tiempo, gestión de proyectos y otras aplicaciones relacionadas, cada una con su propia colección de características y funciones.

Para ayudarle a seleccionar la aplicación que mejor se ajuste a sus necesidades y hábitos de trabajo, en primer lugar determine sus necesidades. A continuación, se indican algunas consideraciones:

- ¿La aplicación del iPad que seleccione para agenda, gestión del tiempo, gestión de proyectos, etc., necesita ser compatible con un paquete software que esté utilizando actualmente en su ordenador, Mac o red de su empresa? ¿O bien necesita que los datos sean compatibles con aplicaciones en línea que se utilizan en su empresa u organización?

- ¿La aplicación del iPad le permite sincronizar o actualizar datos con su ordenador principal al utilizar red inalámbrica, servicio de compartición de ficheros en la nube (como iCloud o Dropbox) o un método de conexión directa (vía iTunes y un cable USB)?

- ¿La aplicación iPad funciona con otras aplicaciones ya instaladas en su iPad, como Contactos y Mapas?

- ¿Qué retos o problemas de gestión del tiempo de agenda le ayudará a resolver una aplicación?

- ¿Se ajustan las características, funciones e interfaz de usuario de la aplicación con sus hábitos de trabajo actuales?

- ¿Puede compartir datos fácilmente entre la aplicación y sus empleados, colaboradores y clientes si lo necesita?

Simplemente con elegir la aplicación correcta para la gestión del tiempo o tareas de agenda que necesite gestionar, estará más preparado para utilizar su iPad como herramienta que le ayude a ser más productivo y estar mejor organizado.

5. Trabajar con la aplicación Contactos

El arte del *networking* trata de conocer gente nueva, estar en contacto con ellos, crear referencias y conexiones para otros y aprovechar el conocimiento o experiencia de las personas conocidas para ayudarle a conseguir su propia carrea u objetivos de trabajo.

Si es bueno en ello, con independencia de en qué campo o industria trabaje, con el tiempo dispondrá de una lista de contactos formada por cientos o incluso miles, de individuos.

Además de los contactos que ha establecido y mantiene en su red, su base de datos de contactos personal también podría incluir personas con las que trabaja, clientes, miembros de la familia, personas de su comunidad con las que interactúa (doctores, estilistas, barberos, tintorería, etc.) y amigos.

La forma más sencilla de mantener su base de datos de contactos organizada es utilizar algún tipo de aplicación de gestión de contactos en su ordenador principal. En un Mac, podría utilizar el software popular Address Book o Microsoft Entourage. O bien, en un PC, Microsoft Outlook es una herramienta popular. Existen también muchas aplicaciones basadas en Web, en red y en línea (nube) disponibles que utilizan los negocios de todo tipo.

Nota: Si ha actualizado su Mac para que ejecute el sistema operativo OS X Mountain Lion, observará que la aplicación Address Book se denomina ahora Contacts y se parece incluso más a la versión iOS de la aplicación Contactos actual de su iPad.

Personalizar la aplicación Contactos

Es probable que la base de datos de contactos que utiliza en su oficina se pueda sincronizar con su tableta y esté disponible para que se utilice con la aplicación Contactos. Como está a punto de descubrir, Contactos es una base de datos de gestión de contactos personalizable que funciona con varias otras aplicaciones también preinstaladas en su iPad, como Correo, Calendario, Safari, FaceTime y Mapas.

Por supuesto, Contactos también se puede utilizar como una aplicación independiente en su iPad, permitiéndole incorporar nuevas entradas de contacto a medida que conozca nuevas personas y necesite mantener un registro de sus detalles.

La información que mantiene en su base de datos Contactos es personalizable, lo que significa que puede mantener registro de solamente la información que quiera o necesite. Por ejemplo, en cada entrada de contacto, puede guardar una amplia cantidad de información sobre una persona, que incluye lo siguiente:

- Nombre y apellido.

- Título (Sr., Sra., Srta., etc.).

- Cargo.

- Empresa.

- Múltiples números de teléfono (trabajo, casa, móvil, etc.).

- Múltiples direcciones de correo electrónico.

- Múltiples direcciones de correo postal (trabajo, casa, etc.).

- Múltiples direcciones de página Web.

- Facebook, Twitter, Skype, mensajes o nombres de usuario de otras redes sociales en línea.

También puede personalizar su base de datos de contactos para incluir información adicional, como la foto de cada contacto, los nombres del marido/mujer, cumpleaños, así como notas detalladas sobre el contacto.

Al utilizar la aplicación Contactos, podrá buscar en toda su base de datos de contactos instantáneamente al utilizar datos de cualquier campo en la base de datos, de modo que si, incluso, tiene una base de datos con miles de entradas, puede encontrar la persona o empresa que esté buscando en cuestión de segundos.

Nota: *En cada entrada en Contactos, puede introducir tanto detalle sobre una persona como desee. Sin embargo, cuánta más información incluya, mejor. Otras aplicaciones en su iPad recurren automáticamente a su base de datos de Contactos para obtener información relevante según la necesiten.*

Permitir que la aplicación Contactos funcione de manera integrada con otras aplicaciones

Después de que haya ampliado su base de datos de contactos con entradas, otras aplicaciones pueden utilizar esa información de varias formas. Aquí tiene algunos ejemplos:

- Cuando compone un nuevo mensaje de correo electrónico desde Correo, en el campo **Para** puede comenzar a escribir el nombre completo de alguien o dirección de correo electrónico. Si la información de contacto de esa persona está ya guardada en Contactos, la dirección de correo electrónico se muestra en el campo **Para** del mensaje.

- Si está planificando un viaje para visitar a un contacto, con la aplicación Mapas puede conseguir la dirección de alguien de la base de datos de Contactos para obtener indicaciones de cómo llegar a la casa o lugar de trabajo de la persona.

- Si incluye el cumpleaños de cada persona en su base de datos Contactos, esa información se puede mostrar en la aplicación Calendario para recordarle de antemano que envíe una felicitación.

- Cuando crea una entrada de contacto, puede incluir una fotografía de esa persona al activar la aplicación Cámara desde la aplicación Contactos para tomar una foto, o utilizar una foto que ya esté guardada en la aplicación Fotos y vincularla con un contacto.

- Desde FaceTime, puede crear una lista de favoritos de personas con las que se relaciona a menudo. Puede compilar esta lista a partir de entradas en su base de datos Contactos, si bien accederá a ella desde FaceTime.

- Desde la aplicación Mensajes es posible acceder a su base de datos Contactos cuando rellena el campo Para de un nuevo mensaje de texto. Tan pronto como pulse sobre el campo Para, aparecerá una ventana Mis contactos que le permite seleccionar contactos desde su base de datos Contactos (o puede introducir manualmente la información del destinatario).

- Si utiliza Facebook, por ejemplo, tiene la opción de añadir la URL del perfil Facebook de cada contacto en la entrada del contacto. Sin embargo, cuando utilice la aplicación oficial Facebook, puede descargar la fotografía del perfil Facebook de cada entrada e insertarla en su base de datos Contactos.

Comenzar a utilizar la aplicación Contactos

Cuando lanza por primera vez esta aplicación, su contenido está vacío. Sin embargo, puede crear y construir su base de datos de contactos de dos formas. La primera es sincronizar la aplicación Contactos con su aplicación de gestión de contactos principal en su ordenador, red o servicio en línea (basado en la nube), como iCloud. También puede introducir información de contacto directamente en la aplicación.

Igualmente, a medida que comience a utilizar esta aplicación, podrá introducir nueva información de contacto o editar entradas en su tableta o en su aplicación de gestión de contactos principal, y mantener toda la información sincronizada, con independencia de dónde se creó o modificó la entrada (la forma más sencilla de hacer esto es con iCloud si quiere sincronizar datos con su ordenador principal, iPhone u otros dispositivos iOS conectados a su cuenta iCloud).

Desde la pantalla Inicio del iPad, pulse sobre la aplicación Contactos. A la izquierda de la pantalla existen pestañas alfabéticas. En la parte superior de la pantalla está la cabecera Mis contactos y, debajo, el campo Buscar (véase la figura 5.1).

Después de que haya completado su base de datos de contactos, las entradas se listan alfabéticamente a la izquierda de la pantalla, debajo del campo Buscar. Puede encontrar rápidamente una entrada determinada al introducir cualquier palabra clave asociada con una entrada, como el nombre o apellido, ciudad, provincia, cargo o nombre de la empresa, en el campo Buscar de la aplicación Contactos.

También puede utilizar la característica Buscar de su iPad, accesible desde la pantalla Inicio, al pasar su dedo de izquierda a derecha o al pulsar el botón Inicio una vez en la pantalla Inicio.

El campo Buscar

El icono de signo más

Figura 5.1. *Ésta es la pantalla principal de Contactos cuando la base de datos de contactos está vacía. Pulse sobre el icono del signo más para crear una nueva entrada.*

También puede pulsar sobre la pestaña de una letra, a la izquierda de la pantalla Contactos, para ver todas las entradas "archivadas" bajo esa letra, bien por el nombre del contacto, apellido o nombre de empresa, dependiendo de cómo configure la aplicación Contactos en Ajustes desde la opción Correo, contactos, calendarios.

Para ver el detalle completo de una entrada en particular, pulse sobre ella a la izquierda de la pantalla. Todos los contenidos de esa entrada se muestran a la derecha de la pantalla (véase la figura 5.2).

Crear nuevas entradas de contacto

Para crear una nueva entrada de contacto, pulse sobre el icono conel signo más que se muestra cerca de la parte inferior de la pantalla Mis contactos. Cuando hace esto, la pantalla principal Mis contactos se reemplaza con la pantalla Información y aparece el teclado virtual del iPad.

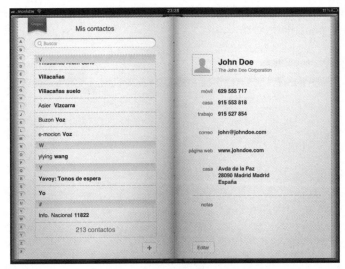

Figura 5.2. *Cuando selecciona un contacto a la izquierda de la pantalla, toda la información sobre ese contacto en particular se muestra a la derecha de la pantalla. La entrada que se resalta en azul es la entrada seleccionada.*

En la ventana Información existen multitud de campos vacíos relacionados con la entrada de un contacto, comenzando por el campo Nombre. Por defecto, los campos disponibles en esta aplicación incluyen Nombre, Apellidos, Empresa, añadir foto, móvil, correo, tono, página Web, añadir dirección y notas (véase la figura 5.3).

Algunos de estos campos, incluido móvil, correo y añadir dirección, le permiten introducir múltiples detalles, uno cada vez. Así, puede incluir el teléfono de casa de alguien, el teléfono del trabajo y los números móviles en la entrada. De forma similar, puede incluir múltiples direcciones de correo electrónico, así como las direcciones de casa y del trabajo para cada persona.

Comience por rellenar un campo cada vez. Para saltar al siguiente campo, pulse sobre él. Por ejemplo, después de utilizar el teclado virtual para completar el campo Nombre, pulse sobre el campo Apellidos para rellenarlo y, luego, pase al campo Empresa si aplica al pulsar sobre él.

Para cada tipo de campo, el teclado virtual del iPad se modifica en consecuencia, permitiéndole acceder a teclas especializadas. Puede cambiar la etiqueta asociada con ciertos campos (que se muestran en azul) al pulsar sobre la propia etiqueta del campo. Esto revela un menú Etiqueta que le ofrece opciones seleccionables para ese campo.

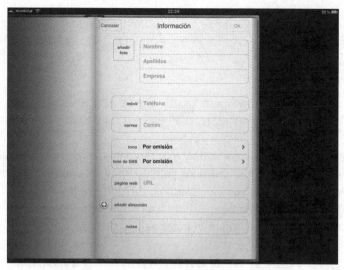

Figura 5.3. *Desde la ventana Información puede introducir detalles sobre un nuevo contacto y crear una nueva entrada en la aplicación Contactos.*

Por ejemplo, la figura 5.4 muestra las opciones Etiqueta para el campo móvil, que incluye móvil, casa, trabajo, fax casa, fax trabajo, busca, asistente, coche, empresa (principal) y radio.

Figura 5.4. *Para cada campo que tenga una etiqueta azul puede pulsar sobre esa etiqueta (no en el campo vacío) para cambiar la etiqueta. Al hacer esto, se muestra la ventana Etiqueta. Pulse sobre su nueva selección de etiqueta.*

A medida que se desplaza por la ventana Información y rellena cada campo, en la parte inferior de la ventana aparece una opción añadir campo. Pulse aquí para revelar un menú que contiene campos adicionales que puede añadir a cada entrada de contacto, como Prefijo, Nombre (fonético), Apellidos (fonéticos), Segundo nombre, Sufijo, sobrenombre, Cargo, Departamento, Mensajería instantánea, Cumpleaños y Fecha.

> **Nota:** *Mientras crea la entrada de cada contacto, puede completar cualquier campo que desee. Siempre puede regresar y editar una entrada de contacto para incluir información adicional más tarde.*

Existe también un campo para añadir Personas relacionadas, como los nombres del cónyuge, asistente, jefe. Puede incluso añadir sus propios títulos para este campo.

Un icono de signo más verde y blanco junto a un campo (a la izquierda) significa que puede tener múltiples entradas para ese campo, como varios números de teléfono, direcciones de correo electrónico o direcciones postales.

Si hay un campo que no quiere utilizar o mostrar, pulse sobre el icono de signo menos rojo y blanco para eliminar el campo de la ventana Información.

Añadir una foto a una entrada de contacto

En la parte izquierda del campo Nombre existe un recuadro que dice añadir foto. Cuando pulsa sobre este campo, se muestra un submenú con dos opciones, Hacer foto y Seleccionar foto. Si pulsa sobre Hacer foto, se lanza la aplicación Cámara del iPad desde la aplicación Contactos de modo que puede hacer una foto que se vincule a la entrada de contacto que está creando.

Si pulsa sobre la opción Seleccionar foto, se lanza la aplicación Fotos de su iPad de modo que puede elegir cualquier imagen digital actualmente guardada en su tableta. Cuando pulsa sobre la foto, se muestra una ventana Seleccionar foto en la pantalla Contactos que le permite mover y escalar la foto con su dedo, como se muestra en la figura 5.5.

Después de recortar o ajustar la fotografía seleccionada, pulse sobre el botón **Usar** en la esquina superior derecha de la ventana Seleccionar foto para vincular la fotografía con la entrada de ese contacto.

Si también utiliza un iPhone o FaceTime en su iPad, desde la opción tono, en la ventana Información, puede seleccionar el tono que desea escuchar cada vez que el contacto le llama. Su iPad tiene 25 tonos preinstalados (Marimba es el predeterminado); sin embargo, desde iTunes puede descargar miles de tonos adicionales, muchos de los cuales son clips de canciones populares.

> **Nota:** *Cada vez que añade una nueva dirección de correo a la entrada de un contacto desde la pantalla Información, se amplía el campo dirección para incluir también los campos Calle, Ciudad, Provincia, CP y País (véase la figura 5.6).*

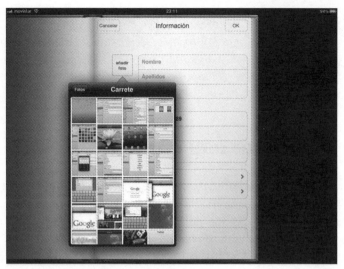

Figura 5.5. *Seleccione una fotografía guardada en la aplicación Fotos y vincúlela con la entrada de contacto de alguien. Después de elegir la fotografía, debe mover y escalar la imagen.*

Figura 5.6. *Desde el teclado virtual, puede añadir múltiples direcciones, una cada vez, para cada contacto en su base de datos Contactos. Esto le permite incluir, por ejemplo, una dirección de casa y una dirección de trabajo.*

En el campo notas puede introducir tanta información perteneciente a ese contacto como desee. O bien, puede pegar contenido desde otra aplicación al utilizar los comandos Seleccionar, Copiar y Pegar y las posibilidades de uso multitarea de su iPad para alternar rápidamente entre aplicaciones. Pulse el botón **Inicio** dos veces para acceder al modo multitarea y alternar rápidamente entre aplicaciones.

Después de completar todos los campos de una entrada en particular, pulse sobre el botón **OK** en la esquina superior derecha de la ventana Información. Su nueva entrada se muestra en la base de datos de contactos.

> *Truco:* Contactos es totalmente compatible con la característica Dictado del nuevo iPad. En lugar de escribir información en cualquiera de los campos de entrada de contacto, incluido el campo notas, pulse sobre la tecla **Dictado** en el teclado de la tableta y, luego, diga la información que quiera incluir en cada campo.

Editar o eliminar una entrada

En la pantalla principal Contactos, puede editar una entrada al seleccionarla en la parte izquierda de la pantalla. Pulse sobre una para ver la entrada completa a la derecha de la pantalla. Ahora, pulse sobre el botón **Editar**, cerca de la parte inferior de la pantalla, para editar la entrada seleccionada.

Cuando aparece la ventana Información, pulse sobre cualquier campo para modificarlo al utilizar el teclado virtual. Puede eliminar cualquier campo al pulsar el icono de signo menos rojo y blanco.

También puede añadir nuevos campos en una entrada al pulsar sobre los iconos de signo más verde y blanco y, después, elegir el tipo de campo que quiere añadir.

> *Truco:* Cuando haya terminado de editar una entrada de contacto, asegúrese de pulsar sobre el botón **OK** para guardar sus revisiones. Si tiene la función de sincronizar iCloud activada, sus revisiones se reflejan automáticamente en su ordenador principal y otros dispositivos iOS en cuestión de segundos.

También puede eliminar toda una entrada completa desde su base de datos Contactos. Mientras edita una entrada de contacto y examina la ventana Información de esa entrada, desplácese a la parte inferior y pulse sobre el botón **Eliminar contacto**. Tenga en cuenta que, si tiene su base de datos Contactos configurada para utilizar la característica de sincronización iCloud, la entrada también se eliminará de todos los ordenadores y dispositivos vinculados con su cuenta iCloud.

Cuando está en el modo edición para modificar el contenido en la entrada de un contacto, desplácese hasta el final de la ventana (debajo del icono rojo y blanco **Eliminar contacto**) para encontrar un pequeño icono con una silueta de una cabeza con un signo más junto a él. Pulse sobre este icono para vincular este contacto con uno o más contactos de su base de datos.

> *Truco: Siempre que acceda a una entrada de contacto, pulsar en una dirección de correo electrónico hace que se lance la aplicación Correo del iPad, lo que le permite componer un mensaje de correo electrónico para ese destinatario. El campo Para del correo electrónico se completa con la dirección de correo electrónico que ha pulsado desde Contactos.*
>
> *De forma similar, desde cualquier entrada de Contactos, pulse sobre la URL de un sitio Web que se liste y el iPad lanzará el navegador Web Safari con la página Web adecuada.*
>
> *Esta técnica también funciona con el campo Twitter (si tiene la aplicación Twitter instalada). O bien, si pulsa sobre la dirección de correo, automáticamente se lanza la aplicación Mapas, que muestra esa dirección (desde ese punto puede pulsar sobre el icono **Direcciones** que se muestra en la esquina superior izquierda de la pantalla para obtener indicaciones de cómo llegar a la ubicación de ese contacto).*

Compartir entradas de contacto

Desde la pantalla principal Contactos, pulse sobre un contacto a la izquierda de la pantalla del que quiera compartir los detalles. Cuando se muestra la entrada del contacto a la derecha de la pantalla, desplácese hasta el final de la entrada hasta que vea el botón **Compartir contacto** (véase figura 5.7) y pulse sobre él.

Se muestra un formulario de mensaje de correo electrónico en la pantalla de su iPad. Complete el campo Para con la persona o personas con las que quiera compartir el contacto. El asunto predeterminado del correo electrónico es Contacto; sin embargo, puede pulsar sobre este campo y modificarlo al utilizar el teclado virtual.

La entrada de contacto que ha seleccionado (guardada en formato `.vcf`, un formato estándar de la industria que utilizan muchas aplicaciones de gestión de contactos) se encuentra ya incorporada en el mensaje de correo electrónico. Cuando haya completado todos los campos necesarios en el formulario del correo electrónico y haya añadido texto al cuerpo del mensaje, pulse sobre el icono azul y blanco **Enviar**, en la esquina superior derecha de la ventana Contacto, para enviar el mensaje a los destinatarios indicados. Después de esto, regresa a la aplicación Contactos. En uno o dos minutos, el destinatario debería recibir su correo electrónico. Cuando haga clic sobre el anexo del correo electrónico (la entrada de contacto que ha enviado), podrá importar esos datos a su aplicación de gestión de contactos como una nueva entrada, como en Address Book en su Mac o Contactos en su iPad o iPhone.

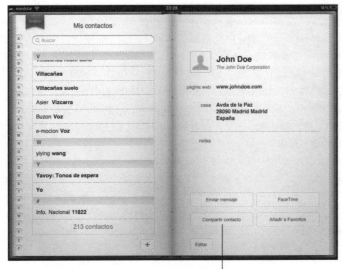

Icono Compartir contacto

Figura 5.7. *Desde Contactos puede compartir la entrada de contacto de alguien con otra persona al pulsar el botón Compartir contacto que aparece en la parte inferior de cada entrada de contacto.*

Si alguien le envía un correo electrónico con una entrada de Contactos anexada, se muestra en el cuerpo del correo electrónico como un anexo. Después de pulsar sobre el icono del anexo, pulse sobre la opción Nuevo contacto o Contacto existente para incorporar esta información en su base de datos Contactos.

Sincronizar datos de contacto con otro software de gestión de contactos

Si mantiene su base de datos de contactos principal utilizando Address Book o Contactos en su Mac, por ejemplo, puede sincronizar la aplicación Contactos vía Sincr. iTunes o puede sincronizar los contactos de forma inalámbrica al utilizar iCloud (un método mucho más conveniente y automatizado).

También puede sincronizar su base de datos de contactos en su iPad con Microsoft Outlook en un PC, Microsoft Entourage en un Mac, cualquier software de gestión de contactos compatible con Microsoft Exchange ejecutado en la red de su empresa o una variedad de otras herramientas de gestión de contactos en línea basadas en la nube. Para sincronizar los datos de contactos de forma inalámbrica, primero debe realizar alguna configuración inicial (solamente una vez) al utilizar la aplicación Ajustes en su iPad.

Sincronizar datos de contactos desde su iPad con iCloud

Después de configurar una cuenta gratuita iCloud, acceda a la aplicación Ajustes en su iPad. A la izquierda de la pantalla, pulse sobre la opción iCloud e introduzca su ID de Apple y contraseña para activar la funcionalidad principal iCloud. A continuación, desplácese hasta la pantalla de menú iCloud y asegúrese de que el interruptor virtual asociado con la opción Contactos (véase la figura 5.8) está activado.

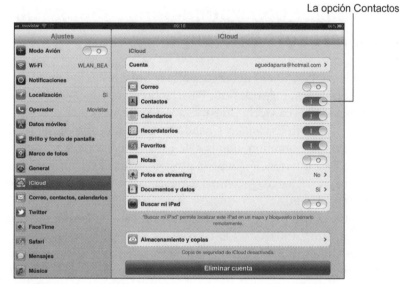

Figura 5.8. Para que la característica de sincronización iCloud funcione con Contactos, debe estar activada en la aplicación Ajustes.

Nota: Desde la aplicación Ajustes, pulse sobre la opción Correo, contactos, calendarios para personalizar los parámetros relacionados con la aplicación Contactos. Desplácese por esta pantalla hasta la cabecera Contactos.

Activar la opción Contactos le permite que su iPad sincronice los datos de sus Contactos con su cuenta iCloud (siempre y cuando su tableta esté conectada a la Web). También, asegúrese de activar la funcionalidad iCloud, así como la característica sincronizar Contactos, para su ordenador principal, iPhone y otros dispositivos iOS vinculados a la misma cuenta iCloud.

> **Truco:** Después de que se sincronicen los datos de Contactos automáticamente con iCloud, puede acceder a su base de datos de contactos desde cualquier ordenador o dispositivo móvil que permita Web al dirigir su navegador Web a `http://www.icloud.com/#contacts`. Regístrese al utilizar su nombre de usuario y contraseña de iCloud (suele ser su ID de Apple y contraseña) para acceder a una aplicación gratuita en línea casi idéntica a la aplicación Contactos. Contiene todas sus entradas de contacto actualizadas.

Sincronizar con aplicaciones compatibles con Microsoft Exchange

Desde la pantalla Inicio del iPad, pulse sobre Ajustes y, luego, elija la opción Correo, contactos, calendarios. Pulse sobre la opción Añadir cuenta que se muestra debajo de la cabecera Cuentas a la derecha de la pantalla. Elija configurar una cuenta Microsoft Exchange. Cuando se le solicite, introduzca su dirección de correo electrónico, dominio, nombre de usuario, contraseña y la descripción de una cuenta. Esta información debería proporcionársela su administrador de red o departamento de sistemas. A continuación, active la opción de contactos y guarde sus nuevos parámetros.

Contactos es compatible con cualquier software de gestión de contactos que utilice el formato CardDAV y LDAP estándar de la industria. Por lo tanto, si tiene una cuenta Microsoft Exchange y activa la característica de sincronizar contactos, puede mantener de forma inalámbrica su base de datos de contactos principal perfectamente sincronizada con su base de datos Contactos siempre y cuando su iPad tenga acceso a la Web.

Sincronizar con aplicaciones compatibles con CardDAV o LDAP

Para configurar el proceso de sincronización inalámbrica entre una aplicación compatible con CardDAV y Contactos, acceda a la aplicación Ajustes en su iPad y seleccione la opción Correo, contactos, calendario. Desde debajo de la cabecera Añadir cuenta, pulse sobre la opción **Otras**. A continuación, elija la opción cuenta LDAP o cuenta CardDAV dependiendo de la aplicación con la que esté sincronizando.

Se le solicitará la dirección del servidor, nombre de usuario, contraseña y una descripción de cuenta. Obtenga esta información de su administrador de red o departamento de sistemas.

¿Cómo le ayuda sincronizar su información de contactos?

Después de que el iPad esté configurado para sincronizar su aplicación Contactos con otra aplicación de gestión de contactos, siempre que quiera realizar un cambio, eliminación o incorporación a su base de datos de contactos (desde su iPad, su ordenador principal o Smartphone que también está sincronizado con la base de datos), estas modificaciones se reflejarán automáticamente en todos los dispositivos desde los que acceda a su base de datos de contactos.

Si tiene preguntas sobre cómo configurar su iPad para que se sincronice correctamente con su aplicación principal de gestión de contactos, concierte una cita en cualquier Apple Store con un especialista de soporte técnico para que le ayude con la configuración y el proceso inicial de sincronización de datos.

*Nota: Además de o en lugar de utilizar la aplicación Contactos para gestionar sus contactos, la App Store cuenta con una selección de aplicaciones opcionales de terceros que ofrecen funcionalidad diferente o algunas veces mejorada cuando se comparan con Contactos. Cuando visite App Store, introduzca **Contactos** en el campo Buscar. De esta forma, podrá también encontrar aplicaciones de utilidad, como Delete Duplicate Contacts (0,79 €) que le puede ayudar a optimizar su base de datos de contactos y evitar duplicados.*

6. Encontrar e instalar aplicaciones desde App Store

Sí, el iPad es una brillante pieza de hardware con muchas posibilidades de uso, pero su sistema operativo iOS 5.1 (o superior) y la colección de aplicaciones de su tableta hacen posible que haga tanto. Desde App Store, puede encontrar, descargar e instalar aplicaciones opcionales para su iPad que amplían de forma importante sus posibilidades de uso. Sin embargo, con más de 200.000 aplicaciones específicas de iPad actualmente disponibles, y más de 500.000 aplicaciones iPhone que funcionan en el iPad, la tarea de encontrar la aplicación correcta para satisfacer sus necesidades personales puede ser desalentadora.

Para cada tarea de iPad que pueda llevar a cabo utilizando una aplicación, existen posiblemente multitud de aplicaciones, de diferentes desarrolladores, que ofrecen funcionalidad muy similar. Cuando comienza a visualizar las aplicaciones que se ofrecen, descubrirá que el precio varía ampliamente. Además, un gran número de aplicaciones permiten o requieren compras de aplicaciones o una suscripción de pago para su uso completo.

Nota: *Después de comprar una aplicación en App Store, todas las futuras actualizaciones de esa aplicación son gratuitas. Simplemente necesita descargar e instalar las actualizaciones a medida que se encuentren disponibles.*

App Store de Apple: compras de aplicaciones iPad

Si quiere añadir aplicaciones a su iPad, la única forma de hacer esto es adquirirlas desde la App Store de Apple. Existen dos formas de acceder a App Store para encontrar, comprar, descargar e instalar aplicaciones en su tableta.

En primer lugar, puede utilizar la aplicación App Store preinstalada en su iPad. Para hacerlo, su tableta debe estar conectada a Internet.

> **Nota:** *Algunas aplicaciones que tienen un archivo de gran tamaño asociado no se pueden descargar e instalar al utilizar la aplicación de App Store si está conectado a Internet vía conexión 3G o 4G. Se necesita bien una conexión Wi-Fi o descargar ciertas aplicaciones al utilizar iTunes en su ordenador principal y, luego, transferir esas aplicaciones a su tableta mediante el proceso de sincronización iTunes. Sin embargo, la mayoría de las aplicaciones menores de 50 MB se pueden descargar e instalar en su iPad utilizando una conexión 3G, 4G o Wi-Fi vía aplicación App Store.*

La segunda opción para encontrar, comprar, descargar e instalar aplicaciones es acceder a App Store por medio del software de iTunes en su ordenador principal y transferir las aplicaciones adquiridas a su tableta mediante el proceso de sincronización iTunes o iCloud. Con independencia de cómo visite App Store, tiene que configurar una cuenta Apple y tener una tarjeta de crédito o débito vinculada a la cuenta para hacer las compras.

> **Truco:** *Si no tiene una tarjeta de crédito o débito que quiera vincular con su cuenta Apple, de modo que pueda comprar aplicaciones desde App Store, puede comprar tarjetas de regalo prepago iTunes desde Apple o desde cualquier otro sitio que las tengan en venta. Las tarjetas regalo iTunes se pueden utilizar para realizar compras de aplicaciones. Las tarjetas regalo iTunes (tarjetas de regalo diferentes de las de Apple; se pueden canjear en las Apple Store) están disponibles por diversas cantidades.*

Comprender la App Store

Desde la pantalla principal de su iPad, pulse sobre el icono azul y blanco **App Store**. Su tableta debe tener acceso a Internet vía una conexión 3G, 4G o Wi-Fi. Cuando accede a App Store por medio de la aplicación App Store (véase la figura

6.1), descubrirá una cantidad de iconos de comando y pestañas que se muestran en la parte superior e inferior de la pantalla utilizadas para navegar por la tienda en línea.

Figura 6.1. La pantalla principal de App Store.

Si ya conoce el nombre de la aplicación que quiere encontrar, pulse sobre el campo **Buscar**, en la esquina superior derecha de la pantalla de la aplicación App Store.

Por medio del teclado virtual, escriba el nombre de la aplicación. Pulse sobre la tecla **Buscar** en el teclado virtual para comenzar la búsqueda. También puede llevar a cabo una búsqueda en función de una palabra clave o frase, como procesador de texto, listas de tareas, gestión del tiempo o editor de fotos. Los resultados de búsqueda pueden incluso filtrarse más por categoría, valoración de cliente o fecha de lanzamiento, por ejemplo. En unos segundos, los resultados coincidentes se muestran en la pantalla de App Store. Cuando accede a App Store desde su iPad (al utilizar la aplicación App Store), las aplicaciones específicas de iPad e híbridas se listan primero. Desplácese por la pantalla de resultados de búsqueda para ver también aplicaciones iPhone que también funcionan en su iPad. En la parte inferior de la pantalla principal de App Store se encuentran seis iconos de comando: **Destacados**, **Genius**, **Top charts**, **Categorías**, **Comprado** y **Actualizar**. Si no conoce el nombre exacto de una aplicación que está buscando, estos iconos le ayudan a navegar por App Store y descubrir las aplicaciones iPad que podrían ser de su interés.

Truco: En cada lista de aplicación existe un icono de precio. Si observa un icono con el signo más en la esquina superior izquierda del icono precio, indica que la aplicación que está mirando está diseñada tanto para iPad como iPhone y se adapta, en consecuencia, al dispositivo en el que se está utilizando. En general, cuando elija aplicaciones para su iPad, busque primero aplicaciones específicas para iPad y luego aplicaciones híbridas diseñadas tanto para iPad como iPhone. Las aplicaciones específicas de iPhone también se ejecutan bien en un iPad, pero los gráficos de aplicaciones y la interfaz de usuario están formateados para la pantalla más pequeña del iPhone.

Aplicaciones destacadas

Pulse sobre el botón **Destacados** para ver una lista de lo que Apple considera aplicaciones nuevas o notorias, bajo Nuevo y destacado.

Debajo de la cabecera Nuevo y destacado de la pantalla Destacados, verá una lista de seis aplicaciones. Utilice el movimiento de deslizamiento horizontal para pasar por los cuatro apartados de Nuevo y destacado. También puede pulsar el comando Ver todo que se muestra junto a la cabecera Nuevo y destacado para ver todas las listas relevantes presentadas en una pantalla.

Ordenar listas de aplicaciones por fecha de lanzamiento o popularidad

Mientras visualiza la página Destacados de App Store, verá que existen tres pestañas en la parte superior central de la pantalla: Nuevo, Lo último y Lanzamiento. Cada una de estas pestañas revela una colección diferente de aplicaciones recomendadas por Apple. Si se desplaza hasta el final de la pantalla Destacados (con la pestaña Nuevo o Lo último seleccionada), verá una subsección denominada Enlaces. Ofrece seis opciones para encontrar aplicaciones relacionadas con un área determinada de interés.

Las opciones Enlaces cambian periódicamente pero podría incluir Apps de Apple, Excelentes apps gratuitas, Idiomas, Game center, iWork y Apps para niños. Pulse sobre cualquiera de estas opciones para ver una colección de aplicaciones en las que podría estar interesado.Desde la pantalla Destacados, pulse sobre la pestaña Lanzamiento, en la parte superior de la pantalla, para ver las aplicaciones lanzadas más recientes de App Store, comenzando por las más novedosas.

Genius: análisis y sugerencias

App Store mantiene registro de las aplicaciones que compra. Cuando pulse sobre el icono **Genius**, en la parte inferior de la pantalla, analiza sus compras anteriores y le ofrece sugerencias de otras aplicaciones en las que puede estar interesado.

Top charts: consulte lo que otros usuarios iPad compran

Pulse sobre el icono **Top charts**, en la parte inferior de la pantalla de la aplicación App Store, para acceder a la lista de las aplicaciones más populares gratuitas y de pago para iPad. Se trata de un listado general de todas las aplicaciones populares recientes, por lo que cambia constantemente. Si está interesado en aplicaciones dentro de una categoría específica, como Economía y empresa, Productividad o Viajes, pulse sobre el icono **Categorías** que se muestra en la esquina superior izquierda de esta pantalla (véase la figura 6.2). Se muestra un listado de 22 categorías de aplicaciones diferentes. Elija una categoría con sólo pulsar sobre ella.

Cuando pulsa en una categoría específica, como Viajes, la lista Top charts, en la parte superior de la pantalla, muestra las Top apps de pago para iPad, y los gráficos mostrados abajo en la pantalla muestran las Top Apps gratis para iPad. En la parte inferior de la pantalla se muestra una lista de Top apps para iPad por ingresos en esta categoría.

Categorías: encontrar aplicaciones por tema o género

Aunque pulsar el icono **Top charts** revela un listado de las aplicaciones más vendidas dentro de una categoría específica, puede pulsar sobre el icono **Categorías**, en la parte inferior de la pantalla de la aplicación App Store, para acceder a todas las aplicaciones dentro de cualquiera de las 22 categorías principales.

Al pulsar el icono **Categorías**, se muestra un listado de todas las categorías de aplicaciones (véase la figura 6.3).

El icono de aplicación mostrado para cada categoría es la aplicación número uno de pago más popular en esa categoría. Pulse sobre la categoría que más le interese para navegar por el listado de todas sus aplicaciones.

Icono Categorías

Figura 6.2. *Elija la categoría para la que le interesa
ver las aplicaciones más populares.*

Figura 6.3. *Navegue por todas las aplicaciones dentro
de una categoría específica en App Store.*

Por defecto, las aplicaciones se muestran en orden de fecha de lanzamiento (las aplicaciones más recientes se muestran primero). Sin embargo, puede cambiar el orden al pulsar sobre el icono Ordenar por que se muestra cerca de la esquina superior derecha de la pantalla. Sus opciones incluyen Nombre (de una lista alfabética), Con más popularidad (comenzando por las aplicaciones más vendidas) y Fecha de lanzamiento. Cuando examina las listas de aplicaciones, puede aprender más sobre una aplicación determinada al pulsar sobre su gráfico o título. O bien, puede comprar, descargar e instalar la aplicación al pulsar sobre el icono de precio (en aplicaciones gratuitas, cuando pulsa sobre el icono **Gratis**, la aplicación se descarga e instala después de introducir su contraseña ID de Apple).

Gestionar su cuenta de App Store o tarjetas de regalo iTunes

Cuando se desplaza al final de las secciones Destacados, Genius o Top charts de App Store (así como varias otras páginas de subsección), verá tres iconos: **ID de Apple**, **Canjear** y **Soporte**. Pulse sobre el icono **ID de Apple** para administrar su cuenta ID de Apple y actualizar su información de tarjeta de crédito si es necesario. Pulse sobre el icono **Canjear** para canjear una tarjeta regalo prepago iTunes. Si tiene problemas al utilizar App Store, o tiene preguntas, pulse sobre el icono **Soporte**.

Acceder a sus aplicaciones compradas

Cuando pulsa sobre el icono de comando **Comprado** que se muestra en la parte inferior de la pantalla de la App Store, aparece una lista completa de todas las aplicaciones que ha comprado hasta la fecha al utilizar su ID de Apple. Esta lista incluye aplicaciones no guardadas actualmente en su iPad. Cualquiera de las aplicaciones listadas, que se guardan ahora en línea dentro de su cuenta iCloud, se pueden descargar e instalar en su tableta, incluidas su compras de aplicaciones anteriores iPhone o iPod touch. Para hacer esto, pulse sobre el icono **iCloud** que se muestra junto con el listado de una aplicación.

Truco: Si también posee y utiliza un iPhone o iPod touch vinculado a la misma cuenta iCloud, siempre que compre una aplicación iPad/iPhone híbrida puede instalarla en cualquier o todos los dispositivos iOS sin tener que comprar la misma aplicación.

Comprender los listados de aplicaciones

Cada uno de los listados de aplicación contiene el nombre de la aplicación, la categoría en la que se agrupa (como Economía y empresa, Referencia, Noticias, Estilo de vida o Juegos), la fecha de lanzamiento original de la aplicación, la valoración media que ha recibido la aplicación de los usuarios iPad, el número total de valoraciones que ha recibido la aplicación y un icono gráfico con el logotipo de la aplicación. La figura 6.4 muestra un listado de aplicación de ejemplo. Con cada listado de aplicación también se muestra el icono del precio de la aplicación. Si la aplicación es gratuita, se muestra la palabra GRATIS. Si el listado de aplicación es para una aplicación de pago, se muestra el precio de la aplicación.

Figura 6.4. *Una lista de aplicación de ejemplo contiene información importante sobre la aplicación, incluido su precio.*

Advertencia: *Algunas aplicaciones gratuitas son, de hecho, gratuitas. Sin embargo, puede que tenga que pagar por una subscripción de contenido o realizar compras para utilizar completamente la aplicación. Cómo funciona el precio de las aplicaciones se explica más adelante en este capítulo. Cuando examine la pantalla Descripción de una aplicación, si son posibles las compras a través de la aplicación, se mencionará a la izquierda de la pantalla, debajo de la cabecera Top compras a través de la app.*

Para comprar una aplicación (o descargar e instalar una aplicación gratuita), pulse sobre su icono de precio. El icono precio cambio de gris y blanco a verde y blanco. Si es una aplicación gratuita, este nuevo icono se denomina **Instalar App**.

Si es una aplicación de pago, el icono verde y blanco dice **Comprar App**. Pulse sobre el icono para confirmar su decisión de compra. Se muestra una ventana Contraseña del ID de Apple en la pantalla. Su nombre de usuario ID de Apple se muestra, aunque necesita aún introducir manualmente su contraseña ID de Apple. Escriba su contraseña ID de Apple y, luego, pulse sobre el icono **OK**. La aplicación se descarga automáticamente y se instala en su iPad. Este proceso puede llevar entre 15 segundos y varios minutos. Cuando la aplicación esté instalada, aparece el icono de la nueva aplicación en la pantalla Inicio de su tableta.

Nota: *Es necesario introducir su contraseña ID de Apple siempre que intente descargar e instalar cualquier aplicación, incluso si es gratuita.*

Aprender sobre una aplicación antes de realizar una compra

Antes de comprometerse a una compra, mientras examina el listado de una aplicación en App Store puede pulsar sobre su título o icono gráfico para revelar una página Descripción de la aplicación.

La página Descripción de una aplicación (véase la figura 6.5) muestra el título y el logotipo de la aplicación cerca de la parte superior de la pantalla, junto con una descripción detallada de la aplicación bajo la cabecera Descripción.

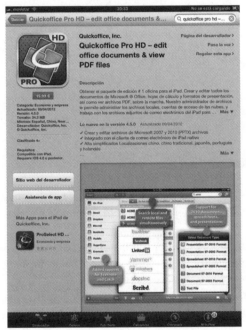

Figura 6.5. *Desde la pantalla Descripción de una aplicación puede aprender todo sobre una aplicación específica. Esta información puede ayudarle a decidir si es interesante para usted o relevante para sus necesidades.*

Debajo de la Descripción está la información sobre qué nuevas características se han añadido a la aplicación en la versión más reciente. Mientras se desplaza por esta pantalla, verá una o más capturas de pantalla de la aplicación.

Debajo de las capturas de pantalla de la aplicación están las Valoraciones de clientes para esa aplicación. Puede ordenar estas valoraciones al pulsar sobre las pestañas **Versión actual** o **Todas las versiones** a la derecha de la pantalla. Las Valoraciones de clientes se basan en un sistema de cinco estrellas. Cualquiera que compre o descargue una aplicación puede valorarla. Una valoración alta son cinco estrellas. Desde la gráfica **Promedio valoración** (véase la figura 6.6), puede ver cuántas personas han valorado una aplicación, descubrir la valoración promedio de la aplicación y ver un desglose de cuántas valoraciones de una estrella, dos estrellas, tres estrellas, cuatro estrellas y cinco estrellas ha recibido la aplicación.

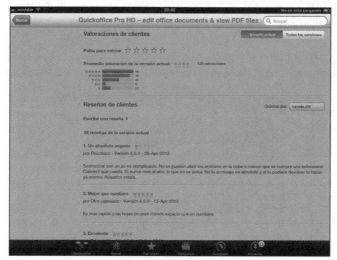

Figura 6.6. *Toda descripción de aplicación contiene una valoración promedio y un gráfico resumen de valoraciones. Utilícelo para ver lo que otros usuarios iPad piensan sobre la aplicación que esté examinando.*

Obviamente, una aplicación con gran número de valoraciones cinco estrellas es probablemente excelente, y una aplicación que siempre gane tres estrellas o menos probablemente no es tan buena o está llena de errores.

Siga desplazándose para leer las reseñas completas que otros usuarios de iPad han escrito sobre esa aplicación. Estas reseñan a menudo describen las mejores características de la aplicación y/o sus peores problemas. En la parte inferior de la página **Descripción** de la aplicación está la sección **Otros clientes también han comprado**. Son listas de otras aplicaciones, similares en funcionalidad a la aplicación que está viendo, que otros clientes también han comprado y descargado.

De regreso a la parte superior de la página **Descripción** de una aplicación está el icono del precio. Lo encontrará debajo del logotipo de la aplicación, a la izquierda de la pantalla. La información específica relativa a la aplicación, incluida su categoría, la fecha de la última actualización, la versión actual de la aplicación, el tamaño de archivo de la aplicación, los idiomas en los que está disponible y el vendedor o editor de la aplicación también está disponible en esta área. Desplácese hacia abajo para ver notas adicionales relacionadas con el contenido de la aplicación (también a la izquierda de la pantalla), incluido si la aplicación requiere compras a través de la aplicación o una subscripción de pago para utilizarla completamente. También se muestran los requisitos de sistema para la aplicación en el margen izquierdo de la página Descripción de cada aplicación (cuando utiliza la aplicación App Store). Esto le ayuda a identificar si es una aplicación específica de iPad, por ejemplo, y con qué versión de sistema operativo iOS funciona. Después de revisar la página Descripción de una aplicación, si quiere que se le recuerde la existencia de la aplicación (sin descargarla), o quiere comentar la aplicación con un amigo, pulse sobre el icono Pasa la voz que se muestra en la esquina superior derecha de la página Descripción y, luego, complete el formulario de correo electrónico que aparece.

> *Truco:* Al utilizar la opción Regalar esta app en la esquina superior derecha de la página de descripción de una aplicación, puede comprar una aplicación y enviarla a otro usuario iPad o iPhone electrónicamente.

Para salir de la página Descripción de una aplicación y continuar visualizando App Store, pulse sobre la flecha que apunta a la izquierda, denominada **App Store**. Se muestra en la esquina superior izquierda de la pantalla.

Visitar App Store desde iTunes en su ordenador

La segunda manera de encontrar, comprar, descargar, instalar y actualizar aplicaciones es utilizar la última versión del software iTunes que se ejecuta en su ordenador principal para acceder a iTunes Store. Haga clic en la opción iTunes Store que se muestra a la izquierda de la pantalla, debajo de la cabecera **Store**. Su ordenador debe estar conectado a Internet para acceder a iTunes Store.

Cuando se lanza iTunes Store en iTunes, haga clic en la pestaña **App Store**, en la parte superior de la pantalla. Verá una pantalla similar a la página Destacados de App Store cuando accede a ella desde su iPad al utilizar la aplicación App Store.

Cómo funcionan los precios de las aplicaciones

Originalmente, cuando se abría App Store, existían dos tipos de aplicaciones: aplicaciones gratuitas y aplicaciones de pago. Las aplicaciones gratuitas eran a menudo versiones demo de aplicaciones de pago (con funcionalidad limitada), o aplicaciones con funcionalidad completa que mostraban anuncios en la aplicación. A medida que ha evolucionado App Store, se han introducido opciones de pago adicionales y estructuras gratuitas para aplicaciones, proporcionando a los desarrolladores de aplicaciones nuevas formas de generar ingresos y proporcionando a los usuarios de iPad métodos diferentes de pago para aplicaciones y contenido. Aquí tiene un resumen de los tipos diferentes de aplicaciones desde un punto de vista de precio:

Aplicaciones gratuitas

Las aplicaciones gratuitas no cuestan nada, ni su descarga ni su instalación en su tableta. Algunos programadores y desarrolladores crean aplicaciones gratuitas por el mero deseo de compartir sus creaciones con el público que usa iPad. Son aplicaciones con funcionalidad completa. Existen también aplicaciones gratuitas que sirven como versiones demo de aplicaciones de pago. Son versiones reducidas de aplicaciones, o tienen algún tipo de limitación en términos de cuánto tiempo se pueden utilizar (normalmente 30 días). En algunos casos, las características o funciones básicas de la aplicación están bloqueadas en la versión gratuita, pero luego se encuentran disponibles si actualiza a la versión de pago o premium de la aplicación.

Una tercera categoría de las aplicaciones gratuitas son aplicaciones completamente funcionales que muestran anuncios como parte de su contenido. A cambio de utilizar la aplicación, tendrá que ver anuncios que ofrecen la opción de hacer clic en las ofertas desde la aplicación para conocer más sobre el producto o servicio que se está anunciando. Una cuarta categoría de aplicaciones gratuitas son una interfaz de contenido premium (pago) que se debe cargar en la aplicación para que sea completamente funcional.

El tipo final de aplicación gratuita es completamente funcional, si bien permite al usuario hacer compras para añadir características o funcionalidad o desbloquear contenido premium. La aplicación principal, sin contenido adicional, es gratuita.

Aplicaciones de pago

Después de comprar una aplicación, puede utilizarla tan a menudo como quiera sin incurrir en cuotas adicionales. Simplemente ,paga una cuota por la aplicación inicial. Todas las futuras actualizaciones de la aplicación son gratuitas. En algunos casos, las aplicaciones de pago también ofrecen opciones de compra a través de la aplicación para acceder a contenido premium.

Aplicaciones basadas en suscripción

Las aplicaciones que se encuentran basadas en suscripciones, como por ejemplo las revistas mensuales, son normalmente de carácter gratuito, aunque puede ser necesario pagar una cuota de suscripción recurrente por contenido, lo que se descarga automáticamente en la aplicación. Muchas de las ediciones digitales de periódicos utilizan un modelo de aplicación de subscripción, como hacen cientos de revistas.

Compras a través de la aplicación

La posibilidad de realizar compras a través de la aplicación es una función especial en algunas aplicaciones gratuitas y de pago. Lo más importante es que mientras está utilizando la aplicación puede comprar contenido adicional o añadir nuevas características y funcionalidad a la aplicación. La posibilidad de realizar compras a través de la aplicación se ha hecho muy popular, y lo utilizan los desarrolladores de aplicaciones de formas muy diferentes. Mientras vea la descripción de una aplicación en App Store, lea atentamente el texto incluido en el margen izquierdo de la pantalla Descripción para ver si se requieren compras a través de la aplicación.

Truco: El precio que paga por una aplicación no se traduce en calidad o utilidad de esa aplicación. Existen algunas aplicaciones gratuitas o poco caras extremadamente útiles y se distribuyen con características que pueden mejorar realmente su experiencia iPad. Sin embargo, existen aplicaciones caras mal diseñadas, llenas de errores, no están a la altura de las expectativas o no ofrecen la funcionalidad prometida en la página Descripción (que es contenido proporcionado por el desarrollador de la aplicación, no por Apple).

El precio de cada aplicación lo establece el desarrollador o programador que crea o vende la aplicación. En lugar de utilizar el precio como un factor determinante para evaluar varias aplicaciones que parecen ofrecer funcionalidad similar, asegúrese de leer las reseñas de los clientes de la aplicación cuidadosamente y preste atención a la valoración basada en estrellas que ha recibido la aplicación. Las reseñas de usuarios y las valoraciones son un indicador mucho más fiable de la calidad y utilidad de la aplicación que su precio.

Consejos rápidos para encontrar aplicaciones

Mientras explora App Store, es sencillo sentirse abrumado por el gran número de aplicaciones disponibles para su iPad. Si es un nuevo usuario de iPad, dedicar tiempo a navegar por App Store le presenta los diferentes tipos de aplicaciones disponibles y le proporciona una visión de cómo puede utilizar su tableta en su vida personal o profesional. Sin embargo, puede ahorrar mucho tiempo si ya conoce el título exacto de la aplicación, o si conoce qué tipo de aplicación está buscando. En este caso, puede introducir el título exacto de la aplicación o una descripción de palabra clave de la aplicación en el campo **Buscar** para ver una lista de coincidencias relevantes. Si está buscando aplicaciones para mercados verticales con funcionalidad específica que atienda a su industria o profesión, escriba la industria o profesión (o palabras clave asociadas) en el campo **Buscar**. Por ejemplo, escriba palabras claves tales como imágenes médicas, radiología, telemarketing o ventas.

Mientras evalúa una aplicación antes de descargarla, utilice estos consejos que le ayudarán a determinar si merece la pena instalarla en su tableta:

- Averigüe qué tipo de característica o funcionalidad desea añadir a su iPad.

- Utilice el campo **Buscar** para encontrar aplicaciones diseñadas para gestionar las tareas que tenga en mente. Posiblemente pueda encontrar fácilmente una variedad de aplicaciones creadas por diferentes desarrolladores diseñadas para llevar a cabo la misma funcionalidad básica. Luego, puede elegir cuál es la mejor en función de la descripción, capturas de pantalla y listado de características que ofrece cada aplicación.

  Compare varias aplicaciones al leer sus descripciones y ver las capturas de pantalla. Averigüe qué aplicación funcionará mejor en función de sus necesidades únicas.

- Compruebe las reseñas de clientes y valoraciones de la aplicación. Es una herramienta útil para determinar rápidamente si la aplicación funciona realmente como se describe. Recuerde que la descripción de una aplicación en App Store la escribe el desarrollador de la aplicación y está diseñada para vender aplicaciones. Las reseñas de clientes y las valoraciones basadas en estrellas las crean los usuarios seguidores de iPad que han probado la aplicación de primera mano.

- Si una aplicación tiene solamente algunas valoraciones o reseñas, y están mezcladas, podría necesitar comprobar la aplicación usted mismo para determinar si le será de utilidad. Sin embargo, si una aplicación tiene muchas reseñas abrumadoramente negativas (tres estrellas o menos), es una indicación clara de que la aplicación no funciona según lo descrito o está llena de errores.

- Si una aplicación ofrece una versión gratuita (prueba), descárguela y pruebe esa versión de la aplicación antes de comprar la versión premium. Siempre puede eliminar cualquier aplicación que pruebe y no se adapte a sus necesidades o gustos.

- Idealmente, quiere instalar aplicaciones en su iPad diseñadas específicamente para el iPad, de modo que si tiene oportunidad, opte primero por la edición específica de iPad de una aplicación.

Mantener actualizadas sus aplicaciones

Periódicamente los desarrolladores crean versiones nuevas de sus aplicaciones. Para asegurarse de que tiene la versión más reciente de todas las aplicaciones instaladas en su iPad, visite App Store a través de la aplicación App Store de su tableta y pulse el icono **Actualizar** en la parte inferior de la pantalla.

Un círculo rojo y blanco en la esquina superior derecha del icono **Actualizar** (véase la figura 6.7) indica que una o más de sus aplicaciones tienen una actualización disponible. El número en el círculo rojo le indica cuántas actualizaciones están disponibles. Puede descargar las actualizaciones directamente desde su iPad si está conectado a Internet. Después de lanzar la aplicación App Store, pulse sobre el icono de comando **Actualizar** para mostrar una lista con actualizaciones disponibles, y pulse sobre el icono **Actualizar todas** o icono de aplicación individual que se muestra en la pantalla Actualizaciones para descargar la nueva versión de la aplicación e instalarla. Hacer esto reemplazará la versión anterior de la aplicación.

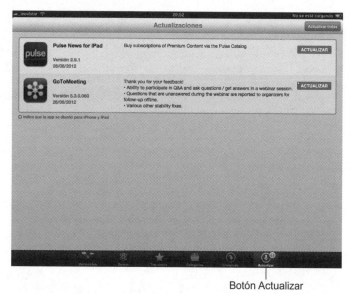

Botón Actualizar

Figura 6.7. *Mantenga sus aplicaciones actualizadas con las últimas versiones.*

Para comprobar la existencia de actualizaciones de aplicación desde el software iTunes en su ordenador principal, haga clic en la opción **Aplicaciones** que se muestra bajo la cabecera Biblioteca, a la izquierda de la pantalla iTunes. Se muestra la lista de actualizaciones de cada aplicación que haya descargado para su iPad (e iPhone, si aplica), incluso se incluyen actualizaciones no instaladas actualmente en su tableta.

Cuando ha seleccionado la opción Aplicaciones en iTunes en su Mac o PC, en la esquina derecha hay una opción que dice cuántas actualizaciones se encuentran actualmente disponibles. Haga clic en esta opción. Luego, puede hacer clic en las aplicaciones individuales que quiera actualizar o hacer clic en la opción **Descargar todas las actualizaciones gratuitas** que se muestra en la esquina superior derecha de la pantalla Actualizaciones de aplicaciones.

Después de que se hayan descargado las actualizaciones de aplicación a su ordenador principal, lleve a cabo una sincronización iTunes con su iPad para transferir las versiones actualizadas de las aplicaciones instaladas en su tableta.

Truco: Para asegurarse de que tiene las últimas versiones de sus aplicaciones más utilizadas instaladas en su iPad, compruebe las actualizaciones de aplicación una vez por semana. Cada vez que Apple lanza una actualización del sistema operativo iOS, es común que los desarrolladores de aplicaciones también lancen una versión actualizada de sus aplicaciones.

Truco: Para conservar su asignación de datos inalámbricos 3G o 4G mensual, es una buena estrategia actualizar sus aplicaciones utilizando una conexión a Internet Wi-Fi, especialmente si se tienen que actualizar múltiples aplicaciones a la vez.

7. Utilizar VIPorbit para gestión de contactos y agenda

Su iPad que se ejecuta bajo iOS 5.1 viene con las aplicaciones Contactos, Calendario y Recordatorios preinstaladas. Aunque estas aplicaciones pueden funcionar juntas, son tres aplicaciones diferentes diseñadas para diferentes tareas comúnmente utilizadas por gente de negocios.

VIPorbit para iPad se encuentra disponible desde App Store, un gestor de las relaciones con contactos (o clientes) móviles, diseñado para crear, administrar y cultivar relaciones de negocio. Creado por el codiseñador de ACT! para PC, le permite administrar su base de datos personalizada de contactos, agenda y lista de tareas desde una aplicación que integra bien sus datos con otras aplicaciones iPad.

Nota: Inicialmente, VIPorbit para iPad está diseñada para ser una aplicación CRM (Contact Relationship Manager, Gestor de las relaciones con contactos) independiente. Sin embargo, también está disponible una versión iPhone aparte. En el futuro próximo, también se sacará una versión Mac de VIPorbit para las versiones iPad e iPhone que permiten que sus datos se sincronicen entre todas las versiones de la aplicación y software VIPorbit.

VIPorbit tiene multitud de usos

El objetivo detrás de la aplicación VIPorbit es ayudar a los profesionales de negocios a ser más eficientes cuando tienen que administrar sus contactos y crear relaciones. La premisa de VIPorbit es que, además de crear una base de datos personalizada de sus contactos individuales (que es para lo que está diseñada la aplicación Contactos), puede categorizar sus contactos en grupos y establecer conexiones entre ellos. Además, en cada entrada de contacto es posible incluir detalles sobre el contacto más allá del nombre, empresa en la que trabaja, dirección, número de teléfono y correo electrónico.

El aspecto del gestor de contactos de VIPorbit le permite personalizar hasta seis campos en cada entrada y adjuntar también una foto digital o gráfico. Además, puede añadir notas ilimitadas a cada entrada.

Gestionar sus contactos o clientes

La aplicación VIPorbit se diferencia mucho de la aplicación Contactos y resulta una herramienta de negocios valiosa porque con VIPorbit cada vez que crea un contacto con alguien que ha guardado en su base de datos, puede registrar los detalles sobre la interacción y guardar esas notas y actividades en orden cronológico.

Puesto que la aplicación tiene un gestor de agenda y un gestor de tareas incorporado, mientras habla con un contacto puede fijar rápidamente una reunión de seguimiento y establecer una alerta o alarma relacionada, o establecer un recordatorio para iniciar una llamada futura o correo electrónico, además de incluir notas detalladas sobre lo qué ha tratado ya y qué necesita tratar durante la siguiente comunicación.

Esta funcionalidad de VIPorbit es lo que le permite administrar mejor sus contactos y crear relaciones. La aplicación le ayuda a mantener registro de incluso los más mínimos detalles relacionados con cada interacción que tenga con un contacto, de modo que nada quede sin anotar y nunca olvide seguir con las tareas o responsabilidades relacionadas con cada contacto.

Planificar su agenda

Si necesita fijar una reunión para la semana siguiente, recuerde enviar al contacto un correo de seguimiento en un mes, o si quiere recordar una fecha importante relacionada con un contacto, puede gestionarla fácilmente con varios toques en la pantalla de VIPorbit.

A diferencia de cuando utiliza las aplicaciones Contactos, Calendario y Recordatorios por separado, la aplicación VIPorbit le permite vincular actividades, reuniones y eventos directamente con entradas de contactos. La aplicación luego le recuerda tareas próximas o reuniones y mantiene registro de las actividades completadas.

Puesto que resulta posible vincular contactos o situarlos en grupos con VIPorbit, una única tarea, tarea pendiente o elemento agendado también puede vincularse con múltiples entradas de contacto o un grupo. Y puesto que los hábitos de trabajo de cada uno son ligeramente diferentes, el módulo de calendario/agenda de VIPorbit es personalizable, de modo que puede visualizar calendarios en múltiples formatos, o filtrar una vista calendario por tipo de actividad o rango de fecha.

> **Nota:** *Los datos ya guardados en las aplicaciones Contactos y Calendario (o iCal en su Mac) se pueden importar en VIPorbit eliminando la necesidad de tener entradas de datos repetidas.*

Comunicar más eficientemente

La aplicación VIPorbit funciona con otras aplicaciones instaladas en su iPad y ofrece correo electrónico, mensajes de texto (vía Mensajes), integración de Twitter, Facebook y Skype (para llamadas de voz y vídeo en Internet vía su iPad). Como resultado, puede estar en contacto con personas en su base de datos con facilidad sin tener que lanzar manualmente múltiples aplicaciones o cortar y pegar información entre aplicaciones.

Mientras interactúa con sus contactos, VIPorbit mantiene un registro detallado de todas las conversaciones de teléfono, correos electrónicos, comunicación en línea y reuniones en persona, de modo que puede hacer referencia rápidamente a las interacciones que han ocurrido y ver las alertas de próximas acciones necesarias relacionadas con cada contacto.

VIPorbit es una herramienta potente y altamente personalizable para ejecutivos de negocios, comerciales, abogados, profesionales inmobiliarios o cualquiera que regularmente interactúe con empleados o clientes.

Al igual que el software ACT! original para PC, lanzado por primera vez en 1987, VIPorbit está diseñado para atender los hábitos de trabajo personales de los usuarios, para hacerlos más organizados y productivos. Puesto que la aplicación gestiona una amplia gama de tareas simultáneamente, requiere una curva de aprendizaje inicial cuando comience a utilizarla.

Importar sus datos existentes en VIPorbit

Después de comprar y descargar la aplicación VIPorbit para iPad desde App Store, primero necesita importar sus datos existentes de Contactos y Calendario. Cuando lanza la aplicación, se muestra la pantalla principal, que se ve en la figura 7.1.

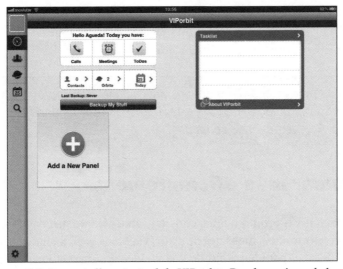

Figura 7.1. *La pantalla principal de VIPorbit. Desde aquí puede buscar información de contactos, comprobar su agenda, revisar tareas (listas y fechas límites), hacer copia de seguridad de sus datos y acceder a otras funciones importantes de la aplicación.*

Para importar sus contactos existentes, pulse sobre el icono **Tools**, que se muestra en la esquina inferior izquierda de la pantalla principal VIPorbit y, luego, pulse sobre la opción Import Contacts. Desde la pantalla Smart Import Contacts (véase más adelante la figura 7.2), elija importar sus contactos Apple (Calendario), Google Contacts o sus contactos existentes en Facebook, Twitter y/o LinkedIn.

A continuación, desde el menú Tools, pulse sobre la opción Calendar Preferences para activar la importación automática de datos iCal (aplicación Calendario) y/o datos del Calendario Google. También puede establecer una contraseña de acceso a la aplicación VIPorbit al pulsar sobre la opción Manage Security desde el menú Tools. Antes de comenzar a gestionar sus contactos utilizando VIPorbit, pulse sobre la opción Manage Fields & Picklists desde el menú Tools para personalizar los User Defined Fields para cada entrada y establecer opciones de lista personalizadas relacionadas con contactos, actividades y registros.

Figura 7.2. *Puede importar datos de contactos existentes desde la aplicación Contactos del iPad y/o contactos Google, así como sus cuentas de Facebook, Twitter y LinkedIn.*

Cuando se hayan importado sus datos previamente existentes a la aplicación VIPorbit, podrá añadir fácilmente nuevos contactos, información de agenda o bien tareas desde la aplicación. Regrese nuevamente a la pantalla principal pulsando sobre el icono que se muestra cerca de la esquina superior izquierda de la pantalla.

Utilizar el escritorio de VIPorbit

Desde el cuadro Today You Have que se muestra cerca de la esquina superior izquierda del escritorio, puede pulsar sobre el icono **Calls**, **Meetings** o **ToDos** para ver rápidamente qué tareas tiene pendientes para ese día. También puede pulsar sobre los iconos **Contacts**, **Orbits** o **Today** para ver de forma separada su lista completa de contactos o agenda. La ventana Tasklist que se muestra en el escritorio lista las actividades actualmente pendientes, tareas, alertas y fechas límite.

> **Truco:** *Para añadir rápidamente un contacto, pulse sobre el cuadro Add a New Panel que se muestra en el escritorio, y luego sobre la opción Add a Contact. Desde el menú Add a New Panel también puede añadir un Orbit, crear parámetros Saved Search o añadir una URL para referencias posteriores. Cuando realiza esto (véase la figura 7.3) se crea una nota en el escritorio.*

Figura 7.3. *La característica Add a New Panel le permite crear una ventana a modo de post-it en el escritorio para consulta rápida o referencia posterior. Es otra forma personalizable de organizar información.*

La forma más sencilla de navegar por la aplicación VIPorbit es pulsar sobre los iconos de comando mostrados en el margen izquierdo vertical de las pantallas principales de la aplicación. Pulse sobre la foto en la esquina superior izquierda de la pantalla de aplicación para establecer su información de contacto personal y seleccione una foto a utilizar con la aplicación. Después de configurar su información de cuenta, puede enviar rápidamente una actualización de estado Twitter, Facebook y/o LinkedIn al pulsar sobre su icono de foto y pulsar de nuevo sobre la pestaña Social que se muestra en la parte superior de la pantalla.

Puede utilizar el icono **Contacts** para acceder a la lista All Contacts de la aplicación. Desde aquí, utilice el campo de búsqueda para encontrar rápidamente cualquier entrada de contacto al escribir el nombre o cualquier palabra clave o frase asociada a un contacto. También puede ver todos los listados de contactos en orden alfabético desde la pantalla All Contacts y pulsar en cualquier listado de contacto para ver la entrada detallada.

Utilice el icono **Orbits** para acceder a contactos vinculados o agrupados y a toda la información relativa a ellos. Puede utilizar el icono **Calendar** para ver el módulo calendario de la aplicación.

Después de pulsar en el icono de comando **Calendar**, alterne entre la vista de mes, semana, día o lista pulsando en la pestaña de comando apropiada. Estas pestañas se sitúan en el margen vertical izquierdo de la pantalla, tal como se ilustra en la figura 7.4.

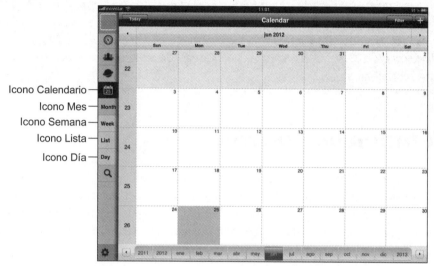

Figura 7.4. *Una vez completo con datos, el módulo Calendar de VIPorbit muestra todas las citas, llamadas, reuniones y tareas que ha planificado para el día, semana o mes en función de la vista Calendario seleccionada.*

Cuando visualice cualquiera de las vistas Calendario, pulse sobre el icono de signo más en la esquina superior derecha de la pantalla para añadir una nueva cita. Alternativamente, puede pulsar sobre el icono **Filter** para elegir un tipo de actividad o calendario específico (llamadas, reuniones, tareas) que quiera destacar y ver en el Calendario.

Durante el tiempo que utilice la aplicación VIPorbit, acumulará una gran cantidad de información perteneciente a sus contactos, agenda y tareas. Para encontrar rápidamente y ver cualquier dato guardado en la aplicación, pulse sobre el icono **Find** que se sitúa en el margen vertical izquierdo de la pantalla de la aplicación. El comando **Find** tiene dos modos: **Find a Contact** o **Advanced**. Utilice la opción **Advanced** para localizar datos más allá del nombre de la persona, empresa, estado, ciudad, comunidad o país. Como cualquier otro gestor de relaciones de contactos, agenda o aplicación de base de datos, lo que obtiene de VIPorbit depende de lo diligente que sea al introducir los datos de contacto, agenda y tareas relevantes, y lo proactivo que sea en lo que se refiere a personalizar la aplicación con campos y tareas que se adapten a sus hábitos de trabajo y necesidades.

Nota: Cuando se trata que seleccionar la aplicación adecuada, siempre hay opciones (más allá de lo que esté preinstalado en su iPad). Al llevar a cabo una búsqueda en App Store, encontrará una amplia selección de aplicaciones de terceros que pueden complementar o reemplazar la necesidad de utilizar la aplicación Contactos, Calendario o Recordatorios en su iPad. En App Store encontrará muchas otras aplicaciones que ofrecen funcionalidad similar en términos de tareas de gestión de relaciones con contactos (clientes).

El futuro de VIPorbit

Ahora mismo, VIPorbit es una potente aplicación independiente de gestión de relaciones y contactos para el iPad que optimiza la funcionalidad de varias otras aplicaciones en una única aplicación. Sin embargo, cuando se lance la versión Mac a finales de 2012 y se puedan sincronizar los datos entre un Mac, iPad e iPhone, la utilidad y versatilidad de VIPorbit será mucho mayor.

Nota: VIPorbit ha sido diseñada y creada por el cocreador de ACT! para PC, que ahora pertenece y se distribuye por Sage (`http://offer.act.com`). Aunque la versión iPad de ACT! no está disponible, puede acceder al servicio de suscripción.

8. Impresión y escaneado inalámbrico vía su iPad

A diferencia de los portátiles o netbook, el iPad no contiene un puerto USB que se pueda utilizar para conectar directamente una impresora o escáner a su tableta. Sin embargo, en iOS 5.1 se incorpora la característica AirPrint, así como Bluetooth, dos tecnologías diferentes que permiten que impresoras y escáneres, por ejemplo, se comuniquen de forma inalámbrica con su tableta.

Como resultado, se puede utilizar cualquier aplicación que integre la característica AirPrint, o las posibilidades Bluetooth del iPad, para acceder y utilizar periféricos externos, como una impresora o escáner. Cuando se refiere a impresión inalámbrica, Apple se ha asociado con varios fabricantes de impresoras para incorporar la tecnología AirPrint en un creciente número de modelos de impresora. Aprenderá más sobre la funcionalidad AirPrint en breve.

Sin embargo, si su impresora de casa o de la oficina no es compatible con AirPrint, existen opciones para hacer que su iPad sea compatible con su impresora láser, de inyección de tinta o impresora de fotos existente. Debe utilizar un software de terceros, como Printopia 2, en su Mac, conectado a la misma red inalámbrica que su iPad, o puede conectar un periférico, como Lantronix xPrintServer, a la red inalámbrica de su casa u oficina. xPrintServer le permite compartir impresoras actualmente en uso en PC o Mac con un iPad u otros dispositivos iOS.

Además de la funcionalidad de impresión inalámbrica que se encuentra disponible a partir de una selección cada vez mayor de aplicaciones iPad, incluidas Contactos, Calendario, Safari, Mail, Fotos, Pages, Numbers, Keynote y PDFpen, varias compañías han desarrollado escáneres portátiles que se pueden conectar al iPad, permitiéndole escanear documentos en papel y fotos en la tableta para crear archivos digitales a todo color que se pueden visualizar en la pantalla de la tableta, manipular al utilizar aplicaciones compatibles y luego compartir con otros. Aprenderá más sobre las opciones de escanear más adelante en este capítulo.

Impresión inalámbrica desde su iPad

Dependiendo de la marca y modelo de su impresora, existen variedad de formas de establecer una conexión inalámbrica entre un iPad y una impresora láser, de inyección de tinta o impresora de fotos. La opción que finalmente utilice estará en función de la marca y modelo de la impresora.

Si su impresora es compatible con AirPrint, no necesita ningún software adicional, aplicación o hardware para establecer una conexión inalámbrica entre la impresora y el iPad, siempre y cuando estén conectados ambos vía Wi-Fi a la misma red inalámbrica. Si su impresora no es compatible con AirPrint, se necesita software y/o hardware adicional para imprimir desde su tableta de forma inalámbrica.

Nota: *A diferencia del PC de sobremesa, portátil o netbook, su iPad no tiene la posibilidad de conectarse directamente a una impresora utilizando una conexión de cable USB. Además, se debe establecer primero algún tipo de conexión inalámbrica antes de que pueda utilizar el comando* **Imprimir** *que ahora está incorporado en muchas aplicaciones iPad.*

Utilizar la característica AirPrint para imprimir de forma inalámbrica desde su iPad

AirPrint es una característica de impresión inalámbrica que le permite conectar su tableta a una impresora compatible sin utilizar cables. La impresora y el iPad, sin embargo, tienen que estar conectados (de forma inalámbrica vía Wi-Fi) a la misma red. Después de establecer la conexión inalámbrica, puede utilizar el comando **Imprimir** que viene incorporado en una selección cada vez mayor de aplicaciones. Así, si crea o edita un documento utilizando Pages, por ejemplo, y está listo para imprimir el documento, siga estos pasos:

1. Pulse sobre el icono **Herramientas** en la esquina superior derecha de la pantalla Pages.

2. Pulse sobre la opción Compartir e imprimir (véase la figura 8.1).

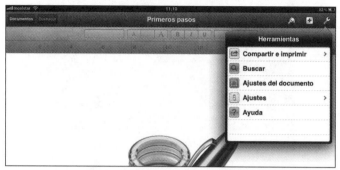

Figura 8.1. Para imprimir de forma inalámbrica un documento desde cualquier aplicación iWork (Pages, Numbers o Keynote), pulse sobre el icono Herramientas y elija la opción Compartir e Imprimir.

3. Seleccione la opción **Imprimir** en la ventana Compartir e Imprimir.

4. Elija qué impresora quiere utilizar (véase la figura 8.2).

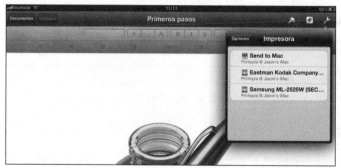

Figura 8.2. Después de pulsar la opción Imprimir, elija la impresora compatible en la que quiere imprimir.

5. Determine el número de copias del documento que quiere imprimir.

6. Pulse sobre el icono de comando **Imprimir** en la ventana Opciones.

El comando **Imprimir** se ha incorporado en muchas aplicaciones populares, incluido Safari (véase la figura 8.3). Después de configurar la característica AirPrint para establecer la conexión inalámbrica entre su tableta y una impresora compatible con AirPrint, imprimir desde su tableta es sencillo.

El comando
Imprimir

Figura 8.3. *Desde muchas aplicaciones, incluida Safari, para imprimir un archivo, imagen o documento debe pulsar primero sobre el icono Compartir y luego seleccionar la opción Imprimir.*

Truco: *Cuando utilice muchas aplicaciones, como Safari o Fotos, por ejemplo, descubrirá el comando **Imprimir** al pulsar en el icono **Compartir** de la aplicación.*

En los últimos dos años, Canon, Epson, HP y Lexmark han lanzado impresoras láser, de inyección de tinta y/o de fotos compatibles con AirPrint. De esta forma, existen actualmente aproximadamente 100 modelos de impresoras compatibles con AirPrint.

Nota: *La característica AirPrint solamente funciona entre una impresora compatible con AirPrint y el iPad cuando los dos dispositivos están conectados de forma inalámbrica (vía Wi-Fi) a la misma red inalámbrica. Una impresora conectada a una red inalámbrica que utilice Bluetooth o una conexión por cable USB no soporta la característica AirPrint.*

Imprimir desde un iPad a una impresora no compatible con AirPrint

Si su impresora no es compatible con AirPrint, existen tres opciones para establecer una conexión inalámbrica entre su tableta e impresora. Estas opciones incluyen

1. Utilizar el software Printopia 2 en su Mac (o software similar). El Mac puede estar conectado a la impresora utilizando una conexión Wi-Fi, Bluetooth, USB o Ethernet pero el Mac tiene que estar conectado a la red vía Wi-Fi.

2. Conectar el dispositivo Lantronix xPrintServer al router inalámbrico de la red de su casa u oficina a través de un cable de tipo Ethernet. Hasta un máximo de 10 impresoras en una red (que se encuentren conectadas a otros PC o Mac) instantáneamente pasan a ser compatibles con AirPrint y accesibles desde su iPad con independencia de la marca y modelo de la impresora.

3. Finalmente, descargar e instalar una aplicación de terceros en su iPad que le permita conectarse de forma inalámbrica a la red inalámbrica de su casa u oficina para imprimir desde su tableta a impresoras conectadas a esa red.

Utilizar el software Printopia 2 vía un Mac

Printopia 2 (`http://ecamm.com`) es un programa fácil de utilizar que permite que un iPad acceda de forma inalámbrica a cualquier impresora conectada a un Mac, siempre y cuando el Mac esté conectado vía Wi-Fi a la red de casa u oficina.

Cuando se instala la aplicación Printopia 2 en el Mac, las impresoras que se encuentran conectadas a ese Mac se muestran en su iPad siempre que accede al comando **Imprimir** desde una aplicación compatible con AirPrint. Esto funciona incluso si la propia impresora no es compatible con AirPrint (véase la figura 8.4).

Nota: *AirPrint Activator 2 para Mac se ofrece como software gratuito y ofrece funcionalidad similar al software Printopia 2. Para descargar este software, visite* `http://netputing.com/airprintactivator/airprint-activator-v2-0/`*.*

Figura 8.4. *Las impresoras no compatibles con AirPrint se pueden utilizar con un iPad como si fuera compatible con AirPrint cuando el software Printopia 2 se ejecuta en un Mac.*

Utilizar xPrintServer para acceder a las impresoras en una red

Con independencia de si usa un PC con Windows o Mac, si tiene una red inalámbrica en casa o en la oficina, cuando conecta el dispositivo xPrintServer a su router inalámbrico, hasta 10 impresoras diferentes que también están en esa red (con independencia de cómo estén conectadas a la red) instantáneamente pasan a ser compatibles con AirPrint, permitiéndole acceder a ellas desde su iPad siempre y cuando el iPad se pueda conectar de forma inalámbrica (vía Wi-Fi) a la misma red.

Desarrollado por Lantronix (`http://www.lantronix.com`), el xPrintServer es un pequeño dispositivo que se conecta directamente al router inalámbrico de cualquier red mediante un cable de conexión Ethernet estándar (un conector RJ45). Cuando el dispositivo está conectado a una red, busca todas las impresoras en esa red y las hace compatibles con AirPrint. En cuestión de segundos, cada impresora aparece accesible desde un iPad que ejecute cualquier aplicación compatible con AirPrint (o una aplicación con un comando **Imprimir**). No se requiere ninguna configuración, driver de impresora especial o software opcional. El xPrintServer funciona con impresoras láser, de inyección de tinta o de fotografías de HP, Toshiba, Lexmark, Canon, Xerox y Epson. En algunos casos, se tiene que conectar la impresora a la red vía Wi-Fi o un cable Ethernet (lo contrario a una conexión USB) para que funcione adecuadamente desde un iPad que utiliza la característica AirPrint.

Nota: *El dispositivo xPrintServer está disponible en línea desde el sitio Web Lantronix (`http://www.lantronix.com`).*

Utilizar una aplicación de impresión de terceros en su iPad

Existe una variedad de aplicaciones de terceros disponibles desde App Store que permiten que la tableta se conecte de forma inalámbrica a marcas y modelos de impresoras específicas conectadas a la misma red inalámbrica de casa u oficina que el iPad. En algunos casos, estas aplicaciones envían primero el documento, imagen o archivo a un PC o Mac también conectado a la red, y luego imprimen el contenido deseado desde ese ordenador.

Si está interesado en crear copias desde imágenes digitales guardadas en su iPad (en la aplicación Fotos), también existen aplicaciones disponibles desde App Store.

Truco: *Para determinar si existe una aplicación iPad especializada disponible que pueda facilitar la impresión inalámbrica por medio de su impresora existente, visite App Store. En el campo **Buscar**, escriba el fabricante de su impresora, como Epson o Canon.*

Escanear documentos en su iPad

Dependiendo del tipo de trabajo que haga, podría encontrar extremadamente útil poder escanear documentos en papel directamente a su iPad. Esto podría incluir cartas y documentos, materiales de investigación, recetas, reportajes, fotos y otro contenido impreso en papel.

Al utilizar uno de los varios escáneres portátiles disponibles, puede escanear cualquier documento o imagen en su iPad y guardarlo, y después almacenar, visualizar, editar, anotar, imprimir y compartirlo al utilizar una variedad de aplicaciones de terceros.

El iConvert Scanner for iPad (`http://www.brookstone.com`) es un escáner extremadamente ligero y portátil, con resolución de 300 puntos por pulgada, que le permite escanear cualquier documento o fotografía a todo color o en blanco y negro que esté entre 2" y 8.5" de ancho. Los documentos escaneados se guardan en formato JPEG, que es compatible con una variedad de aplicaciones iPad. El iConvert Scanner (véase figura 8.5) viene con una aplicación gratuita de escaneado iConvert Scan que se descarga de App Store. Esta aplicación se utiliza para escanear y guardar los archivos JPEG. Luego, puede utilizar otras aplicaciones para visualizar, organizar, almacenar, editar, anotar y compartir los archivos escaneados digitalmente.

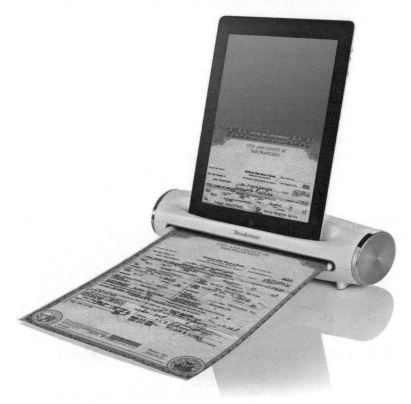

Figura 8.5. *El iConvert Scanner for iPad está disponible en las tiendas Brookstone, así como en http://www.brookstone.com.*

A diferencia de otros escáner compatibles con iPad, éste se conecta a la tableta a través del puerto Dock incorporado. Este puerto se encuentra en la parte inferior de la tableta. De esta forma, para utilizar el escáner, sitúe el iPad sobre el escáner y lance la aplicación iConvert Scan.

Después de escanear documentos en papel en el escáner, este se conecta a cualquier red inalámbrica vía Wi-Fi y transfiere los documentos escaneados al servicio en línea (basado en la nube) de su elección, como iCloud, Dropbox, Flickr o Evernote. Los archivos también se pueden enviar directamente a su propio sitio FTP.

Después, puede acceder a los archivos escaneados desde un iPad conectado a Internet de modo que pueda ver, guardar (en una elección de formatos), editar y compartirlos al utilizar su tableta.

Por medio de cualquiera de las soluciones de escaneado con iPad es sencillo administrar, acceder y guardar documentos, archivos y fotos desde virtualmente cualquier sitio. Cuando se combina con las posibilidades de impresión inalámbrica y la funcionalidad de varias aplicaciones para visualizar, editar y compartir documentos, fotos y archivos, el iPad gana posibilidades de uso que antes eran exclusivas de los ordenadores de sobremesa o notebook.

Comprender los formatos de archivo creados por los escáneres

Un escáner que utiliza la tecnología OCR puede tomar un documento de papel basado en texto y transformarlo en un archivo digital editable accesible desde su iPad. Puede editarlo utilizando Pages, Evernote u otra aplicación de procesamiento de texto. Se requiere una aplicación iPad de procesamiento de texto o edición de texto para visualizar, editar, imprimir o compartir los documentos de texto escaneados.

Si el escáner puede transformar el documento escaneado en un archivo PDF, al utilizar una aplicación de terceros, como PDFpen, puede anotar y editar cualquier archivo PDF, así como visualizar, imprimir y compartirlo desde la aplicación.

Los documentos o archivos escaneados creados por un escáner que solamente puede crear archivos JPG se tratan como fotos digitales por parte de su iPad. Puede visualizar, imprimir o compartirlos al utilizar la aplicación Fotos o cualquier otra aplicación de fotografías disponible en App Store. Algunas aplicaciones de fotografía, como Skitch para iPad, le permiten anotar imágenes digitales.

Nota: Sin utilizar un escáner portátil conectado a su tableta, también puede crear un documento escaneado al utilizar su ordenador de sobremesa o notebook conectado a cualquier tipo de escáner. Luego, tiene que transferir el archivo a su iPad para visualizar, guardar, editar, imprimir o compartirlo.

9. Sincronizar su iPad vía iTunes o iCloud

Gracias al sistema operativo iOS 5.1, su iPad está diseñado para funcionar a la perfección con el servicio iCloud en línea de Apple, lo que le permite mantener una copia de seguridad de su tableta de forma inalámbrica, además de sincronizar archivos y datos específicos de aplicación con iCloud y su Mac y otros dispositivos iOS vinculados a la misma cuenta iCloud.

Las aplicaciones como Contactos, Calendario, Música, iBooks, Safari, Fotos, Recordatorios, Notas, iTunes, Vídeos, Pages, Numbers, Keynote e iPhoto, por ejemplo, tienen funcionalidad iCloud incorporada, de modo que se puede hacer una copia de seguridad y sincronizar automáticamente los datos, archivos y documentos que utilizan estas aplicaciones con iCloud.

Nota: *Para que funcione iCloud, debe configurar una cuenta gratuita iCloud, activar la característica iCloud desde Ajustes en su iPad, y activar iCloud con cada aplicación con la que es compatible. Sin embargo, después de hacer esto una vez, su tableta sincronizará datos y hará copias de seguridad con iCloud.*

Cuando se utiliza con iCloud, su iPad ya no necesita estar conectado a su ordenador principal (PC o Mac), vía cable USB, para transferir documentos, sincronizar datos o hacer copias de seguridad de archivos. Sin embargo, sigue siendo una opción viable. El beneficio de utilizar iCloud para sincronizar datos y hacer copias de seguridad de archivos es que puede acceder a información importante desde cualquier parte donde su iPad tenga una conexión a Internet, porque los archivos se guardan "en la nube". Cuando utiliza sincronización con iTunes, los archivos de copia de seguridad y sincronizados se guardan en su ordenador principal, y debe conectar la tableta a ese ordenador. Esto no es necesariamente favorable si está lejos de su ordenador principal o se encuentra de viaje, por ejemplo.

Con iCloud activado, puede hacer copia de seguridad de su tableta directamente en el servicio iCloud vía Internet. Mientras tanto, el proceso de sincronización con iTunes guarda archivos de copia de seguridad y datos sincronizados en su ordenador principal. Una tercera opción para realizar copia de seguridad y sincronizar datos es utilizar Sincr. con iTunes vía Wi-Fi, que le permite que su iPad haga copia de seguridad y sincronice datos de forma inalámbrica con su ordenador principal siempre que ambos dispositivos estén conectados a la misma red inalámbrica.

Cuando se refiere a sincronizar o hacer copia de seguridad de los datos relacionados con su iPad, utilizar el proceso de sincronización con iTunes está considerado como algo de "la vieja escuela". Exploremos cómo funciona el proceso de sincronización con iTunes, una opción viable para muchos usuarios iPad.

Nota: Si su negocio tiene la necesidad de mantener múltiples tabletas iPad sincronizadas de manera uniforme, de modo que todas contengan la misma información, configuración y aplicaciones, Apple le ofrece soluciones sencillas para hacer esto.

Crear la conexión de sincronización con iTunes

Si utiliza un PC o Mac, necesita descargar e instalar la versión más reciente de iTunes en su ordenador para sacar el máximo partido del proceso de sincronización con iTunes. Para hacer esto, visite `http://www.apple.com/itunes`.

A continuación, conecte el cable blanco USB que viene con su iPad a un puerto USB en su ordenador, así como al puerto conector de 30 pines situado en la parte inferior de su tableta.

Si su ordenador está encendido cuando los dos dispositivos están conectados, el software iTunes se inicia automáticamente en su ordenador y establece una conexión de sincronización con iTunes.

> **Nota:** *Utilice el software iTunes de su PC o Mac para varias cosas. Puede iniciar el proceso de sincronización iTunes entre su ordenador y el iPad o puede utilizar iTunes en su ordenador para acceder a iTunes Store y realizar compras de contenido. También puede utilizar el software para gestionar y disfrutar de su contenido iTunes en su ordenador principal.*
>
> *En su iPad, sin embargo, utilice la aplicación iTunes específicamente para adquirir contenido de música, películas, episodios de series de TV, audiolibros, podcasts. Para escuchar contenido de audio en su iPad, utilice la aplicación Música. Para ver contenido de vídeo obtenido desde iTunes, utilice la aplicación Vídeo.*

En su ordenador principal, iTunes está diseñado para gestionar una variedad de tareas, desde gestionar su biblioteca de música digital hasta permitirle comprar (o, en algunos casos, alquilar) una amplia selección de contenido, incluidas aplicaciones, ebooks, periódicos digitales, ediciones digitales de revistas, música, episodios de series de TV, películas, audiolibros y podcasts.

Finalmente, desde su ordenador principal, puede utilizar el proceso de sincronización con iTunes para gestionar las siguientes funciones iPad:

- Configurar inicialmente su iPad después de la compra.
- Crear y mantener una copia de seguridad de los datos, aplicaciones, ajustes personalizados y contenido de su iPad. También puede restaurar su iPad desde una copia de seguridad al utilizar iTunes.
- Transferir o sincronizar música digital.
- Transferir o sincronizar aplicaciones.
- Transferir o sincronizar agenda de direcciones, contactos, marcadores de Safari, notas y cuentas de correo electrónico (si utiliza la aplicación en línea Calendario ofrecida por Google o Yahoo!, por ejemplo, también se puede sincronizar con iTunes).
- Transferir o sincronizar episodios de series de TV y películas.
- Transferir o sincronizar fotos digitales.
- Transferir o sincronizar su biblioteca de libros electrónicos, así como las ediciones digitales de periódicos y revistas.

- Transferir o sincronizar podcasts y otro contenido digital.

- Transferir o sincronizar ciertos archivos y datos específicos de aplicación, como documentos, hojas de cálculo y presentaciones para utilizarlas en las aplicaciones Pages, Numbers o Keynote.

- Actualizar el sistema operativo iOS de su iPad (cuando Apple lanza actualizaciones que necesita descargar e instalar).

Nota: *Estas tareas también se pueden realizar de forma inalámbrica al utilizar el servicio iCloud de Apple, lo que elimina la necesidad de conectar su tableta directamente a su ordenador principal vía cable USB. Se requiere, sin embargo, una conexión a Internet.*

Después de establecer la conexión de sincronización con iTunes entre su ordenador principal (un Mac o PC) y la tableta, puede personalizar los parámetros del software iTunes para transferir o sincronizar automáticamente solamente los datos, aplicaciones y contenido que quiera o necesite. De esta forma, debería configurar el software iTunes y personalizar el proceso de sincronización para que se adapte mejor a sus necesidades.

Personalizar el proceso de sincronización con iTunes

Después de establecer la conexión de sincronización con iTunes entre su ordenador principal y el iPad, bajo la cabecera Dispositivos, a la izquierda de la pantalla iTunes, verá su tableta listada. Haga clic en esta lista para seleccionar y resaltar su tableta.

Cerca de la parte superior de la pantalla principal de iTunes, cuando los dos dispositivos están conectados, verá una multitud de opciones, incluidas Resumen, Información, Aplicaciones, Tonos, Música, Películas, Programas de televisión, Podcasts, Libros y Fotos. La pantalla por defecto es Resumen, que se muestra en el área principal de la pantalla iTunes en su Mac o PC.

Cada opción de comando revela una pantalla aparte que contiene menús adicionales (relevantes) para personalizar el proceso de sincronización iTunes. Desde estas pantallas, puede controlar el flujo de datos, contenido e información entre su iPad y su ordenador principal. Debe ajustar los parámetros en el software iTunes de su ordenador para personalizar el proceso de sincronización, ya que no podrá hacerlo desde su tableta.

Comprender la pantalla Resumen de iTunes

La pantalla Resumen de iTunes de su ordenador (véase la figura 9.1) se encuentra compuesta por cuatro apartados: iPad, Versión, Copia de seguridad y Opciones. Cerca de la parte superior de la pantalla Resumen está el apartado iPad. En este cuadro, se muestra el nombre del dispositivo de su iPad (que ha creado cuando configuró la tableta por primera vez), su capacidad de memoria, el número de versión del sistema operativo iOS instalado en la tableta y su número de serie.

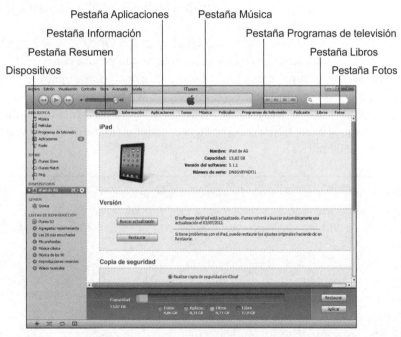

Figura 9.1. *Cuando su ordenador e iPad establecen una conexión vía el proceso iTunes Sync, la pantalla principal Resumen de iTunes se parece a esto.*

En el apartado Versión de la pantalla Resumen de iTunes hay una opción para comprobar la existencia de actualizaciones relacionadas con el sistema operativo iOS ejecutado en su tableta. Haga clic en el botón **Buscar actualización** para determinar si está disponible una versión actualizada del sistema operativo.

Si está disponible una actualización iOS, siga las indicaciones en pantalla para descargar la nueva versión del sistema operativo desde Apple y luego instalarlo en su iPad. Este proceso es casi totalmente automático, aunque puede llevar unos 15 minutos.

Si tuviera un problema con su iPad que requiriera restaurar todo su contenido desde una copia de seguridad guardada, utilice la opción **Restaurar** que se muestra en el apartado Versión de la pantalla Resumen. Esta opción también le permite restaurar su iPad a los parámetros de fábrica, lo que deshace cualquier parámetro que haya ajustado usted mismo. Desde el cuadro Copia de seguridad de la pantalla Resumen en iTunes, puede determinar si su iPad hace copia de seguridad de forma inalámbrica con el servicio iCloud o con su ordenador principal al utilizar el proceso Sincr. con iTunes vía Wi-Fi.

El apartado Opciones de la pantalla Resumen incluye un gran número de otros parámetros personalizables. Para activar cualquiera de estas opciones, utilice el ratón para añadir una marca de verificación en la casilla de verificación que corresponda a la opción deseada.

La primera opción que se muestra en el apartado Opciones le permite establecer iTunes para que se lance automáticamente tan pronto conecte el iPad con su ordenador al utilizar el cable USB. La segunda opción, por ejemplo, le permite llevar a cabo una sincronización con iTunes vía Wi-Fi que funciona exactamente igual que el proceso de sincronización de iTunes pero de forma inalámbrica (sin una conexión de cable USB) una vez su ordenador y tableta estén conectados a la misma red inalámbrica.

Truco: Si utiliza su iPad para guardar datos que necesita mantener en privado, asegúrese de añadir una marca de verificación junto a la opción Cifrar copia de seguridad local que se muestra en la casilla Copia de seguridad de la pantalla Resumen.
Activar la opción Cifrar copia de seguridad local cifra los datos en los archivos de copia de seguridad del iPad que se guardan en su ordenador, haciendo que sea mucho más difícil que una persona no autorizada acceda a estos datos desde su ordenador principal.
En el propio iPad, debería también activar la opción Bloqueo con código desde la aplicación Ajustes. Esto protege los datos guardados en su tableta y evita que personas no autorizadas utilicen su iPad al estar protegido con código.

Ajustar las opciones de sincronización con la pantalla Información de iTunes

Si utiliza el proceso de sincronización iTunes o Sincr. con iTunes vía Wi-Fi para hacer una copia de seguridad o sincronizar datos específicos de aplicación entre su ordenador principal y el iPad, pulse sobre la pestaña Información que se muestra cerca de la parte superior de la pantalla iTunes para ajustar los parámetros relacionados para sincronizar datos desde Contactos, Calendarios, Notas y Cuentas de correo, así como sus marcadores de Safari.

Sincronizar sus aplicaciones con la pantalla Aplicaciones de iTunes

La pantalla Aplicaciones de iTunes se utiliza para gestionar todas las aplicaciones que haya descargado desde App Store. Le permite determinar qué aplicaciones deberían estar instaladas en su iPad. Para utilizar las características de este apartado de iTunes, primero añada una marca de verificación junto a la cabecera Sincronizar aplicaciones.

A la izquierda de la pantalla Aplicaciones de iTunes (véase la figura 9.2), hay una lista completa de todas las aplicaciones que haya descargado y que estén guardadas (o con copia de seguridad) en su ordenador principal. A la derecha hay una recreación interactiva de la pantalla Inicio de su iPad, que muestra todas las aplicaciones actualmente instaladas en su tableta. Utilice el ratón para mover las aplicaciones por su pantalla Inicio y cambiar su ubicación.

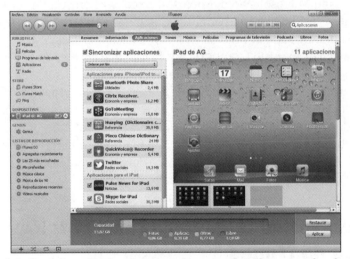

Figura 9.2. *Cuando su iPad está conectado a su ordenador y accede a la pantalla Aplicaciones, se recrea la pantalla Inicio de su iPad en la pantalla del ordenador, además de que puede ver una lista completa de las aplicaciones que tiene.*

Desde la izquierda de la pantalla, añada marcas de verificación a las aplicaciones guardadas en su ordenador principal que quiera transferir e instalar en su iPad. También puede eliminar marcas de verificación que corresponden con aplicaciones listadas para desinstalarlas de su tableta, si bien, aún así, mantiene copias de las aplicaciones guardadas en su ordenador principal. En la parte inferior de la lista de aplicaciones, a la izquierda de la pantalla, está la opción Sincronizar automáticamente las nuevas aplicaciones.

Cuando se activa esta opción, en cualquier momento que compre una nueva aplicación en cualquier dispositivo, la nueva aplicación se trasfiere automáticamente y se instala en su tableta cuando se inicia una sincronización.

Si realiza algún cambio en las opciones mostradas en la pantalla Aplicaciones, asegúrese de hacer clic en el icono **Aplicar**, que se encuentra en la esquina inferior derecha de la pantalla iTunes, para guardar esos cambios.

Transferir datos o archivos específicos de aplicación entre su ordenador y el iPad

Algunas aplicaciones, tales como Pages, Numbers, Keynote y muchas otras le permiten utilizar el proceso de sincronización con iTunes para transferir datos específicos entre una aplicación iPad y un software específico instalado en su ordenador principal, como Microsoft Word, Microsoft Excel y Microsoft Power Point.

Si instala una aplicación que permite que archivos relacionados con la aplicación se transfieran utilizando el proceso de sincronización iTunes, estas aplicaciones se muestran en el apartado Compartir Archivos, que aparece en la parte inferior de la pantalla Aplicaciones de iTunes de su ordenador.

Para transferir un archivo específico de aplicación, desde el apartado Compartir Archivos (véase la figura 9.3), haga clic en el nombre de la aplicación listado a la izquierda de la pantalla, debajo de la cabecera Aplicaciones.

Haga clic en el botón **Agregar,** en la esquina inferior derecha de la pantalla, para elegir documentos guardados en el disco duro de su ordenador y transferirlos a su iPad durante la siguiente sincronización.

Sincronizar su música con la pantalla Música de iTunes

Si utiliza iTunes en su ordenador principal para gestionar su biblioteca de música digital y quiere transferir alguna o toda la música para que pueda disfrutarla en su iPad utilizando la aplicación Música preinstalada en la tableta, haga clic en la opción Música, cerca de la parte superior de la pantalla iTunes y, luego, sitúe una marca de verificación junto a la cabecera Sincronizar la música.

Figura 9.3. Debajo de la cabecera Compartir Archivos, puede establecer el proceso de sincronización iTunes para sincronizar datos específicos de aplicación entre su iPad y el ordenador. Esta característica solamente funciona con aplicaciones compatibles como Pages, Numbers y Keynote.

Truco: *Si es un subscriptor de pago del servicio opcional iTunes Match de Apple, su tableta puede acceder a toda su biblioteca de música digital directamente desde iCloud. Para aprender más sobre este servicio premium, visite* `http://www.apple.com/itunes/itunes-match.`

En el apartado Sincronizar la música existen varias opciones personalizables que le permiten determinar qué archivos de música se deberían sincronizar con su iPad. Por ejemplo, puede sincronizar toda su biblioteca de música o elegir canciones específicas, listas de reproducción, géneros o artistas. También puede seleccionar que se sincronicen álbumes entre los dos dispositivos, no solamente canciones individuales.

Sincronizar sus películas con la pantalla Películas de iTunes

Si ha comprado y descargado películas desde iTunes y quiere transferir estos archivos de película a su iPad para verlos al utilizar la aplicación Vídeos, haga clic en la opción Películas que se muestra cerca de la parte superior de la pantalla iTunes (véase la figura 9.4) y, luego, sitúe una marca de verificación en la casilla mostrada cerca de la cabecera Sincronizar películas. También puede elegir qué películas quiere transferir a su iPad (o viceversa).

Sin embargo, si ha utilizado iTunes para alquilar películas, tiene que hacer clic en la opción Películas y utilizar el apartado Películas alquiladas para elegir qué películas quiere transferir desde su ordenador principal a su iPad (o viceversa) al hacer clic en el icono **Mover** asociado a cada película alquilada.

A la izquierda de la pantalla están las películas alquiladas actualmente guardadas en su ordenador principal. La casilla a la derecha de la pantalla Películas alquiladas representa su tableta y el contenido de películas alquiladas almacenado (o que se va a almacenar) en ella.

Figura 9.4. *Las películas alquiladas desde iTunes solamente se pueden guardar en un ordenador o dispositivo iOS a la vez. De modo que, si descarga una película alquilada en su ordenador principal pero quiere verla en su iPad, primero tiene que transferir el archivo utilizando el botón Mover.*

Nota: *A diferencia de las películas que ha comprado, las películas alquiladas solamente se pueden guardar en un sistema o dispositivo (su ordenador principal o su iPad) en cualquier momento dado.*

Sincronizar sus series de televisión con la pantalla Programas de televisión de iTunes

Desde iTunes Store, puede comprar episodios o temporadas completas de su series de televisión favoritas. Si ha utilizado el software iTunes en su ordenador principal para adquirir y descargar este contenido, puede transferirlo a su iPad al hacer clic en la pestaña Programas de televisión y, luego, añadir una marca de verificación en la casilla de verificación junto a la cabecera Sincronizar programas de televisión.

Truco: *Puede comprar películas, episodios de televisión y temporadas completas de series de televisión desde la aplicación iTunes preinstalada en su iPad (si está utilizando una conexión a Internet Wi-Fi) y, después, transferir más adelante estos archivos a su ordenador principal utilizando el proceso de sincronización iTunes.*

O bien, mientras se guardan los archivos en su tableta, puede utilizar la característica AirPlay con un dispositivo Apple TV para bajar la serie de televisión o contenido de película desde su iPad a su televisor de alta definición o sistema de cine en casa.

Después de que añada una marca de verificación a la cabecera Sincronizar programas de televisión, determine qué episodios de series de televisión deberían transferirse entre los dispositivos durante la siguiente sincronización. Por ejemplo, puede seleccionar todos los episodios no vistos, o seleccionar una o más series de televisión, y luego seleccionar episodios específicos de esas series.

Sincronizar sus ebooks con la pantalla Libros de iTunes

Además de encontrar, comprar y descargar ebooks desde iTunes en su ordenador principal (desde iBookstore de Apple), puede gestionar su biblioteca eBook de iTunes y decidir qué títulos mantener en su iPad y cuáles guardar en su ordenador principal.

Haga clic en la pestaña Libros, en la parte superior de la pantalla de iTunes, luego añada una marca de verificación junto a la cabecera Sincronizar libros si quiere que el proceso de sincronización iTunes automáticamente guarde una copia de seguridad de su biblioteca eBook. Con esta opción seleccionada, puede elegir sincronizar todos los títulos de ebook o solamente los títulos seleccionados.

Si se desplaza cuando visualiza la pantalla Libros en iTunes, también puede ver un apartado para sincronizar audiolibros. Si va a descargar audiolibros desde iTunes y desea escucharlos utilizando la aplicación Música de su iPad, añada una marca de verificación junto a la opción Sincronizar audiolibros.

Truco: *Si disfruta escuchando audiolibros, además de comprar contenido audiolibro desde iTunes para escuchar en su iPad mediante la aplicación Música, puede descargar la aplicación opcional Audible y luego comprar contenido audiolibro desde Audible.com (propiedad de Amazon.com).*

Sincronizar sus imágenes digitales en la pantalla Fotos de iTunes

Si es usuario de una plataforma Mac, el software iPhoto que viene con su ordenador está diseñado para funcionar con la aplicación Fotos (y la aplicación opcional iPhoto) en su iPad. De esta forma, puede transferir rápida y fácilmente imágenes digitales entre los dos dispositivos al utilizar el proceso de sincronización iTunes.

Para la sincronización de imágenes digitales entre los dos dispositivos, haga clic sobre la opción Fotos que se muestra cerca de la parte superior central de la pantalla iTunes ,y añada una marca de verificación a la cabecera Sincronizar fotos de.

Luego, puede elegir sincronizar fotos desde una aplicación determinada en su ordenador principal, como iPhoto, o elegir un directorio específico del disco duro de su aplicación (como Mis imágenes) que contiene imágenes que quiere copiar en su iPad.

> **Truco:** *La característica Fotos en streaming de iCloud es un método inalámbrico de sincronización de fotos entre su ordenador principal, iPad y otros dispositivos iOS. Su iPad requiere de una conexión a Internet Wi-Fi para utilizar esta característica.*

Desde esta pantalla, también puede sincronizar vídeos que haya creado y que estén guardados en su ordenador principal o vídeos que haya creado al utilizar la aplicación Cámara de su iPad. A medida que se desplaza por la pantalla Fotos en iTunes, puede seleccionar y elegir qué imágenes quiere sincronizar.

Las fotos que transfiere desde su ordenador principal serán accesibles desde la aplicación Fotos (o la aplicación opcional iPhoto) de su iPad, o desde otras aplicaciones que pueden acceder a imágenes guardadas en su tableta (como Contactos o aplicaciones opcionales de edición de fotos).

En función de sus elecciones, el número de fotos a sincronizar entre su ordenador principal y la tableta se muestra en la esquina superior derecha de la pantalla. Tenga en cuenta que esto es un proceso de sincronización, de modo que sus imágenes permanecen intactas en su ubicación actual, pero también las puede duplicar, transferir y guardar en el otro dispositivo.

Como siempre, después de realizar su selección desde la pantalla Fotos, asegúrese de que hace clic en el botón **Aplicar** en la esquina inferior derecha de la pantalla para guardar sus cambios.

Comandos y características adicionales iTunes

Cuando su iPad está vinculado con su ordenador principal vía el proceso de sincronización iTunes, puede ver una representación gráfica de la memoria de su tableta cerca de la parte inferior de la pantalla de iTunes. Esta visualización (véase la figura 9.5) muestra cuánto espacio de almacenamiento interno del iPad se está utilizando actualmente y qué tipo de datos utilizan el espacio.

Figura 9.5. *Al utilizar el software iTunes, puede ver rápidamente cuánto almacenamiento interno utiliza su iPad y qué tipo de datos.*

Después de ajustar los parámetros para personalizar el proceso de sincronización de iTunes, estos parámetros se utilizan para la siguiente vez que inicie el proceso de sincronización. En cualquier momento, sin embargo, puede ajustar los parámetros para cambiar qué datos, archivos, aplicaciones y contenido se transfieren o sincronizan entre su ordenador principal y la tableta.

Durante el proceso de sincronización actual, se muestra un círculo rotando en la esquina superior izquierda de la pantalla del iPad (al lado de los indicadores de señal 3G/4G y Wi-Fi). Al mismo tiempo, se muestra el progreso de la sincronización en la parte más superior de la pantalla iTunes en su ordenador principal.

> **Truco:** *Mantener una copia de seguridad de los contenidos y datos de su iPad es una estrategia adecuada. Tenga la costumbre de llevar a cabo una sincronización al menos una vez cada ciertos días, o más a menudo si realiza cambios significativos de datos guardados en su iPad o necesita aplicaciones adicionales o contenido transferido entre su tableta desde su ordenador principal.*

Cargar la batería de su iPad mientras está conectado a su ordenador

Dependiendo de su ordenador principal, la conexión USB entre el PC o Mac y su iPad podría resultar adecuada para cargar la batería de su iPad. Si éste es el caso, el icono de batería que se muestra en la esquina superior derecha de la pantalla de su tableta muestra un rayo en su interior para indicar que el dispositivo se está cargando. Sin embargo, si ve el mensaje No se está cargando junto al icono de la batería, el puerto USB de su ordenador no proporciona suficiente potencia al iPad para recargar su batería. Si éste es el caso, tiene que conectar los dos dispositivos para llevar a cabo una sincronización iTunes y conectar también su iPad a una toma eléctrica (utilizando el cable USB y el adaptador de corriente proporcionado con su tableta) para cargar su batería. O bien, puede utilizar otro método de carga.

Trabajar con iCloud

iCloud es un servicio remoto de compartición de archivos que guarda su música, fotos, aplicaciones, datos de calendario, contactos, documentos y otros tipos de archivos y los pone disponibles (de forma inalámbrica) vía Internet para sus diferentes ordenadores y dispositivos iOS.

La mayoría de los servicios ofrecidos por iCloud son gratuitos. Cuando configura su cuenta gratuita iCloud, se le proporciona una dirección de correo electrónico única y 5 GB de espacio de almacenamiento en línea. Puede comprar espacio de almacenamiento en línea adicional si lo necesita. El espacio adicional se proporciona de forma gratuita para dar cabida a todas sus compras iTunes Store, App Store, iBookstore y Quiosco.

Nota: Piense en iCloud como una solución remota de almacenamiento de disco duro en el ciberespacio que le proporciona acceso a todos los datos y archivos que transfiera.

El servicio iCloud de Apple hace mucho más que solamente almacenar datos y archivos en el ciberespacio. Puede sincronizar automáticamente su iPad con su ordenador principal y otros dispositivos iOS (como su iPhone o iPod touch). Incluso gestiona y almacena automáticamente todas sus compras iTunes de modo que siempre estén disponibles en todos sus ordenadores y dispositivos conectados a Internet.

Por ejemplo, puede comprar una canción en iTunes al utilizar su ordenador, guardar esa canción en el disco duro de su ordenador (y automáticamente en el servicio iCloud) y acceder de forma inalámbrica y casi instantánea a esa compra de canción (sin cargos adicionales) en su iPad, iPhone o iPod touch vía Internet.

Nota: *Si actualiza su cuenta iCloud para que incluya la característica iTunes Match, puede compartir de forma inalámbrica toda su colección de música, incluido contenido no comprado en iTunes, entre sus dispositivos Mac, Apple TV e iOS. Esto incluye música que haya extraído de su propia colección de CD y grabado usted mismo.*

Truco: *Cuando su iPad sincroniza Contactos, Calendario o iWork para documentos y archivos mediante iCloud, puede acceder a los datos correspondientes desde cualquier ordenador o dispositivo móvil que se encuentre conectado a Internet. Para ello, visite la dirección de Internet* http://www.iCloud.com, *regístrese utilizando su ID de Apple y contraseña, y luego haga clic en el icono* **Mail**, **Contactos**, **Calendario** *o* **iWork** *que se muestra en la pantalla.*

Para compartir fotos digitales entre los ordenadores y dispositivos móviles vinculados con la misma cuenta iCloud, utilice la característica Fotos en streaming. Esto le permite guardar hasta 1.000 fotos digitales en los servidores iCloud.

Cuando utiliza el servicio Fotos en streaming a través de iCloud, se mantiene una biblioteca completa de fotos maestras en su PC o Mac, hasta 1.000 imágenes permanecen accesibles instantáneamente para todos sus dispositivos vía iCloud.

Una de las características más convenientes de iCloud es que puede transferir fácilmente (de forma inalámbrica) documentos, datos y archivos de trabajo entre su ordenador principal y el iPad. Por tanto, puede tomar un archivo Microsoft Word, Excel o Power Point creado en su PC o Mac, transferirlo a un formato de archivo Pages, Numbers o Keypoint, enviarlo a iCloud y dejarlo accesible de forma instantánea para su iPad que está conectado a la Web.

Esta característica no solamente facilita la transferencia archivos y documentos entre sus distintos dispositivos, sino que también se asegura de que cada ordenador y dispositivos siempre tenga la última versión editada de su archivo o documento.

Su iPad también puede utilizar iCloud para realizar copia de seguridad y acceder a su colección de aplicaciones y ebooks. Todas sus compras de aplicación, tanto si están actualmente guardadas en su iPad o no, se guardan automáticamente en iCloud, y las tiene accesibles en cualquier momento (asumiendo que su iPad está conectado a la Web). iCloud también mantiene copia de seguridad de todas sus compras en el Quiosco.

Mantener una copia de seguridad de todo su iPad vía iCloud

En lugar de realizar una copia de seguridad de su iPad al conectarlo a su ordenador principal vía cable USB y utilizar el proceso de sincronización iTunes, puede crear y mantener automáticamente una copia de seguridad diaria de su tableta de forma inalámbrica utilizando iCloud.

Para que el proceso de copia de seguridad sea rápido, solamente la información que ha cambiado en su iPad se envía al servicio iCloud y se incorpora en su archivo de copia de seguridad. Los archivos de copia de seguridad se guardan en el ciberespacio (en los servidores iCloud), no en su ordenador principal. Después de que se haya guardado una copia de seguridad en iCloud, puede llevar a cabo una restauración inalámbrica si algo va mal con su tableta y se eliminan datos. Cuando configura inicialmente su iPad, se le solicita que configure una cuenta gratuita iCloud. Luego, puede personalizar esa cuenta desde la aplicación Ajustes.

En cualquier momento, sin embargo, puede activar la característica Copia en iCloud. Para hacer esto, lance Ajustes desde la pantalla Inicio de su iPad. A la izquierda de la pantalla, pulse sobre la opción iCloud.

Cuando aparece la pantalla iCloud, a la derecha de la pantalla (véase la figura 9.6), active la característica iCloud, desplácese hasta el final de la pantalla y pulse sobre la opción Almacenamiento y copias. Desde la pantalla Almacenamiento y copias de Ajustes (véase la figura 9.7), pulse el interruptor virtual asociado con la opción Copia en iCloud para activarlo. A continuación, pulse sobre el icono **Realizar copia de seguridad ahora** para crear una copia de seguridad manual de su iPad que se guarda en iCloud. Esto se puede realizar en cualquier momento (como complemento o sustituto de la copia de seguridad automática diaria).

Cuando está activada la característica Copia en iCloud, su tableta crea una copia de seguridad actualizada una vez por día, siempre que esté conectado a una fuente de alimentación externa, tenga acceso a una conexión Wi-Fi y no se utilice. Mientras algunas características iCloud funcionan con una conexión a Internet 3G/4G o Wi-Fi, la característica Copia en iCloud se debe utilizar con una conexión Wi-Fi.

Advertencia: Tenga en cuenta que, para acceder al servicio iCloud desde su iPad, la tableta tiene que tener acceso a una conexión a Internet Wi-Fi o 3G/4G. Si está a punto de montarse en un avión que no ofrece Wi-Fi, o si se aleja de un área de cobertura de datos 3G/4GB, acceda y transfiera cualquier archivo que necesite en su tableta desde iCloud antes de que se pierda la conexión a Internet.

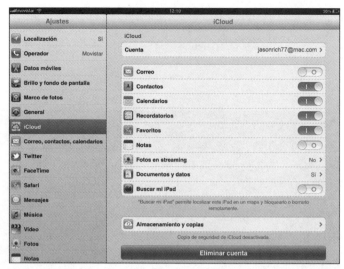

Figura 9.6. *Puede controlar las características iCloud disponibles de su iPad desde esta pantalla iCloud, accesible desde Ajustes.*

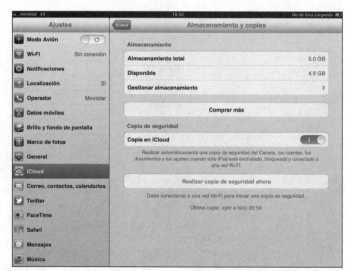

Figura 9.7. *Acceda a la pantalla Almacenamiento y copias para activar o desactivar la característica Copia en iCloud, iniciar manualmente una Copia en iCloud o regresar a su iPad desde los archivos de copia de seguridad iCloud.*

10. Trabajar con Pages, Numbers y Keynote

Para usuarios de negocios, tres de las aplicaciones mejor diseñadas, más versátiles y llenas de características disponibles para el iPad son Pages, Numbers y Keynote, que juntas componen el trío iWork para aplicaciones iPad de Apple. Cada aplicación, sin embargo, se vende por separado. Aunque cada una tiene su propia finalidad, todas utilizan la misma interfaz de usuario básica y estructura de menú. Esta similitud de diseños entre aplicaciones reduce ampliamente la curva de aprendizaje para sacarles el máximo partido. Si no está familiarizado con la funcionalidad de cada aplicación en el trío iWork para iPad, aquí tiene una visión general:

- Pages es un procesador de texto para el iPad. Compatible con Microsoft Word (para PC y Mac), así como con el software Pages para el Mac.

- Numbers es una herramienta de gestión de hoja de cálculo extremadamente potente diseñada específicamente para el iPad. Sin embargo, sus posibilidades de uso rivalizan con Microsoft Excel que se ejecuta en un ordenador de sobremesa. De hecho, es compatible con Excel (para PC y Mac), así como con el software Numbers para Mac.

- Keynote es una herramienta versátil de presentación de diapositivas digitales que le permite crear y mostrar presentaciones en su iPad. Después de crear una presentación, puede conectar su iPad a una televisión HD o proyector LCD, por ejemplo, para compartirlo con un grupo. O bien, puede beneficiarse de la pantalla superior Retina del nuevo iPad para transmitir información gráfica (diapositivas digitales animadas) a una o más personas a la vez. Keynote es compatible tanto con Microsoft Power Point (para PC y Mac) como con Keynote para Mac.

Además de permitirle importar documentos o archivos Word, Excel o Power Point a la aplicación apropiada para visualizar, editar, imprimir o compartirlos, también tiene la posibilidad de crear documentos o archivos desde cero y exportarlos a formato Word, Excel o Power Point, así como formato PDF, antes de transferirlos a su ordenador principal u otro dispositivo.

Nota: Si utiliza iWork para Mac (Pages, Numbers o Keynote), los archivos se transfieren fácilmente entre un Mac y un iPad sin que tenga que cambiar los formatos de archivos durante el proceso de importación o exportación. Pages, Numbers y Keynote (se venden por separado) están disponibles para Mac en Mac App Store.

Una de las características más útiles de las aplicaciones iWork para iPad es que tiene varias opciones para importar y exportar fácilmente archivos entre su Mac o PC (u otro dispositivo iOS) y su tableta. Puede mandar por correo electrónico archivos como anexos a o desde el iPad, o puede sincronizar archivos al utilizar el proceso de sincronización iTunes. Sin embargo, el método más sencillo de transferir archivos es utilizar iCloud u otro servicio de compartición de archivos compatible basado en la nube. A diferencia de otras aplicaciones iPad, Pages, Numbers y Keynote se pueden integrar perfectamente con iCloud, de modo que sus archivos y documentos siempre se mantienen sincronizados (de forma inalámbrica) con su ordenador principal y otros dispositivos.

Al utilizar esta característica, si realiza cambios en un documento Pages de su iPad, por ejemplo, en segundos, las revisiones se transfieren a iCloud y se envían a todos los ordenadores y dispositivos iOS vinculados a la misma cuenta iCloud. El proceso se realiza en segundo plano y está automatizado.

Truco: Puesto que Pages, Numbers y Keynote requieren una considerable entrada de datos, considere utilizar estas aplicaciones con un teclado externo opcional. Además de que facilita la escritura, un teclado externo ofrece las teclas del cursor que hacen que moverse por un documento o archivo sea más eficiente. Estas tres aplicaciones, sin embargo, hacen un uso excelente del teclado virtual del iPad.

Gracias a Pages, Numbers y Keynote, la posibilidad de su iPad de servir como una poderosa herramienta orientada a los negocios se multiplica. Al utilizar estas aplicaciones, muchos hombres de negocios encuentran que pueden confiar en sus iPad para un conjunto más amplio de tareas y, a menudo, pueden dejar atrás su portátil o netbooks en favor de poder trabajar directamente desde el iPad.

Nuevas características ofrecidas por las aplicaciones iWork para iPad

Cuando se lanzó iOS 5.0 para el iPad, las aplicaciones Pages, Numbers y Keynote sufrieron un rediseño importante para incorporar una gran variedad de nuevas características, incluida la integración con iCloud. Junto con el lanzamiento del nuevo iPad e iOS 5.1 en marzo de 2012, el trío de aplicaciones se actualizó de nuevo para incluir algunas nuevas características impresionantes.

> **Truco:** *Asegúrese de que está ejecutando la versión más reciente de Pages, Numbers y Keynote (versión 1.6 o posterior) en su iPad. Para comprobar las actualizaciones, lance la aplicación App Store y, luego, pulse sobre el botón **Actualizar** cerca de la esquina inferior derecha de la pantalla. Si se encuentran disponibles nuevas actualizaciones, pulse sobre el botón **Actualizar todas** (en la esquina superior derecha de la pantalla) o pulse sobre el icono **Gratis**, junto al listado de aplicación en la pantalla.*

Además de una estructura de menú recientemente diseñada que se ha simplificado, que le proporciona acceso más sencillo a varios comandos y características en las tres aplicaciones, las aplicaciones iWork para iPad ahora soportan la pantalla Retina del nuevo iPad, y todos permiten crear e incorporar una barra de color 3D, líneas, áreas y gráficos en documentos y archivos.

Qué hay nuevo en Pages

Cuando lanza Pages, Numbers y Keynote, la pantalla principal muestra imágenes en miniatura de los documentos o archivos guardados en esa aplicación de la misma forma que en las versiones anteriores de las aplicaciones (véase la figura 10.1). Desde esta pantalla, puede crear un nuevo documento o archivo desde cero; renombrar un documento; o importar un documento o archivo al pulsar en el icono del signo más. O bien, puede pulsar sobre el icono **Editar** para seleccionar y después compartir (exportar), copiar o eliminar un documento o archivo desde la aplicación con la que esté trabajando.

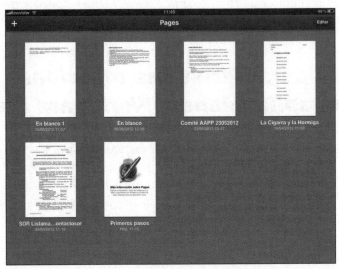

Figura 10.1. *La página principal de Pages. Desde aquí, puede gestionar, importar o exportar sus archivos de documentos. Numbers y Keynote ofrecen funcionalidad similar.*

Nota: *Cuando exporta un documento o archivo Pages, Numbers o Keynote desde su iPad, puede mantenerlo en su formato actual o exportarlo en formato Word, Excel o PowerPoint (dependiendo de la aplicación que utilice). Las tres aplicaciones también permiten que se exporten archivos como archivos PDF.*

Para abrir un documento o archivo, pulse sobre su imagen en miniatura en la pantalla Biblioteca. Cuando esté en el modo edición de documento de Pages (véase la figura 10.2), observará que en la parte superior de la pantalla existen algunos nuevos iconos de comando. Cerca de la esquina superior izquierda de la pantalla está el botón **Documentos**, que le envía a la pantalla Biblioteca de la aplicación. Inmediatamente a la derecha está el icono **Deshacer**. Le permite deshacer sus acciones más recientes en la aplicación.

Mostrado en la parte superior de la pantalla de edición de Pages está el nombre de archivo del documento activo. Cerca de la esquina superior derecha de la pantalla hay tres nuevos iconos de comando.

Documentos   El nombre de archivo del documento   Pincel   Herramientas

Deshacer   Signo más

Figura 10.2. *La pantalla principal del modo edición de Pages.*

El icono **Pincel** es sensible al contexto y se adapta en función de con qué tipo de contenido trabaje en Pages. Por ejemplo, si trabaja con texto tradicional, pulsar sobre este icono revela una ventana emergente que contiene opciones de menú para formatear texto. Cerca de la parte superior de esta ventana están las tres pestañas de comando: **Estilo**, **Lista** y **Disposición** (véase la figura 10.3).

Figura 10.3. *El icono de comando Pincel revela una ventana de menú emergente con tres pestañas de comando.*

Cuando pulsa sobre la pestaña **Estilo**, puede aplicar fácilmente una fuente, estilo de tipo (negrita, cursiva, subrayado, etc.), estilo de párrafo, estilo de cabecera, añadir una lista de viñetas o numerada a un documento. También puede crear un encabezado o pie de página.

Después de pulsar sobre la pestaña **Lista**, puede ajustar tabulaciones y sangrías y formatear una lista de viñetas o numerada. Por ejemplo, puede controlar el tamaño de la viñeta u optar por utilizar letras o números para crear un esquema. Pulse sobre la pestaña **Disposición** para crear múltiples columnas en un documento y controlar el espaciado de línea.

El icono del signo más en Pages

Cuando pulsa sobre el nuevo icono del signo más que se muestra cerca de la esquina superior derecha de la pantalla del modo edición de Pages, aparece una ventana de menú emergente con cuatro pestañas de comando en la parte superior. Cada pestaña de comando revela opciones de submenú.

Pulse sobre la pestaña Multimedia para importar una foto que esté guardada en su iPad al documento con el que esté trabajando. Pulse sobre la pestaña **Tablas** para crear y formatear una tabla en el documento. Cuando pulsa sobre la pestaña **Gráficas**, aparecen dos pestañas de comando adicionales que le permiten crear barras de colores 2D o 3D, líneas, áreas o gráficos que se pueden personalizar completamente. Mientras se encuentre en este menú, asegúrese de que se desplaza arriba y abajo, así como de derecha a izquierda, en la ventana de menú para ver todas las opciones de su gráfico.

Pulse sobre la pestaña **Figuras** para importar y personalizar formas en su documento. Puede cambiar el tamaño de estas formas y situarlas sobre o bajo un texto, o puede hacer que el texto se sitúe alrededor de las formas.

Acceder al menú Herramientas en Pages

Al pulsar sobre el icono de llave inglesa que se muestra cerca de la esquina superior derecha de la pantalla de edición de la aplicación Pages, se muestra el menú Herramientas (véase la figura 10.4).

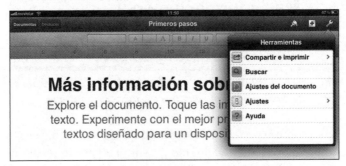

Figura 10.4. *El icono Herramientas revela una variedad de opciones de submenú para personalizar documentos en Pages. Funcionalidad similar se ofrece cuando accede a este menú en Numbers o Keynote.*

Las opciones que se describen a continuación se encuentran disponibles a través del menú Herramientas:

- Compartir e imprimir: Revela un submenú que le permite enviar por correo electrónico un documento desde Pages, imprimir un documento de forma inalámbrica en una impresora configurada para que funcione con su iPad, o actualizar y compartir el documento con el que esté trabajando vía iWork. com, iDisk o WebDAV (servicios de compartición de archivos basados en la nube compatibles con todas las aplicaciones iWork para iPad, además de iCloud).

- Buscar: Le permite buscar por cualquier palabra clave o frase en el documento que esté utilizando. Cuando aparece el campo **Buscar**, pulse sobre el icono para acceder a las características **Buscar**, **Buscar y reemplazar**, **May./Min.igual** y **Palabras enteras**. O bien, si se encuentran múltiples resultados de su búsqueda, pulse sobre las teclas del cursor para desplazarse y mostrar cada resultado en el documento.

- Ajustes del documento: Le permite ajustar los márgenes del documento con el que esté trabajando, incluido el encabezado y el pie de página. Por ejemplo, desde la pantalla Ajustes del documento puede añadir y formatear números de página o saltos de línea.

- Ajustes: Le permite controlar la característica automática **Ortografía** incorporada en Pages, así como la característica **Recuento de palabras**. También puede activar o desactivar **Guías centrales**, **Guías de borde** y **Guías de espaciado** que se pueden mostrar en un documento. Estas guías son útiles cuando cambia el tamaño y sitúa fotos, gráficas o gráficos en un documento.

- Ayuda: Accede a la característica de ayuda interactiva incorporada en cada aplicación iWork para iPad.

Truco: *Muchos de los comandos de formato de documento que se encuentran disponibles bajo la pestaña de comando **Estilo** lo están a su vez en la barra de herramientas principal que se muestra cerca de la parte superior de la pantalla principal de edición de Pages. Sin embargo, para aprovechar espacio en pantalla, puede eliminar la barra de herramientas y la regla al pulsar sobre el icono x que se muestra en el extremo derecho de la barra de herramientas.*

Utilizar la nueva característica Navegador de documento

Si trabaja con un documento de varias páginas, puede explorar fácilmente miniaturas de todo el documento gracias al nuevo diseño del Navegador de documento (véase la figura 10.5). Mientras visualiza, crea o edita un documento, mantenga su dedo en el margen derecho del documento. Se muestra un icono de lupa junto con un deslizador vertical. Arrastre su dedo arriba y abajo para explorar todo el documento.

Figura 10.5. *La característica Navegador de documento es exclusiva de la nueva versión de Pages. Permite desplazarse por un documento extenso para ver miniaturas de cada página o saltar a una página específica dentro del documento que esté utilizando.*

Truco: *Al utilizar el Navegador de documento, puede desplazarse por un documento al arrastrar su dedo. Cuando levanta su dedo, puede continuar visualizando o editando la página a la que se haya desplazado.*

Trabajar en modo pantalla completa

Mientras esté revisando un documento, o si está utilizando un teclado externo opcional para escribir, posicione su iPad en modo retrato para beneficiarse del modo de visualización de pantalla completa de Pages y así aprovechar el espacio real en pantalla (véase la figura 10.6).

Nota: *Cuando escribe utilizando el teclado virtual del iPad, las teclas individuales aparecen más grandes en pantalla cuando el iPad está en modo paisaje. Las teclas más grandes hacen que sea más sencillo escribir. Sin embargo, se visualiza menos documento en pantalla.*

En modo pantalla completa, la mayoría de los botones de formato, la regla en pantalla y el teclado virtual desaparecen, desocupando la pantalla para que pueda ver y leer su documento.

Figura 10.6. Cuando posiciona su iPad en una posición retrato y utiliza el modo de visualización de pantalla completa puede ver toda una página en pantalla a la vez.

Para eliminar el teclado en pantalla, pulse sobre la tecla de esconder el teclado en el teclado virtual. Es la tecla situada en la esquina inferior derecha del teclado.

Para eliminar la barra de formato y la regla en pantalla, pulse sobre el icono circular **x** que se muestra en el lado derecho de la barra de herramientas.

Deslice su dedo por la pantalla para desplazarse hacia arriba, abajo, izquierda o derecha mientras esté en modo pantalla completa. Pulse y mantenga su dedo en cualquier sitio de la pantalla (en el documento) durante un segundo o dos para salir del modo pantalla completa.

Qué hay nuevo en Numbers

Como Pages, la aplicación Numbers se ha actualizado para que ahora utilice la pantalla Retina del nuevo iPad. Sin embargo, la aplicación continúa funcionando perfectamente en iPad 2 y varios modelos iPhone e iPod touch. Mientras Pages es para procesamiento de texto, la aplicación Numbers se utiliza para organizar, analizar y trabajar con números y para crear potentes hojas de cálculo y bellas gráficas a todo color y tablas que muestran datos numéricos de forma gráfica.

La última versión de Numbers ofrece la posibilidad de crear, mostrar e imprimir barras 3D, líneas, áreas y gráficas personalizables al utilizar datos de hoja de cálculo (véase la figura 10.7). Además, cuando se refiere a navegar por una hoja de cálculo compleja, la aplicación ahora también le ofrece una serie de deslizadores altamente intuitivos y menús emergentes que facilitan trabajar con sus datos numéricos en la pantalla de la tableta.

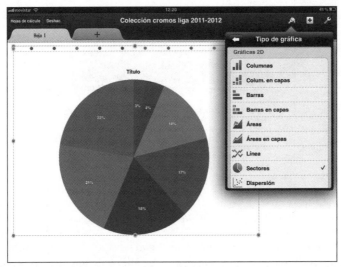

Figura 10.7. *Cree gráficas 3D desde datos de hoja de cálculo increíbles bajo la óptica de la pantalla Retina del nuevo iPad. Los gráficos creados en Numbers también se pueden cortar y pegar en documentos Pages o presentaciones Keynote.*

Cuando se refiere a llevar a cabo cálculos matemáticos complejos, Numbers lo tiene cubierto. Incorporado en la aplicación hay un motor de cálculo que puede gestionar más de 250 funciones diferentes. Cuando se han procesado los números, puede decidir exactamente cómo quiere visualizarlos, ya sea en una hoja de cálculo, una tabla o forma gráfica, y personalizar cada aspecto del producto que elija.

Como todas las aplicaciones iWork para iPad, Numbers es totalmente compatible con AirPrint. Antes de imprimir, no obstante, puede ver una visualización previa en pantalla del aspecto exacto de una hoja de cálculo, gráfica, tabla o gráfico. Después, puede formatear la página impresa con encabezados, pies de página y números de página.

Si está familiarizado con la aplicación Pages, la aplicación Numbers (y la aplicación Keynote) ofrece una interfaz de usuario y diseño de menú muy similar. Tras lanzar la aplicación Numbers, verá la pantalla Biblioteca. Desde aquí, puede crear una nueva hoja de cálculo desde cero, renombrar una hoja de cálculo existente, abrir un archivo de hoja de cálculo guardado en su tableta o importar una hoja de cálculo desde iTunes, iDisk o WebDAV (recuerde, la sincronización de archivo iCloud puede ser automática). Al pulsar sobre el icono **Editar** en la pantalla Biblioteca de Numbers, puede seleccionar un archivo y luego compartirlo (exportarlo) vía correo electrónico, iWork.com, iTunes, iDisk o WebDAV, copiar el archivo (para crear un duplicado con un nombre de archivo diferente) o eliminar el archivo de su iPad.

Para abrir un archivo de hoja de cálculo, pulse sobre su vista en miniatura en la pantalla Biblioteca de la aplicación. Como en la aplicación Pages, cuando ve, crea o edita una hoja de cálculo con Numbers, verá una gran variedad de iconos de comando mostrados en la parte superior de la pantalla.

Situado cerca de la esquina superior izquierda de la pantalla, está el icono **Hoja de cálculo**. Pulse sobre él para regresar a la pantalla Biblioteca en Numbers. Junto al icono **Hoja de cálculo** está el icono **Deshacer**. Pulse sobre él para deshacer las últimas acciones (o las últimas varias acciones) que haya llevado a cabo en la aplicación.

Cerca de la esquina superior derecha de la pantalla Numbers hay tres nuevos iconos de comando (similares a los que se ofrecen en Pages). Estos iconos incluyen el icono **Formato** (que tiene forma de pincel), el icono del signo más y el icono de menú **Herramientas** (que tiene forma de llave inglesa).

El icono Formato en Numbers

Pulsar sobre el icono **Formato** revela una ventana de menú emergente. Sin embargo, las pestañas de comando y opciones de menú mostradas en esta ventana varían en función del tipo de datos que esté seleccionando en la hoja de cálculo.

Por ejemplo, si tiene una cabecera o texto resaltado, las pestañas de comando que se muestran en la parte superior de la ventana menú son **Estilo**, **Lista** y **Disposición**. Después de pulsar en cualquiera de estas pestañas de comando, aparecen varias opciones de formato. Sin embargo, si tiene celdas específicas resaltadas en una hoja de cálculo, las pestañas de comando que se muestran son **Tabla**, **Cabeceras**, **Celdas** y **Formato**, y las opciones de comando se refieren a las características de procesamiento de números de la aplicación.

De forma similar, si tiene una gráfica o gráfico seleccionado cuando pulse sobre el icono **Formato**, verá toda una selección diferente de submenús, que puede utilizar para crear y editar gráficas o gráficos 2D o 3D.

El icono del signo más en Numbers

Cuando quiere importar una foto o forma en su hoja de cálculo, o quiere crear una tabla o gráfica desde cero, pulse sobre el icono de signo más. La ventana emergente que aparece muestra cuatro pestañas de comando en la parte superior:

Multimedia, Tablas, Gráficas y Figuras. Cada una de estas pestañas de comando revela un submenú diferente. Pulse sobre la pestaña **Gráficas** (véase la figura 10.8) para seleccionar un estilo de gráfico y esquema de color que puede personalizar completamente.

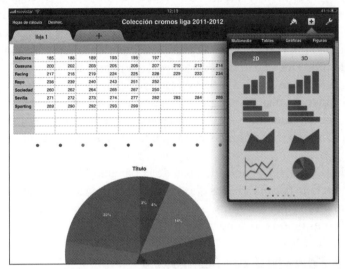

Figura 10.8. *La última versión de Numbers para iPad 2 o el nuevo iPad le permite elegir entre gráficas 2D o 3D a todo color.*

Acceder al menú Herramientas en Numbers

El menú **Herramientas** pone a nuestra disposición una opción de submenú llamada **Compartir e imprimir** junto con las características **Buscar**, **Ajustes**, y **Ayuda**. El esquema de menú y lo que se ofrece aquí es muy similar a lo que se ofrece en Pages.

Truco: *Cuando opte por crear un documento desde cero en Pages, una hoja de cálculo en Numbers o una presentación en Keynote, la aplicación le ofrece una selección de plantillas entre las que elegir. Numbers, por ejemplo, ofrece 16 plantillas diferentes: En blanco, Lista de comprobación, Préstamos, Presupuesto, Calculadora hipotecas, Ahorro personal, Registro vehículo, Registro carrera y peso, Planificador de viajes, Informe de gastos, Factura, Horario empleado, Organización del equipo, Nota media, Laboratorio de estadística y Asistencia. Cada plantilla, en cada aplicación, es completamente personalizable.*

Qué hay nuevo en Keynote

Cuando se refiere a crear, visualizar y presentar presentaciones en el iPad, una de las herramientas más potentes a su disposición es la aplicación Keynote. Al utilizar Keynote, puede crear una presentación de dispositivas digitales completa, con diapositivas animadas y transiciones llamativas. O bien, puede importar y utilizar presentaciones creadas en un PC o Mac con Microsoft PowerPoint.

> *Truco:* Para ofrecer presentaciones a grupos, debería comprobar la aplicación Keynote Remote. Le permite controlar una presentación Keynote en su Mac, iPad, iPhone o iPod touch desde cualquier iPad, iPhone o iPod touch en la misma sala siempre y cuando ambos dispositivos estén conectados a la misma red Wi-Fi.

Además de la renovada interfaz de usuario que ofrece la última versión de Keynote, la versión 1.6 (o posterior) le permite crear, animar y mostrar barras 3D, líneas, áreas y gráficas visuales impresionantes en sus presentaciones.

La nueva versión de Keynote también incluye un conjunto de nuevas animaciones de diapositivas y efectos de transición de diapositiva animada. La funcionalidad disponible desde la pantalla **Biblioteca** de la aplicación (cuando se lanza) es muy similar a la versión anterior. Puede crear una nueva presentación desde cero; renombrar una presentación existente; importar una presentación desde iTunes, iDisk o WebDAV; enviar por correo electrónico una presentación; exportar una presentación a iTunes, iDisk o WebDAV; copiar una presentación y guardarla con el nuevo nombre de archivo; o eliminar una presentación desde su iPad.

Desde la pantalla **Biblioteca** también puede cargar una presentación existente para visualizarla o editarla. Pulse sobre cualquier vista en miniatura de presentación para cargarla desde el almacenamiento interno del iPad a la aplicación.

> *Nota:* Igual que con Pages y Numbers, la integración con iCloud está incorporada en Keynote. Después de la configuración inicial, la integración funciona automáticamente en segundo plano, para asegurarse de que sus archivos de presentación se sincronizan entre su iPad, otros dispositivos iOS y el Mac vinculado con la misma cuenta iCloud.

Después de comenzar a crear o editar una presentación Keynote, se muestran los iconos de comando ahora familiares de las otras aplicaciones iWork para iPad en la parte superior de la pantalla Keynote.

Pulse sobre el botón **Presentaciones** para regresar a la pantalla Biblioteca de la aplicación. Utilice el botón **Deshacer** (mostrado a la derecha del botón **Presentaciones**) para deshacer la última acción que haya realizado utilizando la aplicación. El nombre de archivo de la presentación con el que esté trabajando se muestra cerca de la parte superior central de la pantalla.

Cerca de la esquina superior derecha de la pantalla Keynote hay cuatro iconos de comando, incluidos los iconos **Formato**, **Signo más**, **Herramientas** y **Reproducir**. Como puede ver en la figura 10.9, la vista en miniatura de cada diapositiva en su presentación se muestra en el margen izquierdo de la pantalla mientras crea o edita diapositivas.

Figura 10.9. *Puede cambiar el orden de las diapositivas arrastrando arriba y abajo las vistas en miniatura con su dedo (mostradas en el margen izquierdo de la pantalla).*

El icono Formato en Keynote

Cuando pulsa sobre el icono **Formato** (el pincel) en Keynote, verá tres pestañas de comando: **Estilo**, **Lista** y **Disposición**. Cada una revela un submenú diferente que utiliza para formatear texto en las diapositivas. Por ejemplo, desde la pestaña de comando **Estilo**, puede cambiar la apariencia de texto, incluida la fuente y colores de fondo, bordes, sombras y otros efectos.

La pestaña de comando **Lista** ofrece opciones de menú para elegir una fuente, tamaño, tipo de letra y justificación, entre otras cosas. También puede ajustar alineación del texto, ajustar espaciado o añadir múltiples columnas a una diapositiva.

Sin embargo, si se selecciona un gráfico o fotografía en una diapositiva, el icono **pincel** revela las pestañas **Estilo** y **Disposición**, que ofrecen comandos utilizados para personalizar la apariencia de los gráficos y fotografías.

El icono de signo más en Keynote

Como en las otras aplicaciones iWork para iPad, pulsar sobre el icono del signo más le permite importar fotografías o formas en una diapositiva, crear o modificar tablas o crear gráficas 2D o 3D, dependiendo de en qué pestaña de comando pulse.

Acceder al menú Herramientas en Keynote

Desde el menú Herramientas en Keynote, puede acceder a las características Compartir e imprimir, Buscar, Ayuda (similares a las que se encuentran en Pages y Numbers). La ventana desplegable **Herramientas** también revela un submenú Transiciones y composic. y Avanzado que puede utilizar para añadir animaciones a diapositivas individuales o para establecer efectos de transición de diapositiva para la presentación (véase la figura 10.10). También existe una característica Notas del presentador que le permite componer y visualizar más tarde notas propias.

Figura 10.10. *La última versión de Keynote incluye nuevas animaciones y transiciones de diapositiva, como Iris, Reflejo, Disolución, Perspectiva, Columpio, Empuje de objeto, Zoom de objeto y Fundido en color. Todas ellas son espectaculares cuando se visualizan en la pantalla Retina del nuevo iPad, pero las características también funcionan con el iPad 2.*

La opción de menú Avanzado le permite numerar automáticamente cada diapositiva de la presentación, incorporar hipervínculos interactivos en las diapositivas, configurar un tipo de presentación, activar y desactivar la presentación en bucle o activar y desactivar la característica de remoto (que también se utiliza cuando se crea una presentación).

El icono Reproducir en Keynote

El icono **Reproducir** (la flecha que apunta a la derecha) se utiliza para realizar una transición de la aplicación Keynote desde la creación de diapositiva y el modo edición al modo presentación de la aplicación. Pulse sobre él para mostrar su presentación en modo pantalla completa. Puede utilizar la característica AirPlay del iPad (o cables opcionales) para mostrar la presentación en una televisión HD, monitor o proyector LCD.

Utilizar las aplicaciones iWork para iPad con iCloud

Después de que configure una cuenta gratuita iCloud, puede configurar Pages, Numbers y Keynote para sincronizar automáticamente documentos y archivos con su otro Mac y dispositivos iOS vía iCloud.

Para cada aplicación iWork para iPad, la funcionalidad iCloud se tiene que configurar por separado. Sin embargo, después de configurarla, siempre y cuando su iPad tenga acceso a Internet, los cambios que haga sobre un documento o archivo se reflejarán casi instantáneamente en su Mac y otros dispositivos iOS.

La mayoría del resto de aplicaciones compatibles con iCloud tienen una característica de sincronización manual. Pages, Numbers y Keynote están entre las aplicaciones que ofrecen integración iCloud automática y sincronización.

Para configurar Pages, Numbers y Keynote en su iPad para que funcione con iCloud, siga estos pasos:

1. Después de instalar Pages, Numbers y Keynote en su iPad, lance la aplicación Ajustes desde la pantalla Inicio de la tableta.

2. Desde el menú principal Ajustes, pulse sobre la opción iCloud.

3. En la parte superior de la pantalla iCloud, active la funcionalidad iCloud e introduzca su ID de Apple y Contraseña.

4. También en la pantalla iCloud en Ajustes, pulse sobre la opción Documentos y datos.

5. Cuando se visualice la pantalla Documentos y datos, pulse sobre el interruptor virtual que tiene asociado para activarlo (véase la figura 10.11). Si quiere que su iPad se sincronice automáticamente con sus documentos y archivos iWork para iPad empleando una red móvil 3G o 4G (frente a Wi-Fi), que utilizará parte de su asignación de datos inalámbrica mensual, active el interruptor virtual asociado con la opción Utilizar red móvil. De lo contrario, para solamente sincronizar archivos y datos cuando su iPad esté conectado a Internet mediante una conexión Wi-Fi, deje la opción Utilizar red móvil en la posición predeterminada de desactivado (esto se aplica solamente a los iPad capaces de acceder a una red de datos 3G o 4G).

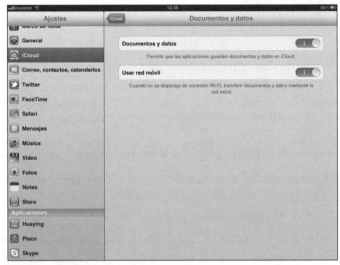

Figura 10.11. *Para que la sincronización de archivos iCloud funcione con Pages, Numbers y Keynote, tiene que estar activada la característica iCloud desde Ajustes.*

6. Si tiene instalada Pages en su iPad, en la parte izquierda de la pantalla Ajustes, desplácese hasta la opción Pages y pulse sobre ella.

7. Cuando aparece la pantalla Pages en Ajustes (véase la figura 10.12), pulse sobre el interruptor virtual asociado con la característica Usar iCloud para activar la característica de sincronización automática de archivos con iCloud, activada cada vez que se lanza la aplicación Pages. Repita los pasos 6 y 7 para las aplicaciones Numbers y Keynote, si aplica.

8. Repita el proceso en cada uno de los otros dispositivos iOS en los que tenga instalado Pages, Numbers y Keynote, incluido su iPhone y su iPod touch.

9. En su Mac, lance Preferencias del sistema.

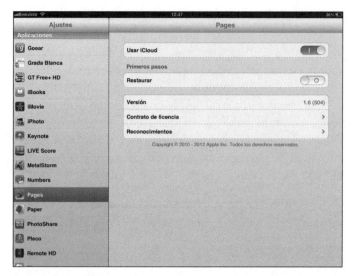

Figura 10.12. *Además de activar la característica Documentos y datos desde
la pantalla de menú iCloud en Ajustes, también necesita activar la característica
iCloud para Pages, Numbers y Keynote por separado.*

10. Desde el menú Preferencias del sistema, haga clic en el icono **iCloud**.

11. Cuando aparece la ventana iCloud, asegúrese de que se registra en iCloud
al utilizar el mismo nombre de usuario y contraseña de cuenta que ha utilizado en su iPad (y otros dispositivos iOS).

12. A la derecha de la ventana iCloud (en su Mac), añada una marca de verificación a la casilla de verificación asociada con la opción Documentos
y datos.

13. En el software Pages, Numbers y Keynote que se ejecuta en su Mac, active
la funcionalidad iCloud para cada programa.

Cuando comience a experimentar las posibilidades uso del procesador de texto
de Pages, la funcionalidad de cálculos numéricos de Numbers o las herramientas
de creación y visualización de diapositivas digitales ofrecidas por Keynote en
su iPad, y las evalúes junto a las 10 horas de vida de batería de su iPad y otras
funcionalidades, verá por qué muchas empresarios están incorporando el iPad en
su trabajo diario en lugar de utilizar portátiles o netbooks.

11. Aplicaciones de terceros que ofrecen compatibilidad Microsoft Office con iPad

Una de las características clave que permite a los empresarios utilizar sus iPad como una herramienta potente en su trabajo diario es la posibilidad de ver, crear, editar, imprimir y compartir documentos y archivos Microsoft Office. Esto incluye utilizar el iPad para acceder a documentos y archivos creados en un PC o Mac al utilizar Microsoft Word, Microsoft Excel y Microsoft PowerPoint, y compartir documentos y archivos creados desde cero en la tableta con un PC o Mac.

Las aplicaciones más importantes para conseguir compatibilidad Word, Excel y PowerPoint son la colección iWork de aplicaciones iPad, incluida Pages, Numbers y Keynote (disponibles en App Store). Estas tres aplicaciones permiten a los usuarios de iPad importar y exportar archivos Microsoft Office, de modo que estos archivos se puedan visualizar, editar, imprimir y compartir. Las aplicaciones iWork también permiten que se exporten documentos y archivos en el popular formato de archivo PDF.

Como descubrirá en este capítulo, además de las aplicaciones iWork para iPad, existen gran cantidad de aplicaciones de terceros que incluyen Documents To Go y Quickoffice que ofrecen compatibilidad de documentos y archivos Microsoft Office, así como opciones para compartir archivos y otras características que no ofrecen las aplicaciones iWork.

Nota: Las aplicaciones iWork para iPad son completamente compatibles con las aplicaciones Pages, Numbers y Keynote para el Mac (vendidas por separado en Mac App Store). Estas tres aplicaciones en un Mac se utilizan también para procesamiento de texto, gestión de hojas de cálculo y presentaciones de diapositivas digitales, respectivamente.

Además, cuando un iPad se conecta a Internet, existen aplicaciones de terceros que le permiten conectarse fácilmente y tomar control de su PC u ordenador Mac y ejecutar software remoto desde ahí. De este modo, mientras esté de camino, puede utilizar su iPad para controlar Microsoft Word en su ordenador de sobremesa y ver todo desde la pantalla de su tableta. Además, la compatibilidad de archivos ya no es un problema, y tendrá acceso completo a todas las características y funciones Microsoft Office que necesita porque está realmente controlando el software Microsoft Office desde su iPad.

Nota: Se cree que Microsoft Corporation está trabajando en una edición iPad de Microsoft Office que ofrecerá compatibilidad completa con Word, PowerPoint y Excel en un PC o Mac. Actualmente disponible en App Store hay una edición iPad de Microsoft OneNote para iPad (gratis) y Microsoft Lync 2010 for iPad (gratis). OneNote es una potente herramienta de anotación de notas compatible con las versiones PC y Mac del software. Lync es una herramienta para comunicarse con colaboradores o grupos vía Web. Mientras tanto, la aplicación gratuita Microsoft SkyDrive proporciona a su dispositivo iOS acceso al servicio de compartición de archivos basado en la nube de Microsoft.
Para determinar si una aplicación Microsoft Office (o suite de aplicaciones) se ha lanzado para el iPad, visite App Sotre y escriba Microsoft Office en el campo de búsqueda.

Trabajar con documentos y archivos Microsoft Office al utilizar la aplicación Documents To Go

La aplicación Documents To Go Premium - Office Suite de DataViz, Inc. (http://www.dataviz.com) ofrece compatibilidad de documentos y archivos con Microsoft Office. Esta aplicación ofrece la misma funcionalidad y características básicas que obtiene cuando utiliza Microsoft Office en un ordenador de sobremesa o portátil, pero diseñada para el iPad. Esto incluye la posibilidad de crear, visualizar, editar, imprimir y compartir documentos y archivos Word, Excel y PowerPoint.

Esta aplicación también facilita compartir (importar/exportar) documentos y archivos compatibles con Office vía correo electrónico o por medio de los servicios populares de compartición de archivos basados en la nube, incluido Google Docs y Dropbox. Documents To Go Premium - Office Suite viene con software gratuito para un PC o Mac para facilitar la sincronización y transferencia de archivos en una red inalámbrica.

Documents To Go Premium - Office Suite cuenta con una interfaz de usuario y disposición de menú únicas. En otras palabras, las herramientas disponibles de edición y formato son similares a las disponibles en Microsoft Office en un PC o Mac, pero la estructura de menú y disposición de la aplicación es bastante diferente. La aplicación soporta archivos y documentos de las versiones Office 2007, 2008 y 2010.

Documents To Go Premium - Office Suite también ofrece la característica propietaria "InTact Tecnology", que ayuda a compensar automáticamente la incompatibilidad de formato (incompatibilidad de tipo de letra o estilo) cuando un archivo o documento se transfiere desde un ordenador a un iPad (o desde un iPad a un ordenador).

Existen varias versiones de la aplicación Documents To Go en App Store. Solamente la edición Documents To Go Premium - Office Suite le permite crear, editar y ver documentos y archivos Word, Excel, PowerPoint y PDF, así como utilizar una gran cantidad de servicios de compartición de archivos basados en la nube. La versión más barata de la aplicación no le permite editar o crear archivos compatibles con PowerPoint, por ejemplo, además de otras limitaciones. Ambas versiones, sin embargo, son compatibles con el software iWork de Apple.

Advertencia: Tanto si está utilizando las aplicaciones iWork, Documents To Go, Quickoffice como otra aplicación para crear o editar archivos y documentos Microsoft Office, a menos que su iPad tenga la misma biblioteca de fuentes que su ordenador principal, podría descubrir problemas menores de compatibilidad de fuente mientras trabaja.

De forma similar, podría descubrir problemas o incompatibilidades de formato de página con las transiciones y animaciones de diapositivas PowerPoint cuando utilice un iPad e intente trabajar con archivos creados en un PC o Mac (o transfiera un archivo o documento creado con un iPad a un PC o Mac).

La aplicación compatible con Office que utiliza a menudo compensa automáticamente los problemas menores de compatibilidad. Sin embargo, asegúrese de revisar los documentos o archivos para confirmar que la aplicación los ha tratado correctamente.

Por ejemplo, después de transferir una presentación PowerPoint a su iPad, revíselo cuidadosamente antes de presentarlo ante una audiencia. Cuando importa o exporta archivos PDF creados desde documentos o archivos Office, se preservan perfectamente todos los formatos y fuentes, si bien su capacidad para editar documentos o archivos en formato PDF se limita en función de la aplicación de lector PDF que utilice.

Trabajar con documentos y archivos Microsoft Office al utilizar la aplicación Quickoffice

La aplicación Quickoffice Pro HD de Quickoffice, Inc. (consulte la dirección Web `http://www.quick,office.com/quickoffice_pro_hd_ipad`) ofrece una herramienta de creación y edición de archivos y documentos compatible con Word, Excel y PowerPoint, así como con una variedad de servicios de compartición de archivos basados en la nube y herramientas software en línea, como Google Docs.

Al utilizar esta aplicación, puede importar, visualizar, editar, imprimir o compartir archivos y documentos compatibles con Microsoft Office con facilidad. También puede crear documentos o archivos desde cero en su tableta y después compartirlos con otros ordenadores o dispositivos móviles que ejecutan software Microsoft Office.

Quickoffice Pro HD es una aplicación con varios módulos distintos, que se utiliza para procesar texto, gestionar hojas de cálculo y trabajar con presentaciones de diapositivas digitales. Sin embargo, el módulo de procesador de texto es compatible con los archivos Microsoft Word (`.doc` y `.docx`) y el módulo de hoja de cálculo con los archivos Excel (`.xls` y `.xlsx`). Las herramientas de diapositivas digitales incorporadas en la aplicación son compatibles con los archivos PowerPoint (`.ppt` y `.pptx`).

Los tres módulos que componen Quickoffice Pro HD pueden exportar archivos o documentos en formato PDF y todos ofrecen posibilidades de impresión inalámbricas AirPrint. También puede utilizar la aplicación como un visualizador de archivos PDF.

Cuando se refiere a crear o editar archivos y documentos compatibles con Microsoft Office, la aplicación Quickoffice Pro HD ofrece herramientas robustas de formato que le permiten controlar fácilmente fuentes, estilos de letra, formato de página y párrafo, y otros elementos de un archivo o documento. La aplicación también funciona bien cuando el iPad está en modo retrato o paisaje, y soporta una variedad de características iOS como seleccionar, copiar, cortar y pegar.

Cuando utiliza Quickoffice Pro HD en un iPad, descubrirá que la aplicación ofrece muchas de las mismas características y funciones incorporadas en Microsoft Office pero la interfaz de usuario y diseño de menú de la aplicación son bastante diferentes de lo que ejecuta el software Microsoft Office en un ordenador portátil o de sobremesa. Sin embargo, una vez se acostumbre a trabajar con Quickoffice Pro HD, encontrará que ofrece las características y funcionalidades que necesita para hacer su trabajo cuando está de camino y, aún así, mantener la compatibilidad de archivo con otros usuarios de Microsoft Office en PC Windows o Mac OS X. Como sus competidores, Quickoffice le permite importar o exportar documentos y archivos vía correo electrónico o sincronización de documentos y archivos al utilizar una variedad de servicios de compartición de archivos basados en la nube, incluidos Evernote, Dropbox, Google Docs, Huddle, SugarSync, Egnyte y Catch. También puede publicar contenido en Facebook, Twitter, LinkedIn y otros sitios de redes sociales en línea directamente desde la aplicación.

Truco: Además de Documents To Go y Quickoffice, existen multitud de otras aplicaciones de terceros disponibles desde App Store, como Smart Office, que ofrece compatibilidad con Microsoft Office. Para encontrar estas aplicaciones, visite App Store y busque por Microsoft Office.

Una diferencia entre estas aplicaciones es cómo puede compartir documentos y archivos con otros ordenadores o usuarios. Todas las aplicaciones le permiten enviar documentos y archivos (o recibir documentos y archivos) vía correo electrónico, pero cada una funciona con una selección diferente de servicios de compartición de archivos basados en la nube. No todos son compatibles con iCloud, Dropbox (`http://www.dropbox.com`) o SkyDrive de Microsoft (`http://explore.live.com/skydrive-mobile`), por ejemplo.

Asegúrese de elegir una solución que no solamente le permita crear y/o editar los documentos y archivos compatibles con Microsoft Office que necesita, sino que también se adapte a sus necesidades en términos de sincronización inalámbrica y compartición de archivos con su ordenador principal y sus colaboradores.

Acceder a su ordenador principal de forma remota con su iPad

Cuando utiliza las aplicaciones iWork de Apple o una aplicación de terceros para ver, crear, editar, imprimir o compartir archivos y documentos Word, Excel, PowerPoint y PDF, tiene que preocuparse de pequeños problemas de compatibilidad de fuente y formato. También tiene que sincronizar y transferir satisfactoriamente archivos y documentos entre su ordenador y la tableta.

Si su iPad tiene acceso continuo a Internet, otra opción para trabajar con archivos y documentos completamente compatibles con Microsoft Office es utilizar una aplicación remota de escritorio, que le permite acceder y controlar de forma inalámbrica su PC o Mac directamente desde su tableta vía Internet o una red inalámbrica.

Después de establecer una conexión remota entre su iPad y PC o Mac, todo lo que se vea en el monitor de su ordenador se mostrará casi en tiempo real en la pantalla de su tableta.

La figura 11.1 muestra un iPad ejecutando en remoto Microsoft Word en un Mac al utilizar la aplicación Splashtop. En el Mac, el software Splashtop Streamer se ejecuta simultáneamente, de tal modo que hay una conexión segura entre el ordenador y la tableta.

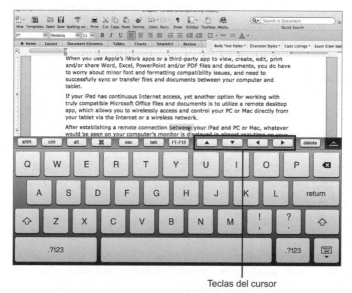

Teclas del cursor

Figura 11.1. *Splashtop es una de las aplicaciones menos caras y más sencillas de escritorio remoto disponibles para iPad.*

Una buena característica de Splashtop es que cuando se utiliza el teclado virtual del iPad, se encuentran disponibles las teclas del cursor justo por encima del teclado para que la navegación por un documento sea más rápida y precisa. Botones adicionales de teclas del cursor también se pueden mostrar en la pantalla sin el teclado virtual del iPad (véase la figura 11.2).

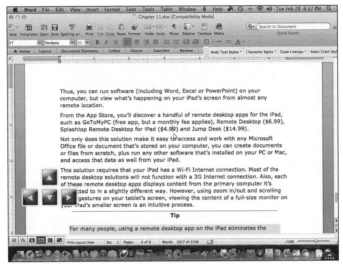

Figura 11.2. *Al utilizar Splashtop, se muestran las teclas del cursor por encima del teclado virtual o separadas del teclado.*

> **Truco:** *Para muchas personas, utilizar una aplicación de escritorio remoto en el iPad elimina la necesidad de viajar con un ordenador notebook porque su iPad puede satisfacer sus necesidades.*

De esta forma, puede ejecutar software (incluido Word, Excel o PowerPoint) en su ordenador pero ver lo que sucede en la pantalla de su iPad desde casi cualquier lugar remoto.

En App Store, puede encontrar una variedad de aplicaciones de escritorio remoto para el iPad, como GoToMyPC (gratuita), Remote Desktop, Splashtop Remote Desktop for iPad y Jump Desk.

No solamente la aplicación de solución de escritorio remoto facilita utilizar su iPad para acceder y trabajar con cualquier archivo o documento Microsoft Office guardado en su ordenador, sino que puede crear documentos o archivos desde cero, ejecutar cualquier otro software instalado en su PC o Mac y acceder a datos guardados en otro ordenador.

Esta solución requiere que su iPad tenga una conexión a Internet Wi-Fi. La mayoría de las soluciones de escritorio remoto no funcionan con una conexión a Internet 3G. Además, cada una de estas aplicaciones muestra contenido desde el ordenador principal al que está conectado de una forma algo diferente. Sin embargo, ver el contenido de un monitor mayor en la pantalla más pequeña de su iPad es un proceso intuitivo.

Nota: *Cuando instala una aplicación de escritorio remoto en su iPad, también debe instalar software adicional (proporcionado de forma gratuita) y ejecutarlo en su PC o Mac siempre que quiera establecer una conexión segura entre su ordenador y la tableta. Además, para que funcione esta solución, su ordenador principal se debe dejar encendido mientras esté fuera. Después de configurar el software de escritorio remoto (un proceso que lleva unos minutos), tomar el control de su PC o Mac desde su iPad es un proceso sencillo que le permitirá acceder a documentos, archivos y datos, además de ejecutar software en su ordenador con muy poco retraso.*

12. Realizar videoconferencias y reuniones virtuales

Aunque el iPad no está diseñado para trabajar como un teléfono móvil, cuando esté conectado a Internet, puede utilizar el iPad como un teléfono de voz sobre IP (VoIP) con una aplicación de terceros como Skype o Line2.

Gracias a la cámara, micrófono y altavoz incorporados en la tableta, también puede utilizar el iPad como una herramienta de videoconferencia cuando tenga disponible una conexión a Internet. La aplicación FaceTime preinstalada en su iPad2 o nuevo iPad está diseñada especialmente para videoconferencia (de forma gratuita) con otros usuarios Mac, iPad, iPhone e iPod touch.

> **Truco:** Los usuarios Mac pueden descargar el software FaceTime desde Mac App Store. Viene preinstalado en todos los dispositivos iOS de Apple con cámaras frontal y trasera incorporadas, incluidos los más recientes modelos iPad, iPhone e iPod touch. Utilizar el servicio FaceTime es gratuito y de uso ilimitado.

Para hacer videoconferencias sencillas con PC, Mac u otros dispositivos móviles Web, la aplicación Skype ofrece una alternativa sencilla gratuita, aunque también puede utilizar las características premium del servicio.

También puede utilizar su tableta para videoconferencias y asistir a reuniones virtuales mediante GoToMeeting o WebEx, por ejemplo, descargando las aplicaciones que le permiten conectarse a estos servicios de pago desde App Store.

Nota: En algunos casos, es posible participar en videoconferencias al utilizar una conexión a Internet 3G o 4G. Sin embargo, para experimentar la más alta calidad de vídeo y las conexiones más nítidas posibles sin agotar rápidamente su asignación mensual de datos inalámbricos, debería utilizar una conexión a Internet Wi-Fi. De hecho, se requiere una conexión Wi-Fi para utilizar ciertos servicios como FaceTime.

Nota: Otra forma de comunicarse con amigos Mac y usuarios de dispositivos iOS es vía mensajes de texto o mensajería instantánea gracias al servicio mejorado iMessage *de Apple y la aplicación Mensajes de su iPad. Descubrirá cómo utilizar esta aplicación de mensajes de texto en este capítulo. En lugar de utilizar una red móvil para mensajes de texto (desde su teléfono móvil), la aplicación Mensajes de su iPad utiliza el propio servicio de mensajería instantánea/mensajería de texto iMessage basado en Internet de Apple.*

Utilizar FaceTime para videoconferencias

La primera vez que lance la aplicación FaceTime, tiene que configurar una cuenta gratuita ID de Apple o introducir su nombre de usuario y contraseña ID de Apple existente. También se le solicita que introduzca una dirección de correo electrónico asociada a su cuenta FaceTime.

Tanto su ID de Apple o la dirección de correo electrónico que proporcione se convierte en su identificador FaceTime único (que actúa como un número de teléfono), de modo que otros usuarios pueden iniciar conexiones con usted cuando ambos ejecuten FaceTime en sus dispositivos. Cuando quiera realizar una llamada a otro usuario FaceTime, debe conocer la dirección de correo electrónico (la asociada con su cuenta FaceTime) de la otra persona o número de teléfono iPhone.

Después de que complete el proceso de configuración inicial de FaceTime (lleva menos de uno minuto), siempre y cuando ejecute FaceTime en su tableta y esté conectado a Internet a través de una conexión Wi-Fi, podrá iniciar o recibir llamadas y participar en videoconferencias.

Nota: *Los usuarios de FaceTime en un iPad2 o nuevo iPad, iPod touch o Mac utilizan un ID de Apple o dirección de correo electrónico como su identificador cuando realizan conexiones con la aplicación o software FaceTime. Sin embargo, si establece contacto con un usuario iPhone 4/4s vía FaceTime, utilice el número de teléfono móvil del iPhone.*

Después de que haya conectado su iPad a la red Wi-Fi, lance la aplicación FaceTime. Tan pronto como se lanza, se activa la cámara frontal de la tableta automáticamente, y debería verse en la pantalla del iPad.

A la derecha de la pantalla existe una ventana que le solicita que se registre con su nombre de usuario y contraseña ID de Apple (véase la figura 12.1). Escriba esta información y, después, pulse sobre el botón **Conectarse**.

Figura 12.1. Utilice su ID de Apple para conectarse al servicio FaceTime.

Ahora está listo para iniciar o recibir llamadas FaceTime y participar en una videoconferencia vía Web. Cerca de la esquina inferior derecha de la pantalla de esta aplicación se muestran tres botones: **Favoritos**, **Recientes** y **Contactos** (véase la figura 12.2).

Crear una lista Favoritos FaceTime

Una lista Favoritos en FaceTime es una lista que puede personalizar para incluir las personas con las que realiza videoconferencias FaceTime más a menudo. Realmente, esta opción Favoritos sirve como una lista de marcación rápida con un sólo toque.

Figura 12.2. *Cuando FaceTime se ejecuta en su iPad, verá tres botones cerca de la esquina inferior derecha de la pantalla.*

Para añadir un contacto, pulse el signo más en la esquina superior derecha de la ventana Favoritos y, luego, seleccione las personas de su base de datos de contactos. En la entrada Contactos de cada persona, si la persona es un usuario de iPhone 4/4s, asegúrese de asociar el número de teléfono móvil a la etiqueta iPhone en lugar de a la etiqueta de teléfono móvil. Hacerlo así ayuda a que la aplicación FaceTime identifique y se conecte fácilmente con esa persona.

Utilizar la lista Recientes de FaceTime

Cuando pulsa el icono **Recientes** mientras utiliza FaceTime, verá una lista de personas con las que ya se ha comunicado utilizando FaceTime. Pulse sobre cualquier de los contactos de esa lista para realizar una videoconferencia de nuevo con esa persona. Si es la primera vez que utiliza la aplicación FaceTime, esta ventana estará vacía excepto para las pestañas Todas y Perdidas que se muestran en la parte superior de la ventana.

Después de utilizar la aplicación, la pestaña Todas muestra todas las videoconferencias FaceTime en las que ha participado, así como las llamadas entrantes perdidas. Pulse sobre la pestaña Perdidas para ver sólo una lista de las llamadas entrantes FaceTime a las que no ha respondido.

Elegir Contactos preferidos FaceTime

El icono **Contactos** que se muestra cerca de la esquina inferior derecha de la pantalla FaceTime le permite seleccionar para llamar a cualquier persona listada en su base de datos Contactos.

Para iniciar una llamada con alguien que también tenga FaceTime instalado y operativo en su ordenador o dispositivo móvil iOS, seleccione esa persona de su lista Contactos y pulse sobre la dirección de correo electrónico o número de teléfono iPhone que ha utilizado para registrarse en FaceTime. Si se puede realizar una conexión, el icono **FaceTime** aparecerá junto al nombre de la persona en la aplicación FaceTime. Cuando inicie una llamada, en la parte inferior central de la pantalla se muestra el mensaje FaceTime con y el nombre de la persona. Junto a esta etiqueta está el botón **Finalizar**, que puede pulsar en cualquier momento para terminar la conexión (véase la figura 12.3).

Figura 12.3. *Tan pronto como pulse sobre el nombre de la persona para llamarla desde FaceTime, la aplicación intenta iniciar una conexión de videoconferencia con esa persona.*

Participar en una llamada FaceTime

Si la persona con la que está hablando responde con la aplicación FaceTime, su propia imagen que se mostraba en el modo pantalla completa en la pantalla de la tableta se reduce. Ahora se muestra en la esquina inferior derecha de la pantalla. El resto de la pantalla del iPad muestra la persona con la que está conectada con FaceTime (véase la figura 12.4).

> **Nota:** *Si inicia una llamada FaceTime pero la persona a la que está llamando no responde después de un minuto más o menos, verá el mensaje FaceTime no disponible. [Nombre] no está disponible para iniciar FaceTime.*

Mientras participa en una videoconferencia, observe que en la parte inferior de la pantalla FaceTime existen tres botones de comando: **Silencio**, **Finalizar**, **Cambiar cámara**. Utilícelos para los siguientes propósitos:

- Pulse sobre el botón **Silencio** para continuar la conexión de vídeo pero silenciando el micrófono incorporado del iPad, de modo que la persona con la que se comunica pueda verle pero no oírle.

- Pulse sobre el botón **Finalizar** para terminar la conexión FaceTime y finalizar la llamada.

Figura 12.4. *Cuando participa en una videoconferencia con alguien utilizando FaceTime, éste sería el aspecto de la pantalla de su tableta.*

- Pulse sobre el botón **Cambiar cámara** para alternar entre las dos cámaras incorporadas en su iPad. La cámara frontal apunta hacia usted, mientras que la cámara trasera del iPad muestra aquello a lo que esté apuntando.

La aplicación FaceTime es bastante sencilla de utilizar y es una herramienta potente para videoconferencias. Lo mejor de utilizar FaceTime es que es gratuita y puede comunicarse con cualquier persona en el mundo que también utilice la aplicación o software FaceTime.

Es decir, nunca tendrá que pagar por llamadas de larga distancia, llamadas internacionales o tarifas de itinerancia del teléfono móvil cuando utilice FaceTime. Tampoco tiene que preocuparse de agotar los minutos de teléfono móvil ni su asignación mensual de datos inalámbricos 3G/4G. Y el mayor beneficio de utilizar FaceTime es que puede ver y escuchar a la persona con la que se comunica.

Participar en reuniones virtuales desde cualquier parte

Si su empresa utiliza un software de reuniones virtuales gratuito como GoToMeeting o WebEx, existen aplicaciones que le permiten participar en estas reuniones con su iPad desde cualquier sitio donde haya disponible una conexión a Internet (como desde su casa, habitación de hotel, piscina o la oficina de un cliente). Las conferencias Web o reuniones virtuales suponen utilizar Internet para conectarse con gente en diferentes ubicaciones, permitiéndoles hablar mientras que, de forma simultánea, comparten información en las pantallas de sus ordenadores en tiempo real. Esta posibilidad de uso ha cambiado la forma en que muchas empresas hacen negocios.

GoToMeeting ofrece posibilidades de reunión virtual

Uno de los pioneros en el campo de las reuniones virtuales es Citrix Systems, Inc. con su software GoToMeeting para PC y Mac. Para los usuarios iPad, está disponible en App Store una aplicación gratuita i que permite a las personas asistir a reuniones virtuales en línea que inician otros al utilizar GoToMeeting o GoToWebinar.

Los asistentes que utilizan un PC o Mac para participar en una reunión pueden utilizar audioconferencias vía servicio voz sobre IP al utilizar los micrófonos y altavoces de sus ordenadores, a la vez que de forma simultánea pueden ver lo que el anfitrión de la reunión muestra en la pantalla de su ordenador, como una presentación PowerPoint o un informe de hoja de cálculo. Además, las personas pueden colaborar, por ejemplo, en la realización de documentos Word.

Gracias a la aplicación GoToMeeting para iPad (véase la figura 12.5), los usuarios de tableta pueden hacer cualquier cosa que un asistente a la reunión pueda hacer con un PC o Mac, como ver quién está presentando, quién habla en cada momento o quién asiste a la reunión.

Al utilizar la aplicación GoToMeeting, los participantes también pueden ver exactamente qué se muestra en la pantalla del presentador y, al mismo tiempo, unirse a una conversación de voz vía una conexión VoIP (al utilizar el micrófono y altavoz incorporado en el iPad o un auricular conectado a la tableta).

La aplicación GoToMeeting se ha diseñado para utilizar algunas de las características clave de la tableta, como su interfaz de pantalla táctil, así como poder acercar el contenido que se muestra durante una reunión.

Si es un ejecutivo que quiere o necesita "asistir" a reuniones desde fuera de su oficina, esta aplicación es ideal. Cuanto esté invitado a una reunión virtual vía correo electrónico, simplemente pulse desde el iPad sobre el vínculo incorporado en la invitación para conectarse a una reunión, y la aplicación GoToMeeting se lanzará. Desde la aplicación puede introducir manualmente una ID de reunión y su nombre de usuario para conectarse a una reunión en segundos.

Truco: *Para ver una demo gratuita de cómo funciona GoToMeeting en un iPad, visite* `http://www.gotomeeting.com/iPad`.

Figura 12.5. *Cuando asiste a una reunión virtual en un iPad utilizando GoToMeeting, puede ver y escuchar a los otros participantes además de compartir lo que se muestra en la pantalla del anfitrión.*

Otra opción de reunión virtual: la plataforma WebEx

Además de utilizar el software GoToMeeting de Citrix y la aplicación iPad, Cisco Systems proporciona funcionalidad similar por medio de su solución popular de reunión virtual WebEx (http://www.webex.com).

Para negocios, consultores o emprendedores que ya utilizan WebEx para sus reuniones, la empresa ofrece una aplicación gratuita iPad que permite que las personas asistan a reuniones virtuales desde sus dispositivos móviles Apple. Los usuarios se conectan a través de un punto de acceso Wi-Fi o mediante una conexión Web 3G/4G.

Advertencia: Participar en una reunión virtual requiere utilizar una gran cantidad de datos inalámbricos, lo que rápidamente agotará su asignación de datos inalámbricos 3G/4G mensual. Para evitar recargos por uso adicional de datos inalámbricos, considere utilizar una conexión gratuita Wi-Fi para participar en reuniones virtuales al utilizar la aplicación GoToMeeting o WebEx.

Para planificar y organizar una reunión en WebEx de Cisco, el anfitrión debe utilizar el software WebEx desde un Mac o PC y ser un subscriptor de pago del servicio.

Asistir a reuniones, sin embargo, es gratuito y no requiere ser un miembro WebEx (pero se requiere el software gratuito WebEx para el PC, Mac, iPhone o iPad). Puede descargarse WebEx para iPad en App Store.

Realizar y recibir llamadas de teléfono o videoconferencia con Skype

Skype es un servicio de telefonía de VoIP que le permite hacer y recibir llamadas telefónicas en la Web (al contrario que una red de telefonía móvil o línea de telefonía tradicional). Cuando se utiliza con un iPad o un smartphone u ordenador con una cámara incorporada, también permite videoconferencias gratuitas al utilizar una conexión 3G, 4G o Internet Wi-Fi.

Además de ser una herramienta de comunicaciones potente y barata para usuarios de PC y Mac gracias a la aplicación Skype para iPad, el servicio es completamente funcional en iPad2 o nuevo iPad para llamadas telefónicas y videoconferencias de VoIP.

La aplicación Skype utiliza el micrófono, altavoz (o auriculares) y cámara incorporados de su iPad para permitirle escuchar y ser escuchado durante llamadas, y ser escuchado y visto durante videoconferencias.

Realizar llamadas ilimitadas Skype a Skype es gratuito. Sin embargo, existe una pequeña cuota por minuto para realizar llamadas a teléfonos fijos o móviles desde su iPad con Skype (véase la figura 12.6). Esta cuota por minuto normalmente suelen ser unos céntimos, incluso si viaja al extranjero y realiza una llamada a España. También puede ahorrar una fortuna en llamadas internacionales desde España cuando realiza llamadas a otro país.

La funcionalidad de videoconferencia de Skype es similar a utilizar FaceTime, si bien es compatible con el software Skype o las aplicaciones que se ejecutan en otros dispositivos, como PC, Mac y dispositivos móviles (incluidos smartphones y tabletas de muchos fabricantes).

A través de Skype, puede obtener su propio número de teléfono único (por una cuota mensual adicional) que viene con desvío de llamadas, buzón de voz y otras funciones.

Con su propio número de teléfono puede gestionar llamadas entrantes tanto si Skype está activado o no o su iPad conectado a la Web. También puede recibir en su iPad llamadas de gente desde una línea fija que no utiliza Skype.

Figura 12.6. *Puede realizar y recibir llamadas de voz al utilizar la aplicación Skype para iPad o utilizarla para videoconferencias.*

De esta manera, las personas pueden localizarle a bajo coste al marcar un número de teléfono local con independencia del lugar a dónde se encuentre viajando. Sin embargo, puede iniciar llamadas (y también recibirlas de otros usuarios Skype) sin pagar por un número de teléfono local exclusivo. Cuando lleve a cabo un viaje al extranjero, realizar y recibir llamadas desde un móvil (como un iPhone) tiene un coste de itinerancia internacional. Con Skype, estas mismas llamadas cuestan bastante menos. De forma alternativa, puede pagar una tarifa plana para realizar y recibir llamadas ilimitadas nacionales e internacionales desde su iPad.

En términos de calidad de llamada, mientras se encuentre ubicado dentro de un área que disponga de cobertura 3G/4G o de un punto de acceso Wi-Fi y su iPad tenga una buena conexión a la Web, las llamadas son claras. La aplicación Skype es fácil de utilizar y le permite mantener una lista de contactos de personas llamadas frecuentemente, marcar al utilizar el teclado del teléfono y mantener un historial detallado de llamadas que lista las llamadas entrantes, salientes y perdidas.

Si opta por establecer una cuenta de pago Skype (tiene su propio número de teléfono exclusivo y puede realizar llamadas de usuarios no Skype a usuarios Skype), configurar la cuenta tarda sólo unos minutos una vez visite la dirección Web http://www.skype.com. Todos los cargos se cargan a una cuenta de crédito o de débito.

Enviar y recibir mensajes de texto con iMessage

Si utiliza un teléfono móvil o Smartphone, como el iPhone 4/4s, probablemente esté familiarizado con el concepto de mensajería de texto. Mediante su proveedor de telefonía móvil, puede utilizar su teléfono para enviar un mensaje de texto privado al teléfono de un destinatario. Este mensaje de texto puede incluir una fotografía, clip de vídeo u otros datos adjuntos. En un segundo o dos después de enviar su mensaje de texto, el destinatario recibe el mensaje y puede responderlo, lo que le permite mantener una conversación basada en texto.

La principal desventaja de la mensajería de texto vía su teléfono móvil es que su proveedor de servicio le suele cobrar un extra por esta característica, y/o permite que se envíe un determinado número de mensajes de texto como parte de su tarifa de servicio mensual.

El servicio `iMessage` de Apple permite que cualquier dispositivo Mac o iOS conectado a la Web envíe y reciba mensajes de texto ilimitados (o mensajes instantáneos) al utilizar la aplicación gratuita Mensajes preinstalada en todos los iPads que ejecutan iOS 5.1 o posterior. El software Mensajes para el Mac está actualmente disponible de forma gratuita desde el sitio Web de Apple y, desde verano de 2012, preinstalado como parte del sistema operativo OS X Mountain Lion para Mac.

iMessage tiene ventajas y desventajas. En la parte positiva, se trata de un servicio totalmente gratuito. Puede enviar y recibir tantos mensajes de texto o mensajes instantáneos como quiera. En la parte negativa, este servicio solamente funciona con otros dispositivos Mac e iOS.

Como cualquier aplicación de mensajería de texto, el servicio iMessage de Apple le permite participar en múltiples y simultáneas "conversaciones" de mensajes de texto por separado. Cuando participa en un diálogo basado en texto, los mensajes de texto que envía se muestran en un color diferente a los mensajes que recibe, de modo que es sencillo seguir el progreso de un diálogo.

Para iniciar una conversación iMessage o recibir mensajes de texto, debe asociar una dirección de correo electrónico con su cuenta gratuita iMessage. Este correo electrónico sirve como su identificador único (como un número de teléfono). Puede utilizar su ID de Apple o cualquier otra dirección de correo electrónico existente. La dirección de correo electrónico que tiene intención de utilizar debe añadirse a la opción **Recibir en**, en la pantalla **Mensajes** de la aplicación Ajustes.

Cuando lance la aplicación Mensajes puede componer un nuevo mensaje de texto saliente o responder a un mensaje entrante desde el teclado virtual del iPad. Para crear y enviar un nuevo mensaje de texto, complete el campo **Para** en la ventana **Nuevo mensaje** (véase la figura 12.7)

Figura 12.7. *Para crear un nuevo mensaje de texto, comience por rellenar el campo Para de la ventana Nuevo mensaje.*

Truco: *En el nuevo iPad, puede utilizar la característica **Dictado** para componer un mensaje saliente en lugar de escribirlo en el teclado virtual. Para hacer esto, pulse sobre el botón **Dictado** en el teclado virtual y comience a hablar cuando se le solicite.*

En el campo Para, puede introducir la dirección de correo electrónico que el destinatario ha asociado con su cuenta iMessage. De forma alternativa, puede seleccionar esta información de su base de datos Contactos al escribir el nombre del destinatario en el campo Para y, luego, seleccionar la dirección de correo electrónico adecuada de la lista Contactos.

Nota: *Si envía un mensaje a un usuario iPhone, utilice el número de teléfono de su iPhone en el campo Para de su mensaje.*

Para buscar manualmente en su base de datos Contactos, pulse sobre el signo más azul y blanco situado a la derecha del campo Para. Después de rellenar el campo Para, tiene la opción de pulsar sobre la ventana vacía Asunto y completarla, o puede simplemente componer su mensaje de texto en el campo apropiado.

Para adjuntar una foto digital o clip de película en un mensaje de texto saliente, pulse sobre el icono de cámara, a la izquierda de la ventana Asunto, y seleccione la opción Hacer foto o grabar vídeo o Seleccionar existente.

Si selecciona Hacer foto o grabar vídeo, la aplicación lanza la Cámara del iPad. Si selecciona la opción Seleccionar existente, se lanza la aplicación Fotos y puede elegir una foto o clip de vídeo digital que esté almacenado en su iPad.

Después de componer su mensaje, pulse sobre el icono azul y blanco **Enviar** para enviar el mensaje vía Internet al destinatario.

Nota: Para utilizar la aplicación Mensajes y enviar y recibir mensajes de texto a través del servicio iMessage de Apple, su iPad tiene que tener acceso a Internet vía Wi-Fi o 3G/4G.

Si es un usuario Mac, iPad o iPhone, siempre y cuando esté configurada inicialmente la aplicación Mensajes en cada ordenador y dispositivo con la misma información de cuenta iMessage, puede comenzar una conversación en un ordenador o dispositivo, cambiar a otro y seguir exactamente donde lo dejó.

Cuando el destinatario de su mensaje responde, se muestra su mensaje entrante en la ventana, a la derecha de la pantalla, si la conversación está abierta. De lo contrario, se muestra una alerta de mensaje entrante a la izquierda de la pantalla (así como en la ventana de Centro de notificaciones). Puede pulsar en cada conversación listada a la izquierda de la pantalla, una cada vez, para leer los mensajes entrantes de diferentes personas y responderles.

Si envía un mensaje a alguien que está actualmente en línea, el mensaje se recibe cuando vuelva a acceder a su aplicación Mensajes o utilice su dispositivo iOS para acceder a la Web. De forma similar, cuando activa su iPad para volverse a conectar a la Web, se muestran sus mensajes entrantes perdidos en la ventana Centro de notificaciones, y a la izquierda de la pantalla de la aplicación Mensajes cuando vuelve a lanzar la aplicación.

13. Descubrir las aplicaciones de negocios imprescindibles

El iPad es una potente herramienta que incluye una variedad de aplicaciones útiles y preinstaladas. Sin embargo, al buscar, comprar e instalar aplicaciones de terceros puede personalizar la tableta. También puede añadir una gran variedad de funcionalidad adicional al dispositivo móvil.

Este capítulo muestra una pequeño conjunto de aplicaciones de negocios en general y describe algunas de las aplicaciones de especial interés que pueden ahorrarle tiempo y dinero, aumentar su productividad y mejorar su organización cuando viaja, participar en reuniones o hacer malabares con las numerosas tareas y responsabilidades que gestiona en su día a día.

> **Truco:** Las aplicaciones presentadas aquí tienen un atractivo general entre empresarios, comerciales y consultores, pero son solamente un pequeño ejemplo de las aplicaciones disponibles desde App Store en las categorías Economía y empresa, Finanzas, Productividad, Referencia y Redes sociales.
> Incluso si algunas de las aplicaciones descritas en este capítulo no son relevantes directamente para sus necesidades, podrían ayudarle a entender las diferentes formas que tiene de utilizar su tableta para gestionar tareas que podría haber pensado que no eran posibles.

Para encontrar cualquiera de las aplicaciones descritas en este capítulo, abra la aplicación App Store en su tableta y, luego, escriba el título de la aplicación en el campo **Buscar** que se muestra en la esquina superior derecha de la pantalla (véase la figura 13.1).

Figura 13.1. *Utilice el campo Buscar de App Store para encontrar aplicaciones específicas en función de su título o una palabra clave.*

Después de escribir el título de la aplicación, pulse sobre la tecla **Buscar** en el teclado virtual y pulse sobre el resultado de búsqueda que coincida con la aplicación específica que está buscando (véase la figura 13.2). Se muestra una pantalla Descripción. Luego, puede comprar, descargar e instalar la aplicación. Para navegar por las aplicaciones de una categoría específica, siga estos pasos:

1. Abra la aplicación App Store en su iPad cuando esté conectado a Internet.

2. En la parte inferior de la pantalla, pulse sobre el icono de comando **Categorías**. Aparece una lista de 22 categorías de aplicaciones.

3. Pulse sobre una categoría, como Economía y empresa o Finanzas.

4. Cuando se muestre la lista de aplicaciones específicas de la categoría, pulse sobre el icono Ordenar por que se muestra cerca de la esquina superior derecha de la pantalla para ordenar y mostrar la lista de aplicaciones individuales por Fecha de lanzamiento (se muestran primero las aplicaciones más nuevas), Con más popularidad (se muestran primero las aplicaciones más vendidas), o de forma alfabética.

Figura 13.2. *Después de ejecutar una búsqueda, se muestra una lista de aplicaciones relacionadas. Pulse sobre cualquier aplicación de la lista para revelar su pantalla Descripción.*

También puede ver una lista de aplicaciones con más popularidad en cada categoría al pulsar sobre el icono de comando **Top charts** que se muestra en la parte inferior de la pantalla principal de App Store. Luego, pulse sobre el icono de comando **Categorías** en la esquina superior izquierda de la pantalla para seleccionar una categoría. La lista de aplicaciones Top apps de pago para iPad para la categoría seleccionada se muestra en la parte superior de la pantalla y una lista de Top Apps gratis para iPad se muestra en la parte inferior. Pulse sobre cualquier lista de aplicación en App Store para revelar una descripción detallada de esa aplicación (véase la figura 13.3). Desde la pantalla Descripción de una aplicación, puede descargar e instalar la aplicación al pulsar sobre el icono del precio (o el icono **GRATIS**) que se muestra.

25 aplicaciones de negocio que mejoran las posibilidades de uso de su iPad

Lo siguiente es solamente un ejemplo de las aplicaciones de negocio disponibles desde App Store. Muchas de estas aplicaciones, listadas en orden alfabético, le presentan nuevas tareas que van más allá de lo que es posible al utilizar las aplicaciones preinstaladas que vienen con iOS 5.1. A menudo, a medida que navegue por App Store, descubrirá múltiples aplicaciones que están diseñadas para gestionar las mismas funciones o tareas pero que ofrecen características ligeramente diferentes o una interfaz gráfica única. Por ejemplo, PDFpen es una de las varias decenas de aplicaciones que le permiten visualizar, editar, anotar, imprimir y compartir archivos PDF en el iPad.

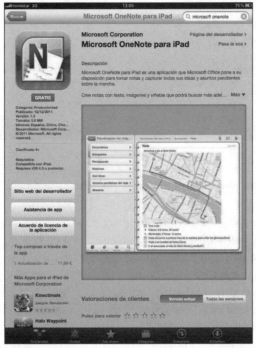

Figura 13.3. *La pantalla Descripción de una aplicación muestra los detalles de la aplicación, su precio, valoración, reseñas de clientes e imágenes de pantallas relacionadas. Pulse sobre el icono del precio (o GRATIS) para comprar, descargar e instalar la aplicación.*

Con cada aplicación descrita en este apartado, se listan además aplicaciones similares. Mientras revisa las descripciones de aplicación al navegar por App Store, preste atención a su valoración media, reseñas de clientes, lista de características e imágenes de pantallas de ejemplo que le ayudarán a elegir qué aplicación se ajusta mejor a sus necesidades personales.

Truco: *Si está disponible una versión gratuita, considere descargarla en una versión de prueba antes de invertir en la versión de pago de la aplicación.*

Nota: *Además de utilizar App Store en su iPad, es posible también acceder y comprar aplicaciones iPad utilizando iTunes en un PC o Mac y, luego, sincronizar su tableta con su ordenador principal o transferir sus aplicaciones compradas a su iPad vía iCloud. Se requiere una ID de Apple para comprar aplicaciones desde App Store. Desde cualquier navegador Web también puede investigar las aplicaciones al visitar el sitio Web de App Store (*`http://itunes.apple.com`*), aunque no comprarlas.* **Truco:** *Siempre que sea posible, elija la versión para iPad específica de una aplicación porque está diseñada para utilizar al máximo su tableta. Recuerde, sin embargo, que las aplicaciones específicas de iPad no se ejecutan en iPhones o en otros dispositivos iOS. Si también utiliza un iPhone, a menos que quiera comprar dos versiones diferentes de la misma aplicación, seleccione la versión híbrida o iPhone de la aplicación para instalar tanto en su tableta como en el teléfono.*

1Password Pro

Uno de los muchos retos que afrontan las personas es la necesidad de memorizar decenas de contraseñas, números ID, nombres de usuario y otra información confidencial relacionada con su identificación personal, bancaria y sitios Web favoritos. Al utilizar una aplicación como 1Password Pro (11,99 €), es posible crear y gestionar un base de datos fácilmente accesible pero segura que contiene todos sus nombres de usuario, contraseñas, números ID e información relacionada.

Lo que es útil de 1Password Pro es que su base de datos personalizada se puede sincronizar con un PC o Mac (al utilizar software opcional Windows o OS X). También puede personalizar la base de datos para guardar tipos de información específicos, como URL de sitios Web y sus nombres de usuario y contraseñas o tarjetas de crédito con sus números de cuentas relacionadas, PIN, fechas de caducidad e información de contacto de temas bancarios o financieros.

Puede configurar los diferentes apartados de la base de datos para guardar detalles de cuentas bancarias, información de tarjetas de crédito, información de ID personal (carnet de conducir, pasaporte, número de la Seguridad Social, etc.), información de socio y sitios Web visitados frecuentemente, por ejemplo.

1Password Pro utiliza una interfaz de usuario sencilla e intuitiva pero a su vez cifra y protege con contraseña todos los datos. La aplicación incluye una buena colección de características diseñadas para facilitar el seguimiento de información importante y altamente confidencial. Aplicaciones similares disponibles desde App Store: My Secret Folder, mSecure, oneSafe, eWallet, PasswordWallet y Private Photo Vault.

Dropbox

Como usuario iPad, es probable que esté ya familiarizado con el servicio iCloud de Apple y las tareas para las que se puede utilizar un servicio de compartición de archivos basado en la nube, como copias de seguridad o sincronización de datos inalámbricos con otros ordenadores, dispositivos móviles y usuarios.

Además de iCloud, existen muchos otros servicios de compartición de archivos basados en la nube que proporcionan funcionalidad similar y que ofrecen cuentas gratuitas con una cantidad predeterminada de espacio de almacenamiento en línea. Estos servicios facilitan que los usuarios iPad compartan datos, documentos, fotos y archivos; hagan copia de seguridad de información remota; colaboren con otros usuarios; y transfieran información importante entre una tableta y otros ordenadores o dispositivos móviles.

Muchos de los servicios populares basados en la nube ahora soportan el iPad, incluido Dropbox. La funcionalidad Dropbox se ha incorporado directamente en cientos de aplicaciones iPad de terceros. La aplicación Dropbox permite a un iPad que esté conectado a la Web importar archivos fácilmente desde una cuenta Dropbox basada en la nube, o exportar archivos a una cuenta Dropbox con unos cuantos toques en la pantalla de la tableta. Dropbox es totalmente compatible con los PC, Mac y la mayoría de los otros dispositivos móviles que pueden acceder a Internet.

Aplicaciones similares disponibles desde App Store: Box, Evernote, CloudOn y Microsoft SkyDrive.

eFax

Su iPad puede ayudarle a comunicarse con otras personas de muchas formas. Por ejemplo, utilice la aplicación Mail para enviar y recibir correos electrónicos o la aplicación Mensajes para enviar y recibir mensajes de texto. Puede utilizar FaceTime, Skype o WebEx en iPad para videoconferencia. También puede realizar y recibir llamadas de teléfono vía voz sobre IP (VoIP) al utilizar las aplicaciones Skype, Line2, Talkatone o CallTime.

Con una aplicación de terceros, puede transformar su iPad en un dispositivo que envíe y reciba faxes de forma inalámbrica vía Web. La aplicación eFax se integra de forma amigable con Contactos y le permite añadir una firma digital a los documentos salientes. También puede personalizar las hojas de cubierta y visualizar o buscar a través de faxes enviados y recibidos.

Para configurar una cuenta, visite `http://www.eFax.com`. Aplicaciones similares disponibles desde App Store: Fax It, iFax, JotNot Fax y Pocket Fax.

Evernote

Si quiere utilizar su iPad como procesador de texto, la aplicación Pages de Apple le permite crear documentos compatibles con Microsoft Word en su tableta desde cero y, luego, compartirlos con otros ordenadores o dispositivos vía correo electrónico, iCloud u otros servicios de compartición de archivos. También puede importar documentos Word o Pages creados en otra parte de su iPad para su uso en la aplicación Pages.

La aplicación gratuita Evernote es una potente aplicación para tomar notas que puede utilizar para componer documentos y listas detalladas. Con cada documento, puede grabar y adjuntar clips de audio o imágenes digitales (fotos). Lo que es útil sobre Evernote es que luego puede guardar y organizar sus documentos, listas y notas en cuadernos virtuales separados, que se pueden sincronizar fácilmente con un ordenador o notebook u otros dispositivos móviles al utilizar el correo electrónico o una variedad de servicios populares basados en la nube.

Las versiones de Evernote están disponibles para PC, Mac, todos los dispositivos iOS y otros sistemas operativos móviles, de modo que con independencia del equipamiento que utilice, sus documentos y archivos Evernote pueden estar sincronizados. Para aprender más o adquirir otras versiones de Evernote, visite `http://www.evernote.com`.

Aunque Evernote no ofrece posibilidades de formato sólido de un procesador de texto con todas las características, ofrece numerosas herramientas para organizar, gestionar y compartir documentos y listas. Después de que haya guardado contenido en Evernote, puede realizar búsquedas y acceder a él fácilmente.

Aplicaciones similares disponibles desde App Store: Simplenote, Microsoft OneNote, JotAgent, Note+, Awesome Note HD, Notes Plus, Note Taker HD, Ghostwriter Notes, Super Note, Penultimate, Easy Note + To Do y Noteability.

FileMaker Go for iPad

Para muchas empresas, tener una aplicación creada proporciona una solución personalizada para realizar una gran variedad de tareas gestionables vía iPad. Para profesionales independientes o empresarios, sin embargo, es muy costoso desarrollar una aplicación personalizada. Afortunadamente, existe una variedad de soluciones viables.

FileMaker continúa siendo una de las herramientas más potentes de gestión de base de datos del mercado. Al utilizar este software de PC, Mac o red, puede crear y desplegar aplicaciones de base de datos altamente complejas y extremadamente personalizables. La aplicación FileMaker hace que estas bases de datos personalizadas sean accesibles desde el iPad.

Esta aplicación permite que los usuarios accedan y utilicen bases de datos FileMaker desde cualquier sitio al que se pueda conectar un iPad a Internet vía conexión Wi-Fi, 3G o 4G. Al utilizar FileMaker Go, los datos de inventario o de clientes se pueden buscar, acceder, visualizar e imprimir de forma inalámbrica, o bien la información se puede recopilar o difundir entre una base de datos centralizada y el iPad.

Se debe crear una base de datos personalizada con FileMaker Pro antes de que se pueda acceder con `FileMaker Go for iPad`. Para muchas empresas, FileMaker Pro proporciona la herramienta perfecta para crear lo más cercano posible a una aplicación propietaria iPad, sin incurrir en tiempo y gastos de la programación, pruebas y despliegue de la aplicación. Utilizar FileMaker no requiere programación.

Para aprender más sobre cómo FileMaker se utiliza para aplicaciones móviles altamente personalizadas en un amplio conjunto de industrias, visite `http://www.filemaker.com/products/filemaker-go/`. Para aplicaciones de base de datos menos sofisticadas que también se pueden personalizar, se pueden utilizar las aplicaciones Bento 4 for iPad o Things for iPad con sus respectivas versiones PC o Mac.

Aplicaciones similares disponibles desde App Store: Bento 4 for iPad y Things for iPad.

FlightTrack Pro

De todas las aplicaciones creadas para viajeros, muchos usuarios iPad que son viajeros frecuentes consideran que FlightTrack Pro (7,99 €) es la mejor diseñada y con mejores características. Además de ayudar a gestionar su itinerario de viaje, sincroniza automáticamente datos con la aplicación Calendario y le mantiene informado, en tiempo real, de los retrasos de vuelos, cancelaciones, cambio de puertas y otros detalles relacionados con su viaje. FlightTrack Pro (véase la figura 13.4) funciona con toda gran aerolínea y contiene información prácticamente sobre todos los principales aeropuertos en todo el mundo.

Al utilizar esta aplicación, puede hacer seguimiento de cualquier vuelo en tiempo real, además de acceder a información en función de la historia pasada del vuelo, para determinar los cambios en su llegada a tiempo. Esta información es útil si va a recoger a alguien en el aeropuerto o necesita coordinar transporte a su llegada.

Si se cancela un vuelo, esta aplicación le ayuda a encontrar rápidamente un vuelo alternativo en línea. También puede compartir su itinerario por correo electrónico, determinar desde qué cinta saldrá su equipaje cuando aterrice y podrá visualizar la previsión del tiempo local para su destino.

Figura 13.4. *FlightTrack Pro gestiona un amplio conjunto de tareas relacionadas con vuelos y le ayuda a gestionar de forma más eficiente su itinerario de viaje.*

FlightTrack Pro utiliza la Web inalámbrica para mantenerle bien informado, además de que está diseñada para trabajar con TripIt.com, así que no tiene que introducir su itinerario de viaje manualmente. Simplemente remita la confirmación de vuelo que recibe por correo electrónico a `plans@TripIt.com` y su información de itinerario se sincroniza automáticamente con la aplicación FlightTrack Pro y la aplicación Calendario.

Realmente es una aplicación indispensable para viajeros frecuentes. Va más allá de ser una herramienta de organización, y puede eliminar parte del estrés de volar en cualquier línea aérea comercial en cualquier parte del mundo.

Aplicaciones similares disponibles desde App Store: FlightTrack Live, FlightAware Flight Tracker, KAYAK Vuelos, Hoteles, Coche, FlightBoard, TripIt – Travel Organizer, Skyscanner, Flight Update y Flight Status.

GrubHub

Si es un viajero frecuente de negocios que constantemente solicita el servicio de habitaciones de los hoteles, a menudo se ve forzado a trabajar hasta tarde en la oficina o está demasiado cansado para cocinar una comida saludable cuando llega a casa, la aplicación gratuita GrubHub ofrece una solución de cena asequible.

El servicio GrubHub está asociado con más de 25.000 restaurantes en las principales ciudades para hacer que el menú de cada restaurante esté disponible para llevar, a menudo sin cargo adicional. De esta forma, si vive o visita cualquiera de las más de 300 ciudades asociadas, puede utilizar esta aplicación para identificar automáticamente su ubicación y encontrar los restaurantes que participan localmente, ver sus menú, hacer un pedido, pagar con tarjeta de crédito o PayPal y tener la comida en su casa, oficina o habitación de hotel, a menudo en 30 o 60 minutos.

En lugar de estar limitado a la comida rápida, GrubHub ofrece reparto de los mejores restaurantes (así como opciones de cena menos costosas). Las opciones no son sólo abundantes, sino también saludables. GrubHub ofrece una alternativa barata a los servicios de habitación del hotel, que suelen caracterizarse por un menú limitado y el cobro de un 15 a un 25 por 100 por el servicio de distribución de comida.

Aplicaciones similares disponibles desde App Store: muchos de los restaurantes de cadenas favoritas como Starbucks, McDonald's, Pizza Hut, Chipotle, Papa John's, Ruth's Chris Steakhouse, Outback Steakhouse, The Capital Grille, Subway y Baja Fresh tienen sus propias aplicaciones personalizadas que le pueden ayudar a encontrar la ubicación más cercana de donde esté.

Invoice2Go

Para pequeños empresarios y consultores, la necesidad de generar y enviar facturas a tiempo y de forma eficiente es esencial. Al utilizar el software Facturas al instante con Invoice2go Lite – iPad en un PC o Mac (11,99 €), tiene la posibilidad de crear facturas con aspecto profesional que puede diseñar desde cero o adaptar desde más de 300 plantillas de facturas ofrecidas con el software y la aplicación.

Existe disponible una versión gratuita de Facturas al instante con Invoice2go Lite – iPad. Incluye 20 plantillas de facturas incorporadas. Es una versión reducida de la aplicación de pago, pero sigue siendo funcional y útil.

Es posible encontrar y generar la factura perfecta a cobrar a un cliente por sus productos, servicios o tiempo al utilizar esta aplicación. Para facturas enviadas electrónicamente, puede añadir un botón interactivo PayPal, de modo que el receptor pueda pagarle con un clic de ratón. A medida que genera la factura, se calculan automáticamente los totales e impuestos.

> **Nota:** *Utilice la aplicación Facturas al instante con Invoice2Go Lite – iPad para crear y generar órdenes de compra personalizadas, presupuestos y notas que pueden contener toda la información de su empresa, incluido su logotipo.*

Además de generar simplemente las facturas, esta aplicación genera informes de ventas y de negocio en 16 formatos diferentes, permitiéndole enviar por correo electrónico facturas directamente a clientes desde su iPad y mantener un registro de pagos entrantes. Puede imprimir facturas e informes de forma inalámbrica desde el iPad, o puede transferir todos los datos y sincronizarlos con la aplicación en su ordenador. Los datos de Invoice2Go también se pueden exportar para su uso en el software de contabilidad QuickBooks de Intuit que se ejecute en su ordenador principal o red.

Invoice2Go puede cumplir todas las necesidades de factura de sus clientes; incluso el software y la aplicación (cada uno de los cuales se puede utilizar como producto independiente) son extremadamente sencillos y no requieren de conocimientos de contabilidad para utilizarlos completamente. Para más información, visite `http://www.Invoice2go.com`.

Aplicaciones similares disponibles desde App Store: invoiceASAP, Quick Sale for iPad, Invoice Robot, iQuote, Simple Invoices – Services, Invoice Studio, Invoice Generator HD y TapInvoice.

Microsoft OneNote para iPad

Basado en el software Microsoft OneNote para ordenadores de sobremesa y portátil, la edición para iPad está diseñada para capturar ideas, tomar notas y gestionar las listas de tareas. La aplicación gratuita le permite crear notas que incorporan texto, imágenes o elementos de viñetas que se pueden buscar, así como listas completas con casillas de verificación.

La aplicación OneNote es también compatible con Microsoft SkyDrive, de modo que puede hacer una copia de seguridad de sus documentos y notas en línea, compartirlos con otros o sincronizarlos con ordenadores o dispositivos móviles que ejecutan el software o aplicación OneNote. Al utilizar la edición gratuita de OneNote, puede crear más de 500 notas. Más allá de esto, es necesario actualizar la edición ilimitada de la aplicación con una compra a través de la aplicación.

Al combinar elementos de un editor de texto y de un gestor de listas de tareas, pero no la funcionalidad completa de un procesador de texto, OneNote ofrece una forma personalizable de crear, gestionar y compartir información y listas. La funcionalidad de la aplicación es parecida a Evernote.

Aplicaciones similares disponibles desde App Store: Evernote, Text Writer, Note Taker HD, Notes Plus, Noteshelf, iA Writer y WritePad Español.

Nota: Se cree que Microsoft está trabajando en una edición iPad de Microsoft Office, que incluirá procesador de texto, gestión de hojas de cálculo y posibilidades de visualización de diapositivas digitales bien por medio de una aplicación o una suite de aplicaciones que serán completamente compatibles con Microsoft Office para PC y Mac.

Buscar Trabajo en Monster para iPad

Además de servir como una potente herramienta de comunicación, organización y productividad en el trabajo, su iPad también puede ser una potente herramienta de búsqueda de trabajo y ayudarle a encontrar y aterrizar en el trabajo de sus sueños.

Esta aplicación le permite conectarse vía Internet al famoso servicio en línea Monster.es para crear currículum vítae personalizados y cartas de presentación y después realizar búsquedas y solicitar puestos de trabajo. Monster.es mantiene una amplia base de datos de puestos disponibles en prácticamente todas las industrias. La aplicación también se puede utilizar para alertarle de nuevos puestos a los que puede optar en su área geográfica o en cualquier parte del mundo.

Al utilizar esta aplicación, puede gestionar todos los aspectos de su proceso de búsqueda de trabajo y utilizar las herramientas de Monster.es para ayudarle a identificarlas y luego presentarse a los puestos para los que esté más cualificado.

Aplicaciones similares disponibles desde App Store: Job Finder for iPad, Resume Templates App, JobAnimal.com, My Resume, Easy Resume y IT Jobs+.

PDFpen

Al visitar App Store e introducir en el campo **Buscar** la palabra **PDF**, descubrirá decenas de aplicaciones de iPad que le permiten crear, ver, anotar, imprimir, organizar, guardar y compartir archivos PDF. Algunas de estas aplicaciones tienen propósitos muy diferentes. Por ejemplo, Adobe Reader simplemente le permite visualizar archivos PDF que ya se encuentran creados y guardados en su tableta.

Muchas aplicaciones, como Pages, Numbers y Keynote, también le permiten crear archivos PDF que puede compartir. La aplicación PDFpen (11,99 €) es una de las aplicaciones más potentes para trabajar con archivos PDF, la cual le permite visualizar, editar, anotar, imprimir, organizar y compartirlos con facilidad. Está diseñada como un editor PDF completo compatible con iCloud, Dropbox, Evernote y Google Docs. De esta forma, es más sencillo compartir archivos PDF con los PC, Mac y otros dispositivos móviles.

La posibilidad de crear, visualizar, editar, anotar, imprimir, organizar y compartir archivos PDF es una obligación de la mayoría de los ejecutivos móviles. Al añadir estas posibilidades de uso a un iPad, reduce la necesidad de un netbook mientras esté fuera.

Aplicaciones similares disponibles desde App Store: Adobe Reader, PDF Reader Pro, SignMyPad, iAnnotate PDF y UPAD.

Nota: *Los archivos PDF (Portable Document Format) son un tipo de archivo estándar de la industria creado originalmente por Adobe hace ya casi dos décadas. Con este formato de archivo, puede guardar un archivo o documento que se puede ver fácilmente en cualquier ordenador, navegador Web o dispositivo móvil mientras su apariencia, fuentes y formato permanecen intactos. El formato PDF proporciona una forma conveniente de compartir información entre PC y Mac y otros dispositivos, y asegura compatibilidad completa con independencia de qué software esté utilizando para crear o ver el archivo PDF. Durante mucho tiempo, después de crear el archivo PDF, se podía ver pero no se podía editar o anotar. La aplicación PDFpen para iPad permite editar o anotar archivos PDF después de que se hayan creado. Por tanto, puede añadir una firma digital a un documento (véase la figura 13.5 al utilizar PDFpen) o alterar el documento en su tableta con independencia de dónde o cómo se creó originalmente.*

Figura 13.5. *Al utilizar PDFpen puede marcar o anotar un contacto, carta o documento que se transfiere o crea en su iPad a formato PDF. Luego, puede enviarlo por correo electrónico a otras personas (o subirlo a un servicio de compartición de archivos basado en la nube).*

Puede exportar prácticamente todo tipo de archivo o documento que se pueda imprimir, sin importar qué software lo creó, en el formato de archivo PDF con las herramientas adecuadas (incorporadas en algunos paquetes y aplicaciones software o disponibles al usar software o aplicaciones adicionales).

Photon Flash Web Browser

El navegador Web Safari que viene preinstalado en todos los dispositivos móviles iOS, incluido el iPad, es una potente aplicación que se utiliza para navegar por la Web. Aunque se continúan añadiendo nuevas características a este navegador Web con cada nueva versión de iOS que lanza Apple, una característica que permanece ausente es la posibilidad de mostrar animación Adobe Flash y gráficos.

Hasta hace poco, cuando navegaba por la Web, la mayoría de las animaciones en sitios Web estaban creadas con un lenguaje de programación denominado Flash. Para visualizar estas animaciones, se requería un plug-in Flash para su navegador Web. Apple nunca ha puesto disponible un plug-in Flash para la versión iOS de Safari. Como resultado, no es posible acceder completamente a ningún sitio Web que utilice programación Flash.

Con la popularidad creciente de los dispositivos iOS, muchos de los desarrolladores y programadores de sitios Web han dejado de utilizar animaciones Flash en sus sitios. Sin embargo, como usuario iPad, si realmente necesita visitar sitios Web que utilizan Flash, tiene dos soluciones.

Photon Flash Web Browser (3,99 €) es una aplicación de navegación Web completa para el iPad que sirve como alternativa a utilizar Safari cuando navega por la Web. Este navegador Web es compatible con la mayoría de los sitios Web basados en Flash, por lo que puede mostrar sus animaciones y gráficos.

Una segunda alternativa para visualizar gráficos basados en Flash mientras navega por la Web en un iPad es utilizar una aplicación de escritorio remoto para acceder y controlar un PC o Mac de forma remota. Cuando su iPad tiene control sobre su ordenador principal vía Internet o una red inalámbrica, puede ejecutar cualquier navegador Web y navegar por la Web vía su ordenador y ver cualquier cosa en la pantalla de su tableta (con un ligero retraso de tiempo). Aplicaciones similares disponibles desde la App Store: Flash Web Browser y FlashIE.

Pulse

La aplicación Pulse News for iPad (gratis) es una lector de noticias personalizable que le permite seleccionar y elegir entre una amplia selección de noticias y sitios Web de interés especial a seguir. También monitoriza sus cuentas Facebook y Twitter y presenta nuevo contenido en un formato similar a una tira de imágenes en una única pantalla en la que se puede desplazar.

Después de instalar la aplicación Pulse específica de iPad en su tableta, comienza a monitorizar una gran cantidad de sitios Web en su nombre. Cada fuente de noticias o sitio Web tiene su propia columna horizontal.

Desplácese de izquierda a derecha entre cada columna para ver los titulares de esa fuente de noticias o sitio Web, o pulse sobre un titular específico para leer una historia de noticias o artículo al completo (o acceder a fotos relacionadas, vídeos o contenido de audio). De forma similar, desplácese arriba o abajo por la pantalla para visualizar contenido rápidamente de otras fuentes de noticias o sitios Web.

Lo que hace de Pulse una aplicación potente y útil es que puede personalizar completamente qué fuente de noticia y sitios Web monitoriza y, después, seleccionar el orden en el que se muestra la información. Para comenzar a personalizar la aplicación, pulse sobre el icono que se muestra en la esquina superior izquierda de la pantalla principal de Pulse.

Las fuentes de noticias que puede monitorizar su iPad al utilizar Pulse se dividen en una variedad de categorías por tema, como Sociedad, Cultura, Economía, Salud, Ciencia, Deportes y Tecnología. Debajo de cada cabecera de categoría existen, al menos, una docena de sitios Web o fuentes de noticias que puede hacer que Pulse monitorice por usted. Esto incluye las noticias locales, nacionales, internacionales u otras relacionadas con un contenido o tema específico.

La aplicación Pulse le permite agrupar sitios Web y fuentes de noticias por tema, y luego mostrar estos temas como "paquetes" en páginas aparte.

El contenido que se muestra en Pulse (véase la figura 13.6) utiliza titulares de texto y fotos a todo color. Cada vínculo puede llevarle a un artículo de texto, vídeo, colección de fotos, clip de audio o contenido Web multimedia, por ejemplo.

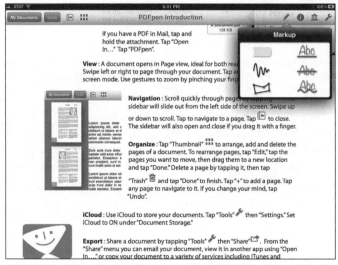

Figura 13.6. *Al utilizar Pulse, puede monitorizar fácilmente múltiples fuentes de noticias en línea y ver solamente artículos, fotos, historias de noticia, contenido multimedia o vídeos de interés directo para usted.*

Al visitar `http://www.pulse.me` y configurar una cuenta gratuita, puede escoger sus preferencias de contenido Pulse una vez y, luego, ver ese contenido al utilizar aplicaciones Pulse en los otros dispositivos móviles iOS, Windows Phone y Android.

Aplicaciones similares disponibles desde la App Store: Flipboard.

QuickVoice Recorder

Al utilizar el micrófono que está incorporado en su iPad, puede utilizar la tableta como un grabador de audio digital completo. Puede utilizar esta funcionalidad como una herramienta de dictado o para grabar reuniones, por ejemplo. Algunas de las aplicaciones de grabación digital, como GarageBand, pueden transformar el iPad en un estudio de grabación digital.

QuickVoice Recorder es una de las aplicaciones de grabación digital más sencillas de utilizar. Es ideal para la grabación de dictados, notas de voz, conferencias, clases o reuniones. Puede reproducir las grabaciones en el iPad o transferirlas (sincronizadas) a un ordenador, servicio de compartición de archivos basado en la nube u otro dispositivo móvil. También está disponible una versión QuickVoice para PC y Mac.

La interfaz de usuario que se utiliza en QuickVoice Recorder resulta muy sencilla. Para llevar a cabo una grabación, simplemente pulse sobre el gran botón rojo **Grabar**. Puede nombrar sus grabaciones y reproducirlas de nuevo al pulsar el gran botón verde **Reproducir**. También es posible hacer una pausa y reanudar una grabación.

> **Truco:** *Si la calidad del micrófono incorporado en su iPad no es lo suficientemente buena para que se ajuste a sus necesidades, varias compañías de terceros ofrecen micrófonos externos que se conectan a la clavija del auricular de la tableta y ofrecen calidad de grabación significativamente alta. Por ejemplo, Mic-W (`http://www.mic-w.com`) ofrece sus i-Series de micrófonos de calidad profesional para el iPad, que incluyen un micrófono de alta sensibilidad, un micrófono profesional Class 2 y un micrófono de solapa.*

Aplicaciones similares disponibles desde App Store: Smart Recorder, Audio Memos, QuickVoice2Text Email, Voice Recorder HD, Voice Memos for iPad, iRecorder Pro, AudioNote, Smart Recorder, Super Note: Voice Recorder, Recorder HD y Mobile Recorder HD.

Remember the Milk

Cuando Apple lanzó iOS 5 para el iPad, el sistema operativo incluía una nueva aplicación preinstalada denominado Recordatorios, que es un potente gestor de tareas pendientes. Para algunas personas, sin embargo, Recordatorios no se ajusta a sus necesidades en lo que se refiere a gestionar listas, información de organización o priorizar tareas.

La aplicación Remember the Milk (gratis) ofrece una alternativa a la aplicación Recordatorios. Le permite sincronizar datos fácilmente entre esta aplicación y Outlook, iCal, Gmail, Google Calendar, Twitter y otros servicios, aplicaciones y software.

Como podría esperar de un gestor de tareas, Remember the Milk le permite crear un número ilimitado de listas de tareas pendientes y luego priorizar las listas, así como cada elemento en cada lista. Cada lista de tareas pendientes también se puede acompañar con notas o fotos, y se pueden realizar búsquedas de todos los elementos.

La interfaz de usuario y algunas de las características principales de Remember the Milk son diferentes de la aplicación Recordatorios, aunque puede utilizar cualquiera para gestionar satisfactoriamente una amplia cantidad de información en el formulario de listas de tareas pendientes.

Aplicaciones similares disponibles desde App Store: iPost-It, Wunderlist HD, To+Do, Errands To-Do List, Toodledo, Task PRO, 2Do, Awesome Lists, Easy Note + To Do. iReminder y Evernote.

Seesmic Ping

Cientos de millones de personas en todo el mundo han comenzado a participar en los sitios en línea de redes sociales, como Facebook, Twitter y LinkedIn. Sin embargo, cuando participa en un nuevo sitio, tiene que publicar actualizaciones y contenido en cada cuenta por separado. De esta forma, si tiene múltiples cuentas en servicios separados, permanecer activo en línea puede resultar una tarea que le lleve mucho tiempo.

Seesmic Ping (gratis) automatiza el proceso de la actualización de su estado y añade contenido a los varios servicios de redes sociales en línea al permitirle crear una actualización y, simultáneamente, publicarlo en múltiples cuentas del mismo servicio o servicios separados. Al utilizar esta aplicación, puede añadir vínculos URL, fotos y su ubicación en cada actualización. Además, puede crear actualizaciones, si bien planifique los tiempos específicos con antelación a publicarlos en línea.

Componer un mensaje con Seesmic Ping es tan sencillo como utilizar la característica de componer mensaje de la aplicación Facebook o Twitter, por ejemplo. Esta aplicación, sin embargo, guarda automáticamente todos sus mensajes y le permite conocer en qué servicio se ha publicado cada uno.

Si es un usuario activo en Facebook, Twitter, LinkedIn o en otros sitios de redes sociales en línea, la aplicación Seesmic Ping puede ahorrarle tiempo y facilitar la publicación de contenido y actualizaciones a todas sus cuentas simultáneamente.

Aplicaciones similares disponibles desde App Store: iSocial Connect, Hellotxt, HootSuite y Yoono.

Splashtop

Imagine poder acceder y ejecutar cualquier software o utilizar cualquier archivo, documento o datos que se guardan en su ordenador de sobremesa (en casa o en su oficina) desde su iPad, en cualquier momento y cualquier lugar. Esto es posible al utilizar una aplicación de escritorio remoto como Splashtop (véase la figura 13.7).

Figura 13.7. *Mostrado aquí, Microsoft Word, Adobe Photoshop Elements y Microsoft PowerPoint se ejecutan a la vez en un Mac controlado desde un iPad.*

Siempre y cuando su ordenador principal esté encendido y se ejecute el software gratuito Splashtop, puede utilizar su iPad para acceder de forma remota a su ordenador desde cualquier parte y ejecutar software o acceder a archivos desde ahí. La pantalla en su iPad muestra todo en la pantalla de su ordenador principal y le permite controlar software de PC o Mac, por ejemplo, al utilizar la pantalla táctil de la tableta.

Para que la navegación por la pantalla a tamaño completo de su ordenador principal desde la pantalla más pequeña de su iPad sea más sencilla, la aplicación Splashtop añade teclas del cursor al teclado virtual de su tableta, además de utilizar una interfaz propietaria para reducir la cantidad de desplazamiento que, de otra forma, sería necesario.

En lugar de utilizar Pages para procesamiento de texto en su iPad, teniendo que exportar sus documentos Pages a formato Microsoft Word y luego, de alguna forma, transferir o sincronizar el documento a su ordenador, con Splashtop puede ejecutar la versión PC o Mac de Microsoft Word (o cualquier software para este tema) directamente desde su iPad para que pueda tener control completo sobre su ordenador principal.

La aplicación Splashtop es gratuita. Sin embargo, el desarrollador también ofrece la aplicación de pago Splashtop Pro (`http://www.splashtop.com/pro`) diseñada para uso corporativo. Además de poder acceder y utilizar archivos, datos y documentos, cuando utilice su iPad para ejecutar software desde su ordenador principal, también puede jugar a juegos, visualizar los sitios Web basados en Flash o ver contenido multimedia almacenado en su ordenador (sin transferirlo a su iPad primero).

Para que funcione Splashtop, su iPad debe tener acceso a una conexión a Internet Wi-Fi y su ordenador principal debe también estar encendido y conectado a la Web. Dependiendo del software que ejecute, podría experimentar cierto retraso pero, para la mayoría de las aplicaciones, es aceptable.

Al utilizar una solución de escritorio remoto como Splashtop, ya no tiene que preocuparse de transferir a su tableta los archivos, documentos o datos que necesita mientras esté fuera porque todo lo que haya guardado en su ordenador principal (así como los dispositivos de almacenamiento externo conectados a su ordenador) estará disponible.

Aplicaciones similares disponibles desde App Store: Remote Desktop, GoToMyPC y Jump Desktop.

The Weather Channel

Cuando prepara un viaje y decide qué llevar o qué hacer cada día una vez llegue a su destino, es extremadamente útil conocer el pronóstico del tiempo local. La aplicación gratuita The Weather Channel le permite seleccionar cualquier ciudad del mundo y obtener un informe detallado del tiempo actual, así como una previsión de tiempo ampliada. Además, puede ver los informes de televisión en streaming del Weather Channel, ver mapas animados de radar meteorológico y utilizar otras características en esta aplicación a color mientras controla el tiempo en una o más ciudades.

Utilice esta aplicación mientras hace la maleta para hacerse una idea de la temperatura diaria media en su destino, de modo que conozca con antelación si tiene que llevar más chaquetas, gorros y guantes, por ejemplo. Existen muchas aplicaciones relacionadas con el tiempo disponibles para iPad; sin embargo, la aplicación The Weather Channel Max para iPad está creada específicamente para el iPad y ofrece información de previsión e informes de tiempo de fuentes de confianza, muy respetadas.

Aplicaciones similares disponibles desde App Store: Weather HD, Nightstand Central for iPad, WeatherBug for iPad y Fahrenheit – El tiempo & Temperatura.

Things for iPad

Things for iPad (15,99 €) combina funcionalidad de una aplicación de gestión de una base de datos altamente personalizable con un gestor de lista de tareas pendientes y aplicación de agenda, permitiendo que se utilice para reunir, organizar, priorizar, mostrar y compartir una amplia variedad de información. Al gestionar de forma más eficaz listas de tareas pendientes, fechas de vencimiento y datos relacionados con proyectos, es más sencillo ser más eficiente durante su jornada de trabajo.

Things for iPad combina bien la funcionalidad que se encuentra en Calendario, Recordatorios y Centro de notificaciones, por ejemplo, en una sola aplicación personalizable. Se encuentra disponible una versión de Things (vendida por separado) para Mac e iPhone, de modo que sus datos personalizados se puedan sincronizar y utilizar en múltiples ordenadores y dispositivos.

Aplicaciones similares disponibles desde App Store: FileMaker Go y Bento para iPad.

Time Master + Billing

Si necesita hacer seguimiento de su tiempo y cobrarles a sus clientes por ello, la aplicación Time Master + Billing (7,99 €) es una de las varias aplicaciones que ofrecen esta posibilidad al utilizar un iPad. Tanto si es abogado, contable, contratista, consultor o freelance, la aplicación Time Master + Billing es una forma sencilla de hacer seguimiento de su tiempo (hasta en segundos, si es necesario) y gastos, además de generar facturas desde prácticamente cualquier sitio.

La aplicación le permite ejecutar múltiples contadores, iniciar y detenerlos según sea necesario y mostrar o exportar informes que puede compartir vía correo electrónico o sincronización.

Al utilizar la versión principal de la aplicación, sin embargo, puede exportar datos de hojas de tiempo a otros formatos, como CSV o HTML.

La interfaz de usuario de esta aplicación no es elegante, pero la funcionalidad incorporada en la aplicación es impresionante y versátil, lo que la hace ideal para su uso por profesionales de varios sectores.

Aplicaciones similares disponibles desde App Store: eBility Time Tracker for Intuit y Time Tracker Pro.

World Clock

Viajar entre zonas horarias y hacer seguimiento de la hora actual de donde está, así como de la zona horaria de su casa, es un constante reto para muchos viajeros. Además, muchos viajeros frecuentes han aprendido que no se debe confiar únicamente en el servicio despertador del hotel.

La aplicación World Clock (0,79 €) le permite visualizar entre 1 y 24 relojes que se programan para mostrar la hora actual en ciudades específicas de su elección. También puede establecer alarmas y llamadas despertador. La aplicación le permite configurar manualmente la hora actual del lugar en el que esté o puede determinar automáticamente la hora y fecha exacta al acceder a Internet.

Esta determinada aplicación de reloj le permite seleccionar entre cinco diseños de máscaras de reloj diferentes y ofrece una gran variedad de características útiles ideales para los viajeros del mundo.

Aplicaciones similares disponibles desde App Store: Clock+, Alarm Clock, Night Stand HD y World Clock HD.

XpenseTracker

Las personas que están fuera, que viajan por negocios o que entretienen o dan servicio a clientes, a menudo necesitan hacer seguimiento preciso y eficiente de los gastos personales o relacionados con la empresa. La aplicación XpenseTracker (3,99 €) es una de las varias disponibles desde App Store diseñada específicamente para este propósito.

Al utilizar esta aplicación, puede personalizar cómo hacer seguimiento de los gastos, por categoría o cliente, por ejemplo, y crear tantas categorías y subcategorías como sea necesario. Por cada gasto, puede guardar detalles sobre el tipo de pago e incluir una fecha y hora relacionada, u otras notas y detalles.

Además de permitirle crear informes de gastos de detalle, la aplicación hace seguimiento de qué gastos se han enviado ya para reembolso y qué gastos ya se han pagado. También, puede hacer seguimiento de los kilómetros del vehículo y calcular los tipos de cambio de moneda extranjera, si es necesario.

Puede exportar informes de gastos y datos a Microsoft Excel o Numbers, por ejemplo, o puede sincronizarlos con su ordenador principal. Los complementos a través de la aplicación incluyen soporte Dropbox y soporte de escáner OCR (que permite escanear recibos impresos directamente en la aplicación al utilizar un escáner opcional).

Aplicaciones similares disponibles desde App Store: Concur, Expensify, BizXPenseTracker, Expense Tablet for iPad, Visual Budget: Expense Tracker y Office Time – Time & Expense Tracking.

Yelp

Ideal para viajeros de negocios, Yelp (gratis) le ayuda a localizar rápidamente los negocios, restaurantes o servicios que quiera o necesite, prácticamente en cualquier ciudad. Además de mostrar una dirección y número de teléfono de la lista deseada, Yelp ofrece reseñas de clientes y valoraciones, además de direcciones de su ubicación actual.

Cuando se refiere a encontrar restaurantes, por ejemplo, puede buscar por región geográfica, precio o tipo de comida, y puede hacer reservas en restaurantes desde la aplicación. También puede utilizar Yelp para publicar dónde está y lo que hace en Facebook o Twitter o compartir sus propias impresiones sobre un negocio, restaurante o bar que esté visitando.

Yelp es una aplicación que resulta muy fácil de utilizar y que a la vez proporciona bastante más información que una aplicación típica de Páginas Amarillas o un directorio telefónico convencional. Yelp funciona con las aplicaciones Mapas y Contactos, por ejemplo, y a menudo utiliza fotos cuando proporciona listados de negocios o restaurantes. Al utilizar los detalles desde su aplicación Contactos y la cuenta Facebook (si aplica), Yelp puede compartir detalles sobre alguien que sabe que está cerca, así como las valoraciones y listas de favoritos Yelp de otros.

Utilice Yelp para encontrar fácilmente restaurantes, bares, cafeterías, gasolineras, farmacias, tiendas, salones/spas, discotecas, teatros, servicios profesionales, hoteles, iglesias u hospitales cercanos, por ejemplo, tanto si está en su ciudad o de viaje por cualquier parte del mundo.

Algunas aplicaciones similares disponibles desde App Store son: AroundMe y Zagats.

Descubrir lo qué las aplicaciones de viaje pueden hacer por usted

Aquí tiene un resumen de los diferentes tipos de aplicaciones de viaje que puede encontrar bajo la categoría Viajes de App Store.

- Aplicaciones como Kayak o Priceline están diseñadas para ayudarle a encontrar y reservar las mejores ofertas de tarifas áreas, hoteles y alquiler de coches.

- Casi cualquier aerolínea, cadena hotelera y compañía de alquiler de coches tiene su propia aplicación propietaria que le permite reservar viajes, revisar sus reservas, hacer cambios de última hora de su itinerario y gestionar los puntos/millas de viajero frecuente.

Truco: La aplicación AwardWallet (gratis) le permite crear y gestionar una base de datos centralizada y con actualización automática de sus cuentas de viajero frecuente y consultar saldos, actividad reciente y otros datos importantes.

Nota: Algunas de las aplicaciones de aerolíneas incluso le permiten hacer la facturación de un próximo vuelo vía Internet, elegir su asiento, facturar su equipaje y generar su tarjeta de embarque que se puede escanear desde la pantalla de su iPad cuando entra en el avión.

- Cuando realiza ajustes de viaje, utiliza aplicaciones gratuitas, como Trip Advisor Hoteles Vuelos Restaurantes para leer reseñas detalladas de miles de proveedores de servicios de viaje, hoteles, aerolíneas y restaurantes que han escritos otros viajeros. Descubra lo mejor y lo peor de lo que puede ofrecer un destino de viaje en particular.

- Utilice aplicaciones como FlightTrack Pro para gestionar cada aspecto de su itinerario de viaje después de haberlo reservado. Por ejemplo, puede hacer seguimiento en tiempo real de vuelos y hacer que la aplicación le alerte de cambios de puerta de última hora, cancelaciones de vuelo u otros problemas. Si estos problemas ocurren, pude utilizar la aplicación para encontrar vuelos alternativos y notificar a las personas que le esperan si su itinerario cambia vía correo electrónico o mensaje de texto. Cuando aterriza, la aplicación le dirige a la cinta de recogida de equipaje correcta para retirar su equipaje facturado, proporciona un mapa de detalle del aeropuerto de destino y ofrece una previsión del tiempo de varios días para su ciudad destino.

- En lugar de utilizar una guía de viaje tradicional impresa para ayudarle a moverse por una ciudad, la mayoría de los destinos de viaje cuentan con aplicaciones de guías de viaje interactivas. Estas aplicaciones utilizan la características GPS de su tableta para ayudarle a moverse por una ciudad, así como a compartir información sobre los mejores hoteles, atracciones, cosas que ver y restaurantes. También puede obtener aplicaciones de ciudades específicas que contienen mapas interactivos de metro y horarios que le ayudan a utilizar el sistema de transporte público de la ciudad.

- App Store incluye una colección de aplicaciones relacionadas con viajes que señalan su posición exacta e instantáneamente localizan un coche, limusina o compañía de taxi, permitiéndole programar una recogida en cualquier ciudad, a cualquier hora, con algunos toques sobre la pantalla de su iPad. Call A Taxi es una de esas aplicaciones.

- Mientras viaja, existen también aplicaciones que le ayudan a encontrar los mejores restaurantes para cenar (como Yelp, AroundMe o Zagat) y otras aplicaciones que le permiten hacer su reserva de restaurante desde su iPad

- Si viaja por el extranjero, la aplicación Skype le permite realizar llamadas de voz sobre IP siempre y cuando esté dentro del alcance de un punto de acceso Wi-Fi.

- Están disponibles muchas aplicaciones de conversión de diferentes monedas para ayudarle a convertir de forma precisa el euro a otras monedas y calcular rápidamente cuánto cuestan realmente las cosas en la parte del mundo donde esté. Cuando elige una de estas aplicaciones, seleccione una que no requiera acceso constante a la Web; de lo contrario, terminará pagando altos costes por tarifa de itinerancia de datos internacional.

Truco: No olvide que también puede utilizar su iPad para ver programas de televisión y películas, como lector ebook o consola de juegos, y ayudarle así a pasar el tiempo durante largos viajes (o durante retrasos de vuelos cuando está atrapado en un aeropuerto). Por supuesto, también puede utilizar su tableta con aplicaciones como Pages, Numbers, Keynote y FileMaker Go para seguir trabajando durante el vuelo.

Banca en Internet en su iPad

Muchos bancos importantes, instituciones financieras y emisores de tarjeta de crédito, como Banco Santander, BBVA, La Caixa, ofrecen ahora aplicaciones especializadas para gestionar su banca en línea y gestión de dinero desde el iPad. Puede comprobar fácilmente y de forma segura sus cuentas, transferir dinero entre cuentas, pagar facturas en línea, gestionar tarjetas de crédito y más al utilizar estas aplicaciones gratuitas del iPad específicas de bancos.

Ahorrar tiempo en su vida diaria

Más allá de las aplicaciones que son estrictamente de negocio, puede encontrar una amplia variedad de aplicaciones en App Store que pueden ahorrarle tiempo en su vida personal.

Muchas de sus cadenas de tiendas favoritas también tienen sus propias aplicaciones, que le permiten comprar en línea o encontrar la ubicación de la tienda más cercana. Si constantemente está fuera, de un lado para otro, la aplicación FedEx le ayuda a enviar y hacer seguimiento de paquetería, pero además le ayuda a encontrar la ubicación FedEx más cercana a donde esté.

O bien, si tiene la necesidad de una dosis de cafeína, la aplicación Where Is Starbucks le ayuda a encontrar la tienda Starbucks más cercana y decidir qué quiere pedir.

14. Mantenerse informado con las aplicaciones iBooks y Quiosco

Al descargar la aplicación gratuita iBooks 2 desde la App Store, puede transformar su iPad en un potente lector ebook, comprar ebooks desde la iBookstore en línea de Apple y ver archivos PDF importados a su tableta.

*Truco: Para instalar iBooks por primera vez en su iPad, lance la aplicación App Store. Escriba **iBooks** en el campo **Buscar** que se muestra en la esquina superior derecha de la pantalla y, luego, pulse sobre la tecla **Buscar** del teclado virtual. Cuando aparece en el listado, pulse sobre él. A continuación, desde la página de descripción iBooks, pulse sobre el icono **GRATIS** para descargar e instalar la aplicación.*

*Para asegurarse de que está utilizando la última versión de iBooks (versión 2.1 o posterior), lance la aplicación App Store y pulse sobre el icono de comando **Actualizar** que se muestra en la parte inferior de la pantalla. Si es necesario, podrá actualizar la aplicación iBooks al pulsar sobre el icono **Actualizar**.*

Sin embargo, si ya tiene un lector ebook, además de la aplicación iBooks, puede descargarse la aplicación propietaria desde App Store. Al utilizar una de estas otras aplicaciones ebook, puede descargar y leer ebooks formateados para estas aplicaciones. También puede acceder a su biblioteca personal de ebooks que ya haya adquirido para su otro lector ebook sin tener que volverlos a comprar. Cada lector ebook, como el del iPad, formatea los archivos ebook de forma diferente y muestra una interfaz diferente de lectura. Además, cada una de las diferentes tiendas ebooks en línea ofrece una selección diferente de títulos y cobran precios diferentes. Lo que está disponible desde la propia iBookstore de Apple a través de la aplicación iBook es solamente una opción más que tiene de ir de compras, comprar y añadir ebooks a su iPad.

Con independencia de qué lector ebook utilice con su iPad, tiene acceso a millones de títulos publicados por las editoriales líderes de todo el mundo. Además, tiene acceso a obras publicadas de autores que se autopublican, así como a contenido gratuito de dominio público.

> **Truco:** *Para descargar y leer una edición digital de una revista o periódico en su iPad y gestionar su suscripción digital, utilice la aplicación Quiosco. Para muchas publicaciones digitales, también necesita una aplicación gratuita y propietaria (que se puede descargar desde Quiosco y/o App Store).*

Seleccionar y descargar ebooks

La aplicación gratuita iBooks 2 tiene dos propósitos distintos pero relacionados. Sirve como un medio para acceder a iBookstore de Apple, desde donde puede encontrar, comprar y descargar ebooks de las editoriales, así como descargar ebooks gratuitos que son de dominio público.

Después de haber utilizado iBooks para descargar contenido ebook en su iPad, esta misma aplicación también puede utilizarla se utiliza para leerlo (véase la figura 14.1) al utilizar una interfaz de usuario personalizable que le permite personalizar cuántas páginas de su ebook aparecen en la pantalla.

iBooks 2 ofrece la posibilidad de visualizar ebooks interactivos mejorados, que pueden incluir texto, fotos, gráficos animados, audio y otros elementos interactivos. Libros de texto, libros infantiles, libros de cocina y libros de fotos están entre los tipos de libros que ofrecen la experiencia mejorada y táctil exclusiva de un iPad.

Acceder a la iBookstore

Desde la pantalla principal iBooks, que se parece a una estantería virtual (véase la figura 14.2), pulse sobre el icono **Tienda**, cerca de la esquina superior izquierda de la pantalla, para acceder a iBookstore.

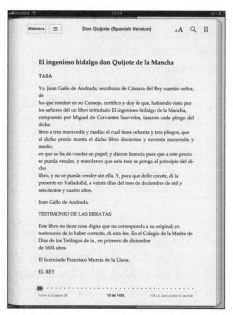

Figura 14.1. *Mientras lee un ebook de texto, la pantalla de su iPad se parece a las páginas de libro tradicional de tapa dura o de bolsillo. Sin embargo, puede ajustar la apariencia del texto en la pantalla, haciéndolo más grande o más pequeño, por ejemplo.*

Figura 14.2. *La pantalla principal de la Biblioteca de iBooks. Desde aquí, puede acceder a la iBookstore o leer un ebook al pulsar sobre su portada gráfica.*

Su tableta debe tener acceso a Internet para encontrar, descargar y comprar ebooks desde iBookstore. Sin embargo, no necesita acceso Internet para leer ebooks después de que los haya descargado en su iPad.

Después de que acceda a iBookstore, en la parte inferior de la pantalla existen seis iconos de comando. Se denominan **Destacado**, **Top charts**, **Categorías**, **Navegar** y **Comprados**. Estos botones, el campo **Buscar** y el botón **Biblioteca** en la esquina superior izquierda de la pantalla, y las pestañas **Destacados** y **Lanzamiento**, le permiten buscar rápidamente en la selección de títulos de iBookstore para encontrar exactamente lo que esté buscando.

A continuación tiene un resumen de cómo puede utilizar estos botones y pestañas:

- **Destacado:** Los títulos en esta categoría son ebooks destacados por Apple que incluyen nuevos títulos de autores más vendidos. Cuando selecciona esta opción de búsqueda, verá dos pestañas cerca de la parte superior central de la pantalla: **Destacados** y **Lanzamiento**. Cuando selecciona la pestaña **Destacados**, se muestra una lista de títulos de ebook recomendados por Apple. Cuando selecciona la pestaña **Lanzamiento**, los ebooks recomendados se ordenan en función de su fecha de lanzamiento, con los más recientes listados primero.

- **Top charts:** En función de las ventas de ebooks a través de iBookstore, la categoría Top charts lista los títulos más populares. Aquí, encontrará una lista maestra de libros populares de todas las categorías, más listas individuales **Top charts** en las categorías específicas **Top libros de pago** y **Top libros gratuitos**.

- **Categorías:** iBookstore ordena su oferta de ebooks en 25 categorías, como Arte y entretenimiento, Ficción y literatura, Informática e Internet y Referencia, para hacer más sencillo navegar por libros de un tema específico.

- **Navegar:** Esta característica de búsqueda le permite encontrar títulos de ebooks a través de palabras clave, el nombre de un autor, una editorial, un tema u otros criterios.

- **Comprados:** iBookstore hace seguimiento de todas sus compras y descargas de ebooks. Además, si elimina un ebook del almacenamiento interno de su tableta, puede descargarlo de nuevo más tarde sin cargo. Todas sus compras en línea se siguen desde iBookstore y también se almacenan en iCloud, de modo que nunca tendrá que preocuparse por comprar accidentalmente el mismo ebook dos veces. Un ebook comprado desde iBookstore se puede leer en todos sus dispositivos iOS:

Comprender el listado de ebooks de iBookstore

Mientras navega por iBookstore, verá un listado individual de ebooks por títulos que se relacionan con lo que está buscando. Como puede ver en la figura 14.3, un listado típico ebook incluye un gráfico de una portada ebook, además de su título, autor, categoría, valoración basada en estrellas y el icono de precio.

Figura 14.3. *Un listado ebook ofrece un resumen rápido del título del libro. Mientras navega por iBookstore, puede visualizar simultáneamente muchos listados ebook.*

Pulse sobre el título de un libro o portada para acceder a una descripción detallada de ese ebook, que incluye la posibilidad de descargar y leer una muestra gratuita de la mayoría de los títulos ebook. De forma alternativa, para comprar y descargar rápidamente un ebook, pulse sobre el botón precio de su listado o su ventana Descripción. Cuando pulse sobre un botón de precio, éste cambia a un botón **COMPRAR LIBRO**.

Cuando ha descargado un ebook y está listo para leerlo, se muestra la portada del libro como parte de la pantalla Biblioteca de la aplicación iBook.

Nota: *Algunos ebooks están disponibles de forma gratuita desde iBookstore. En este caso, el botón de precio muestra la palabra **GRATIS**. Cuando pulsa sobre este botón, se reemplaza con el botón **CONSEGUIR LIBRO**. Todavía tiene que introducir su contraseña ID de Apple para confirmar su petición de descarga, pero no se le cobra por descargar contenido gratuito ebook.*

Revisar descripciones ebook

Cuando busca en la lista ebook, si pulsa sobre el título o imagen en miniatura de la portada del libro, se muestra una nueva y detallada pantalla **Descripción**. Esta pantalla se divide en varios apartados.

Por ejemplo, existe un botón **CONSEGUIR MUESTRA**, sobre el que puede pulsar para descargar un ejemplar gratuito del ebook. Debajo de la portada en miniatura está el botón de precio del ebook. Pulse sobre este botón para comprar el libro y descargarlo.

La pantalla Descripción también muestra la valoración con estrellas del ebook. Aquí, puede ver una valoración promedio general del ebook. Cinco estrellas es la valoración más alta posible. Desplácese hacia abajo por la ventana Descripción para leer las reseñas escritas por otros que han comprado, descargado y presumiblemente han leído el ebook.

Personalizar los ajustes de iBooks

Desde la pantalla Biblioteca de iBooks, pulse sobre la portada en miniatura del libro para abrir el ebook corespondiente y empezar a leerlo. Mientras lee la mayoría de los ebooks, puede mantener el iPad en modo retrato o paisaje. Si lee una edición digital de un libro en papel o un libro de tapa dura, su experiencia de lectura será más auténtica si mantiene su iPad en modo retrato (verticalmente).

Mientras lee un ebook, pulse una vez en cualquier parte de la pantalla para que aparezcan los diferentes iconos de comando, botones y opciones. El botón **Biblioteca** se muestra cerca de la esquina superior izquierda de la pantalla. Pulse sobre él para regresar a la pantalla Biblioteca del iBook.

A la derecha del botón **Biblioteca**, está el botón **Tabla de contenidos** (véase la figura 14.4). Pulse sobre él para visualizar una tabla de contenidos interactiva del ebook que esté leyendo.

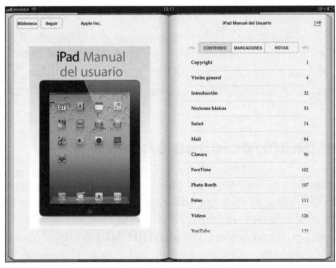

Figura 14.4. *La pantalla Tabla de contenidos de cada ebook es interactiva. Pulse sobre el número o título del capítulo para saltar a la página apropiada.*

Mientras examina la tabla de contenidos, pulse sobre cualquier número de capítulo o título para saltar inmediatamente a esa ubicación del libro. De forma alternativa, pulse sobre el botón **Marcadores** para ver una lista de marcadores que haya guardado previamente mientras lee ese ebook. Descubrirá cómo establecer un marcador más adelante en este apartado.

Mientras lee un ebook, observará varios botones de comando adicionales y opciones cerca de la esquina superior derecha de la pantalla. Mostrado en la figura 14.5, pulse sobre el icono **aA** para ajustar el brillo de la pantalla, cambiar el tamaño de fuente del texto que se visualiza en la pantalla, cambiar la fuente utilizada para visualizar el texto o alternar entre temas Normal, Sepia y Noche (véase la figura 14.6). También puede activar el modo Pantalla completa para utilizar completamente la pantalla del iPad mientras lee, y eliminar la saturación creada por los diferentes iconos de comando.

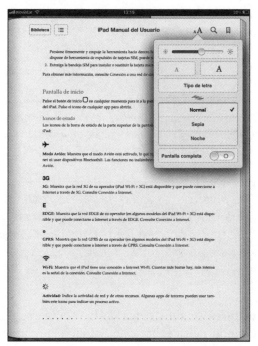

Figura 14.5. *El icono de comando aA ofrece un menú que le permite personalizar completamente la apariencia del texto de un ebook en la pantalla del iPad.*

Mostrado también cerca de la esquina superior derecha de la pantalla está un icono de lupa. Pulse sobre él para acceder al campo **Buscar** y localizar rápidamente cualquier palabra clave o frase de búsqueda que aparezca en el ebook que esté leyendo.

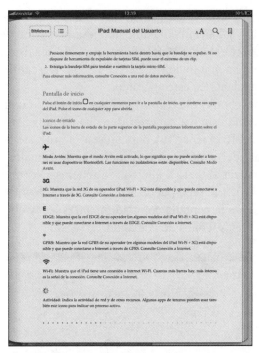

Figura 14.6. *Los temas son una característica relativamente nueva añadida a la aplicación iBooks 2. Con un toque de un icono, puede cambiar la apariencia del texto de un ebook.*

> ***Truco:*** *Después de pulsar en el icono **aA**, pulse sobre el pequeño botón **a**, debajo del deslizador de brillo, para reducir el tamaño de la fuente en pantalla. O bien pulse en el botón **A** para aumentar el tamaño de la fuente. Los cambios surten efecto de forma inmediata. Elija un tamaño de fuente y una fuente que sea más atractiva para usted.*

El botón **Marcadores** se sitúa cerca de la esquina superior derecha de la pantalla iBooks. Cuando pulsa sobre este botón, añade un marcador rojo a la página que está leyendo. Cada vez que salga de iBooks, se guarda automáticamente el número de página en el que esté actualmente, de modo que cuando retome el ebook más tarde, podrá continuar desde donde lo dejó. Sin embargo, añadir un marcador rojo a una página también guarda esa página. Más tarde podrá acceder a su lista de marcadores guardados desde la página Tabla de contenidos, de modo que pueda saltar instantáneamente a cualquier página marcada. Mostrado cerca de la parte inferior central de la pantalla está el número de página del ebook que está leyendo actualmente, así como su número total de páginas. El número de páginas que quedan en el capítulo actual se muestra a la derecha del número de página.

> **Truco:** *Para acceder a su lista de marcadores, pulse sobre el botón* **Contenido.** *Cerca de la parte superior central de la pantalla, pulse sobre el icono* **Marcadores** *para mostrar la lista de marcadores que ha guardado en el ebook que esté leyendo. Pulse sobre cualquier marcador para saltar a esa página.*

Mientras lee, mantenga pulsado su dedo sobre cualquier palabra (véase la figura 14.7) para buscar su definición al instante, comenzar a resaltar texto, añadir una nota al margen o realizar búsqueda en el texto de un palabra clave o frase específica.

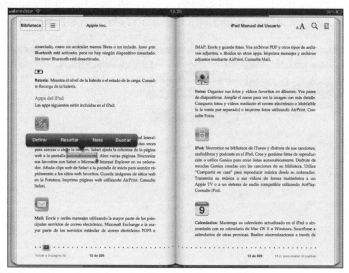

Figura 14.7. *Mantenga su dedo pulsado sobre una palabra para que aparezca un menú desplegable que incluye los comando Definir, Resaltar, Nota y Buscar.*

Si pulsa sobre el icono **Resaltar**, que aparece después de mantener pulsado su dedo en una palabra, podrá seleccionar el texto alrededor y elegir entre cinco colores de resaltado. También puede subrayar el texto en rojo.

O bien, si pulsa sobre el comando **Nota**, se muestra una ventana de nota junto al teclado virtual. Puede luego introducir notas que se guardan con el texto, a la que puede hacer referencia más adelante.

Leer archivos PDF
con la aplicación iBooks

Además de leer ebooks, puede utilizar la aplicación iBooks 2 para leer (no editar o anotar) archivos PDF que descargue o transfiera a su iPad. Esto puede incluir un amplio conjunto de documentos de negocio que pueden oscilar entre una única página a un manuscrito de tamaño de un libro.

Cuando reciba un correo electrónico con un archivo PDF como anexo, pulse y mantenga pulsado su dedo en la imagen en miniatura del anexo del archivo PDF del correo electrónico durante unos segundos para descargarlo y abrirlo.

Cuando aparece una ventana de menú, tiene varias opciones que dependen de la aplicación de lector PDF que se haya instalado en su iPad. En la figura 14.8, las opciones disponibles son **Vista rápida**, **Abrir en "iBooks"** y **Abrir en ...**. Si también tiene otros lectores de PDF instalados en su iPad, como Evernote, PDFpen o GoodReader para iPad, estas aplicaciones se listan también aquí ya que se pueden utilizar para abrir y leer (así como editar o anotar) archivos PDF.

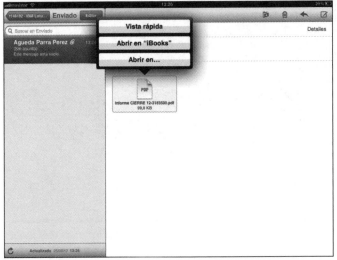

Figura 14.8. *Desde la aplicación Mail, puede abrir y leer un archivo PDF anexo en un correo electrónico entrante al utilizar la aplicación iBooks.*

Vista rápida le permite visualizar un documento PDF en la pantalla de su iPad. Al utilizar los botones de la esquina superior derecha de la ventana de vista previa de documento, luego puede abrir el archivo PDF en iBooks o imprimir el archivo si tiene su iPad configurado para trabajar con una impresora inalámbrica.

El comando **Abrir en "iBooks"** lanza automáticamente la aplicación iBooks 2 y le permite leer el documento PDF como si estuviera leyendo un ebook que ha descargado de iBookstore. Cuando abre un archivo PDF en iBooks2, verá botones de comando en la parte superior de la pantalla y pequeñas vistas en miniatura de las páginas del documento PDF en la parte inferior de la pantalla.

Pulse sobre el icono **Biblioteca** para regresar a la pantalla principal Biblioteca de iBook. Observe que, cuando haga esto, **Biblioteca** muestra todos los archivos PDF guardados en su iPad, no solamente los ebooks que ha descargado de iBookstore. Para acceder a sus ebooks, pulse sobre el botón **Colecciones**, en la esquina superior izquierda de la pantalla **Biblioteca** de iBooks, y pulse la opción Libros.

Cuando accede a un archivo PDF desde iBooks, junto al botón **Biblioteca** está el botón **Tabla de contenidos**. Pulse sobre él para mostrar las vistas en miniatura más grandes de cada página en su documento PDF y, luego, pulse sobre cualquiera de las vistas en miniatura para saltar a esa página. De forma alternativa, pulse sobre el botón **Seguir** para regresar a la vista principal de su archivo PDF.

> **Nota:** *Si quiere poder editar o anotar un archivo PDF, debería descargar una aplicación de terceros, como PDFpen o Evernote.*

Leer periódicos y revistas en su iPad

Muchos periódicos locales, regionales y nacionales, así como las revistas más populares o más específicas de un sector, están ahora disponibles en formato digital y accesibles desde su iPad por medio de la aplicación Quiosco, que viene preinstalada con iOS 5.1 (o posterior).

Trabajar con la aplicación Quiosco

La aplicación Quiosco, que no hay que confundir con la aplicación iBooks (que se utiliza para encontrar, comprar, descargar y leer ebooks), se utiliza para gestionar y acceder a todos sus periódicos digitales y suscripciones de revistas en un solo lugar. Sin embargo, las aplicaciones iBooks y Quiosco tienen una interfaz de usuario similar, de modo que después de aprender cómo se utiliza una, no tendrá problema en utilizar la otra.

> **Nota:** *Muchos de los periódicos más populares del mundo se publican ahora en formato digital, como El País, El Mundo, ABC, La Razón o Cinco Días.*

Después de lanzar Quiosco (véase la figura 14.9), pulse sobre el icono **Store** y navegue por la selección cada vez mayor de periódicos y revistas digitales que están disponibles para el iPad. Al pulsar sobre un icono, puede suscribirse a cualquier publicación o, en algunos casos, comprar un sólo ejemplar.

Figura 14.9. *La pantalla principal de Quiosco muestra vistas en miniatura de todos los periódicos y revistas actualmente guardados en su iPad.*

Todas sus compras se cargarán automáticamente a la tarjeta de crédito asociada con su cuenta ID de Apple, o bien puede pagar utilizando tarjetas regalo iTunes.

Truco: Para atraerle y que se convierta en un suscriptor de pago, algunas editoriales ofrecen números gratuitos de sus periódicos o revistas digitales que puede descargar y leer antes de pagar por una suscripción.
Algunas publicaciones ofrecen de forma gratuita la edición digital de su publicación a los suscriptores de pago de la edición impresa.

Después de comprar una suscripción digital de periódico o revista (o un único número de una publicación), aparecerá en su estantería en la aplicación Quiosco. Pulse sobre la vista en miniatura de la portada de la publicación para acceder a los números disponibles. Si es suscriptor de una publicación digital, Quiosco descarga automáticamente los números más actuales tan pronto como se publican (asumiendo que su tableta tiene una conexión a Internet Wi-Fi disponible). De esta forma, cuando se levante por la mañana, la última edición de su periódico favorito estará disponible para usted.

> *Truco:* Para utilizar una red de datos inalámbrica 3G o 4G para descargar automáticamente publicaciones digitales, debe activar esta característica en la aplicación Ajustes. Lance Ajustes, seleccione la opción de menú Store en la parte izquierda de la pantalla y, luego, active el interruptor virtual asociado con la opción Usar datos móviles.
>
> También tiene que activar el interruptor virtual asociado con cada suscripción de periódico o revista específico que se liste. Descargar las publicaciones digitales utilizando la red de datos móviles agota rápidamente su asignación de datos mensual y podría, finalmente, incurrir en costes adicionales si no tiene tarifa plana.
>
> Al utilizar una conexión Wi-Fi, su iPad automáticamente descarga todos los nuevos contenidos de publicaciones cuando estén disponibles, sin tener que preocuparse de utilizar su asignación de datos inalámbrica mensual.

Un icono de indicación en la pantalla Inicio y el Centro de notificaciones le notifican inmediatamente si se ha descargado un nuevo número de una publicación digital en su iPad y está listo para su lectura. Cuando accede al Quiosco, también verá una vista en miniatura de la portada de esa publicación en la pantalla principal en la estantería de Quiosco.

> *Truco:* Compre periódicos y revistas digitales desde la aplicación Quiosco al pulsar sobre el icono **Store**. De forma alternativa, puede encontrar y comprar periódicos y revistas digitales desde App Store. Sin embargo, todas las nuevas compras se envían directamente a la carpeta Quiosco de su tableta para facilitar el acceso desde la aplicación Quiosco.

Aunque la mayoría de las publicaciones digitales le permiten visualizar el contenido del periódico o revista desde la aplicación Quiosco, algunas publicaciones digitales están diseñadas para ser interactivas y tener su propia aplicación propietaria. Todavía puede encontrar estas publicaciones al utilizar la aplicación Quiosco (o la aplicación App Store);, aunque se le solicitará que descargue e instale la aplicación propietaria para ver el contenido de una publicación.

Leer publicaciones desde el Quiosco

Cada editor utiliza la pantalla táctil del iPad de forma diferente para transformar un periódico o revista impresa en una experiencia atractiva e interactiva de lectura en la tableta. Así, cada publicación tiene su propia interfaz de usuario.

En la mayoría de los casos, una edición digital de una publicación reproduce fielmente la edición impresa y presenta el mismo contenido. Sin embargo, a menudo descubrirá que la edición digital de una publicación que está accesible desde su iPad ofrece contenido adicional, como vínculos a sitios Web, clips de vídeo, presentaciones animadas o elementos interactivos, no ofrecidos por la edición impresa.

Como terminará descubriendo, leer una publicación digital es muy parecido a leer un ebook. La figura 14.10 muestra la edición digital de GQ. Utilice el deslizamiento del dedo para pasar las páginas o desplazarse arriba o abajo por la página. Pulse sobre el icono **Tabla de contenidos** para ver una tabla de contenidos interactiva para cada número de la publicación. Cuando acceda a algunas publicaciones, también puede pulsar dos veces para ampliar o reducir un contenido específico.

Figura 14.10. *Cada página de la edición digital de la revista GQ se parece mucho a la edición impresa.*

Dependiendo de la editorial, es posible que tenga a su disposición ediciones pasadas de una determinada publicación en cualquier momento además del número actual.

Gestionar sus suscripciones de periódicos y revistas

Si opta por suscribirse a una publicación digital, a menudo tiene que seleccionar una duración de su suscripción, como un año. Sin embargo, casi todas las suscripciones digitales adquiridas por medio de la aplicación Quiosco se renuevan automáticamente. Así, cuando la suscripción termina, a menos que la cancele, Quiosco renovará su suscripción y lo cargará en su tarjeta de crédito.

Para gestionar sus suscripciones recurrentes, lance la aplicación Quiosco y pulse sobre el icono **Store**. Desde la tienda de Quiosco, pulse sobre el icono de comando **Destacados**, en la parte inferior de la pantalla. Una vez ahí, pulse sobre el icono **ID de Apple**. Cuando se le solicite, introduzca su contraseña ID de Apple.

A continuación, desde la ventana Cuenta que aparece (véase la figura 14.11), pulse sobre el icono **Gestionar** que se muestra debajo de la cabecera **Mis alertas**. Mostrado en la pantalla Gestionar alertas hay una lista de todas las publicaciones a las que está suscrito. Pulse sobre cualquiera de las publicaciones para ver la fecha de finalización de su suscripción, para cancelarla o para renovarla.

Figura 14.11. *Desde la aplicación Quiosco, puede gestionar sus suscripciones siempre y cuando su iPad tenga acceso a Internet.*

15. Descargar frente a contenido en línea

Además de utilizar aplicaciones en su iPad para realizar varias tareas, puede experimentar contenido en su tableta en forma de música, eBooks, audiolibros, episodios de series de televisión, películas, vídeos musicales, ediciones digitales de periódicos y revistas y vídeos YouTube, por ejemplo.

Cada tipo de multimedia requiere utilizar una aplicación específica para probarla. Sin embargo, también puede tener la opción de descargar, guardar y experimentar contenido en su iPad, o simplemente acceder a contenido en streaming desde su iPad.

Tanto si va a viajar en avión o tren, de camino al trabajo, de vacaciones, o simplemente se encuentra relajándose y viendo su serie de televisión o película favorita, su iPad ofrece una variedad de formas para descargarse contenido de Internet.

Truco: Desde su iPad, puede estar al corriente de las noticias nacionales, internacionales, de negocios o financieras de última hora desde prácticamente cualquier sitio y en cualquier momento al acceder a la programación de las cadenas de televisión o emisoras de radio.

Comprender la diferencia entre descargar y contenido en streaming

El contenido que descarga de Internet se guarda en la memoria interna de su tableta. Luego, lo tiene disponible en cualquier momento que quiera utilizarlo. Tenga en cuenta que, normalmente, todo lo que se refiere a adquirir contenido multimedia para disfrutarlo en su tableta conlleva realizar un pago, como por ejemplo descargar un episodio de serie de televisión o película (o alquilar una película).

La alternativa es contenido en streaming desde Internet. En este caso, no se guarda ningún contenido en su iPad y, a menudo, puede bajar contenido en streaming sin coste (o pagar una pequeña cuota mensual por acceso ilimitado al contenido).

Advertencia: La posibilidad de contenido en streaming desde la Web y experimentarlo en su iPad le ofrece acceso gratuito a una amplia variedad de programación. Sin embargo, siempre que difunde contenido audio o vídeo en streaming desde la Web, está transfiriendo una gran cantidad de datos a su tableta. Así, si utiliza una conexión 3G o 4G, rápidamente utilizará su asignación de datos inalámbrica mensual. Por eso, cuando hace streaming de contenido Web, lo mejor es utilizar una conexión Wi-Fi.

No solamente una conexión Wi-Fi permite que los datos se transfieran a su tableta a velocidades mayores, sino que además no existe límite de cuántos datos puede enviar o recibir. Además, el contenido de vídeo en streaming, a menudo puede visualizarlo en una resolución más alta cuando utiliza una conexión Wi-Fi y no se necesita espacio de almacenamiento interno de su iPad.

Qué debería saber sobre descargar contenido

Para descargar contenido, debe estar conectado a Internet. Sin embargo, después de que se guarde el contenido en su tableta, puede disfrutarlo una y otra vez sin tener una conexión a Internet (como cuando su iPad está en modo Avión, cuando está fuera del radio de un punto de aceso Wi-Fi o no hay señal de datos inalámbrica disponible).

Nota: *Dependiendo del tipo de multimedia que quiera descargarse, podría necesitar una conexión Wi-Fi en lugar de una conexión 3G (4G). Para música, ebooks y ediciones digitales de periódicos o revistas (que tienen archivos más pequeños), suele ser suficiente una conexión 3G para descargar contenido desde la Web o desde iTunes Store. Sin embargo, necesita una conexión Wi-Fi o 4G para archivos más grandes (más grandes de 50 MB), como episodios de series de televisión, películas o audiolibros.*

Truco: *En lugar de descargar multimedia directamente desde su iPad vía App Store, iBookstore o Quiosco, puede utilizar el software gratuito iTunes de su PC o Mac para comprar y descargar inicialmente el contenido y luego sincronizarlo con su iPad después, al utilizar la sincronización con iTunes o transferirlo desde iCloud.*

Con la excepción de las películas alquiladas, el contenido que descarga y adquiere desde Internet le pertenece. De esta forma, puede experimentarlo tan a menudo como desee en su iPad. O bien, si es contenido iTunes, también puede experimentarlo en su ordenador principal, iPhone, iPod touch y Apple TV siempre y cuando los dispositivos estén vinculados a la misma cuenta iCloud.

Nota: *Todo el contenido que compre o adquiera desde iTunes se guarda automáticamente en su cuenta gratuita iCloud de Apple y pasa a estar accesible desde todos sus ordenadores y dispositivos móviles iOS vinculados a la misma cuenta iCloud. Apple le proporciona espacio de almacenamiento en línea gratuito ilimitado en su cuenta iCloud para contenido que haya comprado desde iTunes, App Store, Quiosco o iBookstore.*

Las películas alquiladas desde iTunes también se guardan temporalmente en su iPad (ocupando espacio de almacenamiento interno) y se quedan ahí hasta 30 días antes de que se borren automáticamente. Sin embargo, después de que comience a reproducir una película alquilada desde iTunes, tiene 24 horas para verla tanto veces como desee antes de que se elimine automáticamente de su tableta.

Paga por el contenido que compra desde iTunes en el momento de la descarga. Paga una tarifa única por el uso ilimitado de ese contenido en términos de la frecuencia con la que lo puede experimentar. Parte del contenido disponible desde iTunes, iBookstore, Quiosco o la App Store también se ofrece de forma gratuita. Sin embargo, esto se trata como contenido comprado por su iPad y no se le cobra por ello.

Nota: Las compras realizadas desde iTunes Store, iBookstore, Quiosco o App Store se cargan automáticamente a la tarjeta de crédito o tarjeta de débito que tenga vinculada con su cuenta ID de Apple. También puede canjear tarjetas regalo iTunes para hacer compras.

El coste de descargar contenido en su iPad

El coste de descargar contenido a su iPad varía en función del tipo de contenido. Aunque algunos contenidos son gratuitos desde iTunes Store, iBookstore, Quiosco y App Store, normalmente tiene que comprar el contenido que se descarga. La tabla 15.1 lista las cuotas típicas para descargar multimedia desde iTunes Store y otras empresas en línea de Apple.

Tabla 15.1. *El precio del contenido iTunes*

Tipo de contenido	Definición estándar	Alta definición
Comprar una canción	0,99 € a 1,29 €	N/A
Comprar álbum de música	5,99 € a 14,99 €	N/A
Comprar vídeos musicales	1,79 € a 2,49 €	N/A
Comprar temporada entera de una serie de televisión	Los precios varían en función de la serie de televisión y el número de episodios. Siempre es más barato comprar una temporada entera que comprar todos los episodios de la temporada por separado.	Los precios varían en función de la serie de TV y el número de episodios. Siempre es más barato comprar una temporada entera que comprar todos los episodios de la temporada por separado.
Comprar película	3,99 € a 13,99 €	3,99 € a 16,99 €
Alquilar película	2,99 € a 3,99 €	N/A
Audiolibros desde iTunes o Audible.com	1,99 € a 23,99 € (audiolibros íntegros de los bestseller actuales están entre los de mayor precio. Tienden a estar entre 15,99 € y 23,99 €)	N/A

Truco: Cuando compra música o series de programas de televisión desde iTunes, puede ahorrar dinero si se decide por utilizar la característica Completar el álbum o Completar la temporada. Si compra una o más can-

ciones de un álbum (o uno o más episodios de una serie de televisión) siempre puede regresar y descargar todo el álbum o una serie completa de televisión a un precio reducido. Para aprender más sobre la característica iTunes Completar el álbum, visite `http://support.apple.com/ kb/HT1849`*. Para aprender más sobre la característica iTunes Completar la temporada, visite la dirección de Internet* `http://support.apple. com/kb/HT5070`*.*

También puede difundir contenido desde Internet media streaming

La forma alternativa de descargar contenido para experimentarlo en su tableta es en streaming directamente desde Internet. Contenido como episodios de series de televisión, vídeos, música y películas se pueden bajar en streaming desde varias fuentes en Internet, como Netflix, Hulu Plus y utilizar decenas de otras aplicaciones especializadas de estaciones de radio y cadenas de televisión, por ejemplo. Estas aplicaciones se explican más adelante.

Cuando hace streaming de contenido directamente desde Internet, no se almacena en su iPad. En su lugar, una aplicación de reproducción multimedia reproduce el contenido en su iPad directamente desde la Web. De esta forma, necesita una conexión a Internet adecuada para experimentar el contenido. Si no tiene una conexión a Internet, no podrá acceder a contenido en streaming.

Aplicaciones para contenido Web en streaming

El tipo de contenido que quiera experimentar en su iPad determina qué aplicaciones va a utilizar. Los siguientes apartados le ayudan a seleccionar la aplicación más adecuada para adquirir y después experimentar tipos específicos de contenido.

Contenido que se descarga en el iPad

Existen muchos tipos diferentes de contenido que puede descargar o adquirir desde Internet. La tabla 15.2 explica qué aplicación iPad necesitará para utilizar, acceder o experimentar ese contenido.

Tabla 15.2. *Elegir la aplicación adecuada para acceder a contenido específico*

Tipo de contenido	Aplicación necesaria para adquirir contenido	Aplicación necesaria para experimentar contenido	Notas
Música	iTunes	Música	Desde iTunes Store, puede comprar canciones individuales o álbumes completos.
Audiolibros	iTunes o Audible.com	Música	Utilice la aplicación Música para escuchar audiolibros adquiridos desde iTunes. Utilice la aplicación Audible para escuchar audiolibros adquiridos desde el servicio Audible.com.
Episodios de series de TV	iTunes	Vídeos	Desde iTunes Store, puede comprar episodios individuales de series de televisión o temporadas enteras de una serie.
Películas	iTunes	Vídeos	Puede alquilar o comprar películas desde iTunes.
eBooks	iBooks	iBooks	Utilice iBooks para adquirir y leer ebooks desde la iBookstore en línea de Apple. También puede utilizar una aplicación de terceros como Kindle o NOOK para leer ebooks adquiridos desde Amazon.com o BN.com.
Edición digital de periódicos o revistas	Quiosco	Quiosco o la aplicación propietaria de una publicación	Algunas publicaciones digitales requieren de una aplicación propietaria disponible desde App Store.
Podcasts	iTunes	Música	Descargue podcasts de forma gratuita desde iTunes Store.
Aplicaciones	App Store	La propia aplicación que descarga e instala	Las aplicaciones para el iPad están disponibles en App Store de Apple.

Desde una aplicación especializada que sirve como un reproductor de audio o vídeo, puede hacer streaming de una amplia variedad de contenido directamente desde Internet. A menudo, el contenido en streaming es gratuito. En algunos casos, puede pagar una tarifa plana mensual para experimentar contenido ilimitado desde un servicio específico de contenido en streaming, como Netflix o Sirius/XM.

16. Proteger su iPad y sus datos

Su iPad está diseñado para llevarlo con usted durante todo el día en una variedad de entonos y condiciones. Sin embargo, tiene que asegurarse de proteger la tableta. Además de mantener la batería cargada, también es importante proteger la pantalla del iPad frente arañazos accidentales y proteger toda la tableta frente a accidentes, como una caída o que se derrame sobre él algún tipo de líquido.

Después de estar seguro de que la iPad está bien protegida, debería centrarse en sus datos importantes y potencialmente confidenciales para asegurarse de que también están a salvo. Por último, debería considerar también contratar un seguro opcional para su tableta en caso de que se dañe, pierda o se la roben.

Con el nuevo iPad, Apple ofrece ahora su cobertura AppleCare que ha mejorado recientemente. Por 79 € durante dos años, AppleCare cubre la tableta frente a ciertos tipos de problemas y daños accidentales y le garantiza acceso ilimitado a soporte técnico superior de Apple en persona, en Apple Store o por teléfono.

Otra alternativa es comprar un seguro de terceros, que no incluye soporte técnico pero ofrece amplia cobertura contra daños, pérdida o robo.

Proteger su iPad de daño físico

El exterior moderno del iPad cubre un potente aunque delicado dispositivo electrónico. Apple ha diseñado la tableta para llevarla en la mano y tocarla pero hasta el dispositivo más resistente se puede dañar con un uso excesivo o con los accidentes del día a día. Para proporcionar la suficiente protección física a su iPad, puede comenzar por el nivel de pantalla y crear capas de defensa hasta que su tableta esté blindada contra cualquier daño.

Las opciones que elija deberían depender de los riesgos que espere que encuentre su iPad y la cantidad de dinero que desee gastarse en protegerlo contra estas amenazas. Los siguientes apartados van desde el nivel más económico, comenzando con una película transparente que protege la pantalla táctil de la grasa de sus manos o gotas de agua, hasta las fundas y bolsas del iPad.

Películas de pantalla táctil

Existen cientos de formas para proteger la pantalla de su iPad frente a golpes, arañazos, daños por agua de menor importancia y suciedad excesiva (por huellas dactilares). Lo más sencillo es comprar una fina película protectora, de gran duración que se ajusta a la pantalla (o toda la tableta). Aunque estas películas se pueden quitar fácilmente, están pensadas para mantenerse de forma permanente en la tableta.

Creadas a partir de un material increíblemente fuerte, estas películas protectoras, que ofrecen varias empresas, ayudan a proteger la pantalla de su tableta y mantenerla limpia. Son normalmente de uno o dos milímetros de espesor y prácticamente invisibles después de situarlas en la pantalla de la tableta.

> **Truco:** *Cuando compre una película protectora para su iPad, asegúrese de que elije una que se ha diseñado para su modelo de iPad, especialmente si ha comparado una película protectora completa para su tableta. Existen pequeñas diferencias entre los modelos de iPad.*

Zagg (`http://www.zagg.com`) es una de las muchas empresas que ofrece películas protectoras para los diversos modelos de iPad. Por ejemplo, el InvisibleSHIELD ofrece una película protectora muy sólida para la parte frontal de su iPad.

Además de ofrecer una fina pero fuerte capa de protección, resistente al resplandor y a los arañazos, InvisibleSHIELD hace que su iPad sea menos resbaladizo. InvisibleSHIELD también está diseñada para reducir las manchas de huellas dactilares en la pantalla y se puede limpiar fácilmente.

La película InvisibleSHIELD de Zagg (véase la figura 16.1) y otras películas protectoras se encuentran disponibles en cualquier tienda que venda productos Apple.

Figura 16.1. *InvisibleSHIELD de Zagg ofrece una delgada película protectora que cubre la pantalla del iPad.*

Después de que haya pegado la película, es casi invisible. No afecta negativamente a la sensibilidad, claridad o funcionalidad de la pantalla táctil del iPad en ningún sentido.

Truco: 3M ofrece un protector de pantalla para varios modelos de iPad que también incluye la característica Privacy Screen patentada por la empresa. Cuando se instala sobre la pantalla de la tableta, si mira la pantalla de frente, verá todo con total claridad. Sin embargo, si alguien intenta mirar por encima de su hombro, todo lo que ve en el iPad es una pantalla oscura en blanco.
Esta tecnología le puede ayudar a mantener la privacidad de sus datos o cualquier cosa que esté haciendo, y también protege su pantalla frente a arañazos. Para comprar un 3M Privacy Screen Protector para su modelo de iPad, visite http://www.Shop3M.com.

Carcasas protectoras para su iPad

Para proteger la parte trasera de su iPad, varias compañías como SkinIt (http://www.skinit.com), Decal Girl (http://www.decalgirl.com) y GelaSkins (http://www.gelaskins.com) ofrecen protectores de pantalla hechos del mismo material ultraligero y duradero de las películas protectoras de pantalla, además de estar impresas con gráficos decorativos, e incluso puede sustituirlos por su propia foto digital o logotipo de empresa.

Una carcasa ofrece una forma de proteger su tableta mientras, además, personaliza su aspecto exterior. Existen cientos de opciones de diseño disponibles.

Puede aplicar la carcasa a la tableta en minutos y queda ahí de forma permanente. Sin embargo, se puede retirar fácilmente en segundos. Una carcasa protectora añade menos de un milímetro de grosor a la tableta y se puede utilizar con cualquier cubierta de pantalla.

Fundas y estuches

Añadir una película protectora a su iPad es una buena estrategia para ayudar a proteger su tableta cuando se utiliza o transporta. Sin embargo, aparte de esta protección opcional, considere seriamente invertir en una funda de pantalla para su iPad. Una funda de pantalla se utiliza para proteger la pantalla cuando el dispositivo no se utiliza, como cuando lo transporta.

Mientras diseñaba el iPad 2, Apple creó una funda de pantalla especial, denominada smart cover, que protege la pantalla de la tableta cuando no se utiliza. Además, mientras utiliza el iPad, la smart cover se dobla como un soporte (regulable en dos posiciones diferentes). La smart cover también funciona perfectamente bien con el nuevo iPad.

Hechas de cuero (69 €) o de poliuretano (39 €), estas smart covers de Apple se ajustan y retiran rápidamente de su tableta con imanes. Cuando se sitúa sobre la pantalla, una smart cover automáticamente deja su iPad 2 o nuevo iPad en modo reposo. Cuando se retira, el dispositivo se despierta.

Cuando dobla la smart cover, puede servir como un soporte que le permite situar su tableta horizontalmente en una superficie plana, lo que es ideal para ver una película. También puede disponer la smart cover en una posición que sea más adecuada para escribir.

> **Advertencia:** *No puede utilizar una smart cover de Apple como un soporte para sostener su iPad 2 o nuevo iPad en una posición de retrato (vertical). Además, estas fundas no están diseñadas para utilizarse con el iPad original.*

Las smart covers de Apple se presentan en 10 colores. Las versiones en cuero ofrecen una selección de colores más conservadora y tienen un aspecto clásico que se adapta mejor a los profesionales de negocios. Las smart covers están disponibles en cualquier sitio que venda productos Apple, además de Apple Store y

Apple.com. Para más información, visite `http://store.apple.com/es/ browse/shop_ipad/ipad_accesories`. Varias empresas que fabrican fundas y accesorios para los diferentes modelos de iPad también han lanzado sus propias versiones de smart cover. Algunas añaden alguna funcionalidad o una selección de color diferente.

Truco: Cuando elija cualquier tipo de funda de pantalla para su iPad, asegúrese de que ofrece una amplia protección pero también que mantiene todos los botones de la tableta y los puertos accesibles sin tener que quitar el iPad de la funda. Dependiendo de sus necesidades, podría querer también una funda que tenga estilo y que además se adapte fácilmente a su maletín, bolso o mochila. Tenga en cuenta que lo que pague por una funda de pantalla de iPad de diseño a menudo tiene poca relevancia con su calidad, funcionalidad o diseño. Asegúrese de elegir una funda de pantalla para su tableta que esté bien hecha.

Fundas completas

Algunas fundas para iPad están diseñadas para proteger toda la tableta (frontal y trasera) cuando no se utilizan. Estas fundas tienen diferentes diseños y están hechas de diferentes materiales.

Varias de las fundas completas para el iPad vienen con una solapa que cubre la pantalla de la tableta cuando no está en uso y que además se retira para ofrecer algún tipo de funcionalidad de soporte. El beneficio de una funda así es que cuando transporta su tableta, o incluso cuando no está en uso, toda la unidad está protegida frente arañazos si se le cae accidentalmente o el iPad se expone a una pequeña cantidad de líquido. Puede dejar de forma segura un iPad totalmente protegido por una funda en una maleta, bolso o mochila sin temor a que se dañe.

Muchas empresas ofrecen fundas completas. Cuando compre este tipo de funda, es esencial que elija una diseñada para su modelo de iPad. Además de seleccionar una funda que proteja su tableta, la apariencia de la funda es importante desde un punto de vista de estilo, pero más importante es la artesanía y la calidad.

Con tantas fundas entre las que elegir, puede encontrar fácilmente una que se ajuste perfectamente a sus necesidades y estilo.

Un ejemplo de funda completa de cuero hecha a mano para el iPad 2 o nuevo iPad, que también se dobla como soporte, está disponible en Saddleback Leather Company (`http://www.saddlebackleather.com`). Disponibles en varios colores, estas fundas de cuero (véase la figura 16.2) tapan la mayor parte de la tableta dejando accesibles los botones y puertos del iPad.

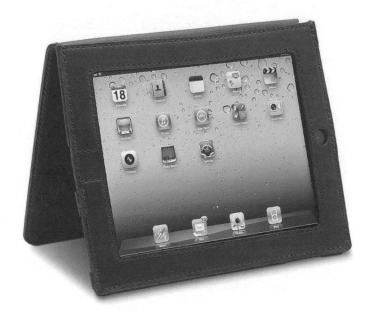

Figura 16.2. *Funda de cuero para iPad duradera y con aspecto sofisticado.*

Cuando está cerrada, la funda protege la pantalla de la tableta. Sin embargo, cuando se abre hacia atrás la solapa frontal, la funda puede servir como soporte que mantiene su iPad en posición horizontal o vertical, o en una posición que le permita escribir.

Lusso Cartella (`http://www.lussocartella.com`) es otra empresa que ofrece fundas de cuero hechas a mano para el iPad 2 o nuevo iPad. La funda tiene un bolsillo exterior para un smartphone, bolígrafos, tarjetas de vista y pequeños accesorios de iPad (como un cable USB). Diseñada para un ejecutivo móvil, la funda Mobile Office iPad se presenta en varios colores, es adecuada tanto para hombres como mujeres, extremadamente resistente y bien hecha (véase la figura 16.3).

Truco: *Para encontrar otras fundas completas para el iPad, puede realizar una búsqueda en cualquiera de los motores de búsqueda o visitar cualquier tienda de consumibles de informática que venda productos Apple. Muchas tiendas, sin embargo, no ofrecen las fundas de diseño y alta calidad que pueden buscar los profesionales de negocios. Estos tipos de fundas están disponibles desde la Web.*

Una buena selección se puede encontrar en Sena Cases (`http://www.senacases.com`*) o Brookstone (*`http://www.brookstone.com`*).*

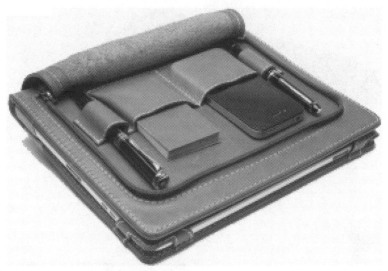

Figura 16.3. *Otro tipo de funda de cuero que ofrece tanto elegancia como protección.*

Otro solución de funda de iPad extremadamente elegante procede de J.W. Hulme Company (`http://www.jwhulmeco.com`). Es una smart cover hecha a mano para iPad 2/nuevo iPad realizada en cuero de alta calidad.

A diferencia de la smart cover de Apple (que solamente cubre la pantalla del iPad), la iPad Smart Cover & Sleeve de J.W. Hulme Company (véase la figura 16.4) envuelve todo el iPad y sirve para proteger la pantalla. Cuando está en uso, la smart cover de cuero se puede doblar hacia atrás para utilizarse como un soporte con dos posiciones.

Esta funda ofrece fácil acceso a todos los botones y puertos del iPad y proporciona una forma lujosa de proteger la tableta tanto mientras se utiliza como cuando se transporta.

Estuches y bolsas

Diseñados para aquellos momentos en los que transporta su tableta, numerosas empresas ofrecen bolsas acolchadas y personalizadas. Tanto si lleva solamente su iPad o lo guarda en un maletín, bolso o mochila, sabrá que el estuche o bolsa acolchada mantiene la tableta bien protegida.

Algunas de las empresas que ofrecen este tipo de estuches en una variedad de colores y estilos incluyen WaterField Designs (`http://sfbags.com/products/ipad-cases/ipad-cases.php`) (véase la figura 16.5), Timbuk2 (`www.timbuk2.com`) oBoxWave (`http://www.boxwave.com`).

Figura 16.4. *Otro tipo de funda no barata pero extremadamente elegante.*

Figura 16.5. *La bolsa de viaje para el iPad cubre toda la tableta cuando se transporta y también se puede utilizar como smart cover.*

Asegurar sus datos

A lo largo de este libro, ha aprendido varias maneras de proteger los datos guardados en su tableta. Por ejemplo, puede utilizar la característica de protección con código que incorpora iOS. Cuando se activa, debe introducir el código correcto (que ya ha establecido) antes de que pueda pasar la pantalla de bloqueo del iPad cada vez que la tableta se enciende o despierta del modo reposo. Puede activar la opción de bloqueo del iPad al pulsar sobre el icono de aplicación Ajustes desde la pantalla Inicio y, luego, seleccionar la opción General a la izquierda de la pantalla.

Con la opción General resaltada, seleccione la característica **Bloqueo con código** que se muestra a la derecha de la pantalla. Cuando aparece la ventana Bloqueo con código, pulse sobre Activar código cerca de la parte superior de la pantalla (véase la figura 16.6) y, después, introduzca y confirme un código numérico de cuatro dígitos personalizado cuando se le solicite.

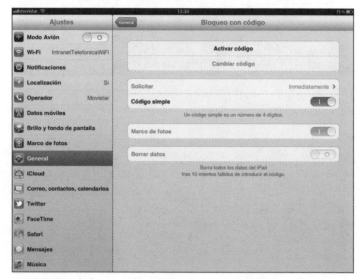

Figura 16.6. *Desde la pantalla Bloqueo con código de la aplicación Ajustes, puede configurar y activar un código de cuatro dígitos o una contraseña alfanumérica de cualquier longitud para ayudar a evitar que personal no autorizado acceda a su tableta y sus datos.*

Para más protección, puede activar la opción Borrar datos (que también se encuentra en la pantalla Bloqueo con código de la aplicación Ajustes). Cuando está activada esta opción adicional, si alguien introduce el código erróneo 10 veces, se eliminan de su tableta todos los datos.

La figura 16.7 muestra el aspecto de la pantalla Bloqueo cuando está activada la característica Bloqueo con código. Sin embargo, si considera que un código de cuatro dígitos no ofrece suficiente protección, puede desactivar la opción Código simple (también en la ventana Bloqueo con código de la aplicación Ajustes). Esto le permite crear y utilizar una contraseña alfanumérica más larga.

Figura 16.7. *Cuando se activa, un usuario de iPad debe introducir la contraseña correcta antes de que pueda pasar de la pantalla de bloqueo de la tableta.*

> **Truco:** *Si utiliza su iPad para acceder a la red de su empresa, su empresa puede implementar software de seguridad adicional en la propia red que asegure una conexión de seguridad inalámbrica siempre que acceda con un iPad. En función del tipo de red al que acceda, los pasos para establecer esta conexión segura varían. Para aprender más, visite* `http://ww.apple.com/es/ipad/business/`.

Proteger su iPad de robo o pérdida

Si pierde o le roban su iPad, Apple ofrece una potente característica Buscar mi iPad vía iCloud que le permite encontrar la ubicación exacta de la tableta en un mapa siempre que esté activada o se conecte a Internet. Si la tableta está desactivada, puede configurar la característica Buscar mi iPad para intentar localizar el iPad si después se activa.

Para utilizar Buscar mi iPad, debe configurar su dispositivo de antemano (antes de que lo pierda o se lo roben). Para hacer esto en un iPad que ejecuta iOS 5.1 o posterior, acceda a la pantalla Inicio y pulse sobre el icono Ajustes. A continuación, seleccione la opción de menú iCloud y cree una cuenta gratuita iCloud (al utilizar su ID de Apple) o acceda a su cuenta existente iCloud. Si crea una nueva cuenta iCloud, debe verificar antes si funciona el servicio Buscar mi iPad.

Desde la pantalla de la cuenta iCloud, desplácese y active la característica Buscar mi iPad al pulsar sobre el interruptor virtual asociado. Esto permite que Apple localice su iPad cuando esté activado (y no en modo Avión).

Después de que haya activado Buscar mi iPad, si pierde su iPad o le roban la tableta, puede acceder al sitio Web de iCloud (`http://www.iCloud.com/#find`) desde cualquier ordenador o dispositivo de Internet inalámbrico y hacer que el servicio Buscar mi iPad identifique la ubicación exacta de su dispositivo.

> ***Truco:*** *Si es también usuario de iPhone, puede descargar la aplicación gratuita Buscar mi iPhone de App Store, que le permite localizar su iPhone, iPad, iMac o MacBook utilizando este servicio gratuito. O bien, puede instalar la aplicación Buscar mi iPhone en su iPad para localizar sus diferentes dispositivos Apple desde su tableta.*

Al utilizar la característica Buscar mi iPad (siempre y cuando la tableta esté conectada a Internet utilizando una conexión Wi-Fi, 3G o 4G), puede escribir de forma remota un mensaje que se muestra en la pantalla de su tableta (solicitando que le devuelvan el iPad), o puede forzar que el dispositivo emita un sonido (de modo que pueda encontrarlo más fácilmente si lo ha perdido en el mismo sitio donde se encuentra, o si está debajo del cojín del sofá).

También puede bloquear de forma remota el dispositivo al utilizar una contraseña, o bien puede eliminar y borrar los contenidos de su iPad, lo que se asegura que sus datos sensibles no caigan en manos extrañas. Siempre puede restaurar sus datos desde una copia de seguridad iTunes o iCloud una vez recuperada la unidad.

Aunque es una herramienta útil para asegurar su iPad, no es del todo infalible. Si el iPad no se encuentra activado o está en modo Avión, por ejemplo, no funcionará la característica Buscar mi iPad. Sin embargo, cuando utiliza esta herramienta con la característica de código de la tableta, proporciona un nivel adicional de seguridad que ayuda a mantener sus datos seguros si pierde o le roban el iPad.

Asegurar su iPad

Si algo fuera mal con su iPad, tendría que pagar por sustituir la unidad si la ha perdido o se la han robado, o podría tener que pagar una factura por reparación de daños que no estén cubiertos por la garantía.

Los cuatro percances más comunes que tiene la gente con sus iPad son que la unidad se pierde, la roban, se daña con líquidos o se cae y se rompe. Desafortunadamente, no todos estos problemas los cubre la garantía de 90 días de Apple o AppleCare.

Puede arriesgarse a no tener ninguno de estos problemas. Si tiene problemas, podría comprar un iPad usado o restaurado como repuesto de su dispositivo original en lugar de comprar uno nuevo.

Para evitarse problemas, la ampliación de cobertura opcional de AppleCare (79 €) para el iPad 2 o nuevo iPad tiene algunas ventajas, especialmente para personas no técnicas. Durante dos años, AppleCare ofrece soporte técnico ilimitado en persona en cualquiera de las tiendas Apple o por teléfono. Además, el plan AppleCare opcional ofrece coberturas hardware de su propio iPad, así como de su batería, auriculares y accesorios incluidos.

La cobertura AppleCare protege ahora su iPad contra daño accidental. Sin embargo, se aplica una tarifa por reparaciones, así como otras condiciones. Esta cobertura opcional no ofrece protección contra pérdida o robo.

Para una cobertura de protección total de un iPad contra pérdida, robo o daños accidentales, puede adquirir seguros de terceros de varias compañías. Estos seguros de terceros, sin embargo, no ofrecen soporte técnico o ayuda en lo que respecta a la utilización de su tableta.

Truco: Con independencia de si decide optar por proteger su hardware Apple, es esencial que regularmente haga una copia de seguridad de sus aplicaciones y datos. Al utilizar iOS 5.1, puede hacer esto de varias formas al utilizar el proceso de sincronización de iTunes o a través de iCloud de forma inalámbrica.

17. Crear y distribuir contenido en el iPad

Hasta recientemente, si usted o su empresa quería crear una aplicación o distribuir contenido propietario vía el iPad, se tenía que crear una costosa aplicación personalizada. Sin embargo, para atender las necesidades de profesionales y emprendedores que quieren utilizar el iPad como una herramienta interactiva para difundir información, Apple ha creado varias soluciones sencillas de bajo coste que no requieren habilidades de programación y que se pueden utilizar en casa en una fracción del tiempo del que se necesita para crear una aplicación iPad personalizada.

Al utilizar cualquier Mac y el software gratuito iBooks Author disponible desde Apple (`http://www.apple.com/es/ibooks-author`), cualquiera que sepa cómo utilizar un procesador de texto puede ahora crear ebooks de calidad profesional y altamente interactivos para el iPad que pueden incorporar texto, fotos, clips de vídeo, audio y otro contenido multimedia, diagramas interactivos, objetos 3D y concursos. Los ebooks creados con el software iBooks Author se pueden distribuir a empleados, clientes o vender al público vía iBookstore de Apple. Al utilizar el software iBooks Author, una empresa puede adaptar fácilmente cualquier material impreso, como catálogos, informes anuales, manuales de usuario, guías formativas (y vídeos), material de marketing y otros documentos en ebooks para visualizar en un iPad.

Si las necesidades de su empresa implican recopilar datos vía iPad, agilizar el proceso de rellenar formularios o acceder a contenido de bases de datos de forma remota desde una tableta, el software de base de datos FileMaker Pro 12 con la aplicación FileMaker Go iPad sirve como opción barata y altamente personalizable.

Desde este capítulo, descubrirá más sobre cómo utilizar el software iBooks Author, aprenderá una solución de publicación ebook similar de Blurb.com y aprenderá qué supone crear una aplicación iPad desde cero.

Crear ebooks interactivos para iPad con iBooks Author

Si utiliza un Mac y sabe utilizar un procesador de texto, ya tiene el conocimiento necesario para crear ebooks visualmente atractivos, de calidad profesional y altamente interactivos que se usen con un iPad.

Como descubrirá pronto cuando utilice el software iBooks Author de Apple, cualquier material impreso, así como fotografías, gráficos, ilustraciones, clips de vídeo, audio y otro contenido multimedia, se puede incorporar en un ebook interactivo que también utiliza la pantalla táctil del iPad.

iBooks Author es una aplicación de software gratuita Mac disponible desde Mac App Store. Este software le permite crear de forma personalizada llamativo contenido ebook al utilizar plantillas y una sencilla interfaz de arrastrar y soltar.

Truco: Además de las plantillas ebook que vienen con el software iBooks Author, existen una variedad de empresas que han diseñado plantillas adicionales para crear tipos específicos de ebooks.
Jumsoft ha lanzado Book Palette 1.0 para el Mac (7,99 €) que incluye 20 plantillas diseñadas para utilizar con iBook Author. También puede encontrar plantillas gratuitas adicionales y de pago al visitar `http://www.iBookAuthorTemplates.com` *o realizar una búsqueda en cualquier motor de búsqueda de Internet.*

Cuando selecciona una plantilla en el software iBook Author, puede importar y formatear contenido desde un procesador de texto (como Pages o Microsoft Word) en el ebook que está creando. Luego, puede importar imágenes u otro contenido multimedia ya creado y el software iBooks Author da forma al texto alrededor de las fotografías o contenido. En lugar de tener que programar elementos interactivos en el ebook, en iBooks Author puede importar y personalizar widgets ya creados, de modo que resulte más sencillo incorporar una tabla de contenidos interactiva, glosarios o encuestas. Después de que haya creado un ebook con el software iBooks Author, puede transferirlo a un iPad y leerlo al utilizar la aplicación gratuita iBooks 2 disponible desde App Store. Al utilizar el software iBooks Author, también puede publicar su ebook al utilizar el servicio de iBookstore de Apple y, luego, distribuir el ebook de forma gratuita o venderlo en línea.

Los autores que se autopublican, empresarios, educadores y conferenciantes, han descubierto, por ejemplo, una amplia variedad de formas innovadoras de utilizar iBooks Author para crear y distribuir contenido iPad llamativo entre empleados y clientes.

Por ejemplo, los catálogos impresos tradicionales y materiales de ventas se pueden hacer interactivos y muy atractivos cuando se crean en un ebook. Los manuales de usuario de productos se pueden crear para el iPad y así utilizar más que solamente texto y gráficos para enseñar a los clientes cómo utilizar un nuevo producto. Los aburridos manuales formativos de empleados se pueden transformar en herramientas interactivas de aprendizaje que se pueden utilizar en cualquier parte. Los entregables de presentaciones o informes se pueden publican en formato ebook y presentarse en formas no posibles en una página impresa tradicional. Las posibilidades son realmente ilimitadas.

Nota: Los ebooks creados al utilizar iBooks Author se pueden ver desde cualquier iPad que ejecute iOS 5.0 (o posterior) y la última versión de la aplicación iBooks 2 (versión 2.0.1 o posterior).

---

iBooks Author se ejecuta exclusivamente en ordenadores Mac y puede crear ebooks compatibles exclusivamente para el iPad (los ebooks no son visibles en un iPhone o iPod touch que ejecute la aplicación iBooks 2). Sin embargo, si es un usuario de PC Windows, está disponible también de forma gratuita una herramienta similar de creación y publicación de ebooks (pero con menos características) desde Blurb.com.

Solución de publicación ebook de Blurb.com

Para usuarios de PC o Mac interesados en crear, publicar y distribuir fotografías ebooks no interactivas visibles desde un iPhone, iPod touch o iPad, Blurb.com ofrece una opción de publicación ebook barata y fácil de utilizar.

Al descargar el software gratuito Blurb BookSmart (`http://www.blurb.es`), los usuarios de PC o Mac pueden crear y publicar fácilmente de forma profesional libros de fotografías impresos en tapa dura y blanda. Los libros se crean al arrastrar y soltar las fotografías en una plantilla, añadir texto y otros elementos gráficos y, luego, cargar el libro en el servicio Blurb para que se imprima de forma tradicional. Los libros de fotografías creados con Blurb en un PC o Mac se pueden imprimir copia a copia o se pueden vender directamente a través de la tienda en línea de Blurb. Al seleccionar la opción publicar ebook, un libro de fotografía creado y publicado utilizando Blurb también se puede crear en un ebook compatible con iPhone o iPad y, después, descargarlo directamente en el dispositivo móvil iOS y visualizarlo al utilizar iBooks.

Puede utilizar el software Blurb para crear libros de fotografías, libros de cocina, libros infantiles o cualquier contenido que incluya fotografías y texto. Las posibilidades de uso del software no son tan avanzadas o robustas como lo que es posible al utilizar iBook Author. Sin embargo, cualquier libro creado con el software Blurb se puede imprimir en tapa dura o blanda en cualquier cantidad y también publicarse en formato ebook. La calidad es extremadamente impresionante y el coste muy competitivo.

¿Necesita su empresa una aplicación personalizada?

Existen actualmente más de 600.000 aplicaciones específicas para iPad disponibles desde App Store, además de las más de 600.000 aplicaciones iPhone e híbridas que se ejecutan en un iPad. Si una o más de estas aplicaciones no se ajustan a las necesidades de su empresa, crear una aplicación personalizada puede ser una opción viable. Muchas de las aplicaciones personalizadas han sido creadas por pequeñas y medianas empresas en un esfuerzo por atender mejor las necesidades de sus clientes o como herramienta de marketing para incrementar el negocio. Otra parte de estas aplicaciones son diseños personalizados para empresas específicas con las que trabajen sus empleados en un esfuerzo por agilizar o automatizar tareas específicas o para dar acceso a los recursos de la empresa.

Las empresas de hoy en todos los campos están descubriendo formas innovadoras de utilizar el iPad. Algunos de estos usos, sin embargo, requieren crear una aplicación personalizada.

Nota: *Antes de invertir tiempo, dinero y recursos necesarios para crear una aplicación de mercado vertical o solución de empresa propietaria que incorpore el iPad, consulte si ya se ha creado una aplicación personalizada. Marketcircle, Inc. (*`http://www.marketcircle.com`*), por ejemplo, ofrece una amplia variedad de aplicaciones iPad altamente personalizables* *para facturación, cobros y seguimiento que se han creado para utilizarse en industrias específicas del cine, vídeo, fotografía, impresión y diseño, inmobiliaria, ventas, contratación y desarrollo de software.*

De otros desarrolladores de aplicaciones, existen también innumerables aplicaciones orientadas al mercado, verticales o especializadas para aquellos que trabajan en cientos de industrias que incluyen medicina, ventas minoristas, telemarketing, planificación de eventos y educación. Asegúrese de investigar qué es lo que está disponible antes de incurrir en costes de volver a crear algo desde cero que ya existe.

Qué hay que considerar primero cuando se desarrolla una aplicación

Si está pensando en desarrollar una aplicación para el iPad, primero defina cuidadosamente el propósito de la aplicación y determine exactamente qué quiere que haga.

A continuación, haga un boceto o cree un esquema de la aplicación. Por ejemplo, imagine qué opciones deberían aparecer en las diferentes pantallas y decida qué características y funciones tiene que incluir la aplicación. Esto incluye determinar el público objetivo de la aplicación. Para este paso, no se requiere absolutamente ningún conocimiento de programación, pero tiene que tener un conocimiento claro de sus objetivos.

Truco: En función de las necesidades de su empresa, determine si una aplicación específica iPad es más apropiada o si su presupuesto de desarrollo de su aplicación se invierte mejor en una aplicación que ya se ejecuta en todos los dispositivos iOS, incluidos los diferentes iPhone, iPad e iPod. Poner una aplicación disponible para todos los usuarios de dispositivos iOS incrementa considerablemente la audiencia potencial de una aplicación, lo que podría ser importante si la aplicación va a atender a sus clientes.

Antes de continuar, visite App Store para determinar si ya existe una aplicación iOS que se ajuste a sus necesidades. Si ya existen aplicaciones similares, determine si puede utilizar una, o qué es lo que su aplicación esperada tiene que hacer de forma diferente o mejor. Es esencial que comprenda, desde el primer momento, cómo se utilizará la aplicación y cómo se ajustará al flujo de trabajo establecido en su empresa y los objetivos de todo el negocio.

Advertencia: Si contrata un desarrollador de aplicación para que trabaje en una aplicación personalizada pero solamente tiene una idea vaga de qué debería hacer la aplicación, cómo se utilizará y quién la utilizará, al final aparecerán problemas potencialmente costosos.

Al menos, definir claramente en una o dos hojas qué quiere que haga la aplicación iOS ayuda mucho al desarrollador cuando comienza a diseñar y programar la aplicación que usted visiona.

Recuerde, el desarrollador de aplicación que contrate presumiblemente es un experto en el diseño de aplicaciones y en programación pero, probablemente, no conozca su negocio, industria, clientes o sus necesidades para la aplicación. Por tanto, es la responsabilidad de su empresa poner ese conocimiento encima de la mesa y participar activamente en el proceso de desarrollo de su aplicación.

Si su desarrollador de aplicación no comprende sus necesidades o no le escucha durante las reuniones de desarrollo, busque un nuevo desarrollador. De lo contrario, terminará pagando una fortuna por una aplicación personalizada que no reúne sus necesidades o expectativas, que es confusa y que realmente es perjudicial para su negocio porque el resultado final será una aplicación que no cumple sus objetivos.

A continuación, únase al iOS Development Program de Apple (véase la Web http://developer.apple.com) para aprender más sobre qué es posible en términos de crear una aplicación personalizada, además de tener acceso a los recursos y herramientas disponibles directamente desde Apple.

Crear una aplicación personalizada

Después de determinar que su empresa quiere realizar el desarrollo de una aplicación personalizada, tiene que contratar a un diseñador y programadores con experiencia y conocimientos (a menos que ya tenga a alguien en su equipo). Es importante entender que desarrollar una aplicación personalizada es un proceso que lleva tiempo, es costoso y requiere un conocimiento claro de qué es posible y qué está intentando conseguir.

Al contratar a un desarrollador de aplicaciones iOS independiente, las empresas crean aplicaciones innovadoras, propietarias y muy especializadas para utilizar dentro de la empresa. Una aplicación que ofrezca al personal de ventas un método ágil de introducir y procesar pedidos y les garantice acceso completo a una base de datos de inventario o catálogo en línea desde sus dispositivos móviles es un ejemplo de una aplicación personalizada.

En algunas situaciones, las compañías de vanguardia desarrollan aplicaciones personalizadas para sus clientes como forma de incrementar las ventas, distribuir contenido de marketing o promocional, mejorar el servicio al cliente, incrementar el conocimiento de marca o fidelizar a los clientes.

Gracias a las posibilidades del GPS y la aplicación Mapas incorporada en el iPad, una aplicación personalizada puede determinar dónde está un cliente en cualquier momento y dirigirle a la ubicación del distribuidor más cercano de una empresa. Esta misma aplicación personalizada puede facilitar al cliente cursar un pedido en línea desde su dispositivo móvil y hacer que espere por él a su llegada al destino. En el caso de Pizza Hut o GrubHub, por ejemplo, un cliente puede solicitar el reparto de comida con unos cuantos toques sobre la pantalla de su dispositivo móvil.

El coste de desarrollar una aplicación personalizada es cada vez más económico de lo que era hace un año o dos, en parte debido al incremento de la competencia entre el software independiente y los desarrolladores de aplicaciones.

Uno de los mayores retos que afronta después de decidir desarrollar una aplicación personalizada no es determinar qué debería hacer la aplicación o cómo se utilizará, sino encontrar y contratar un desarrollador de aplicación independiente que pueda llevar a cabo una aplicación que atienda perfectamente a la audiencia objetivo, al ofrecer al usuario final valor, sencillez, seguridad y funcionalidad intuitiva.

Es importante darse cuenta que crear una aplicación iOS personalizada es mucho más parecido a desarrollar software personalizado para cualquier otra plataforma. Desarrollar una aplicación bien diseñada, funcional y sin errores que incluya una interfaz de usuario y la funcionalidad de back-end que necesita va a ser una tarea costosa y que va a llevar tiempo, por lo que debería involucrar a varios departamentos dentro de su empresa.

Un problema que encuentran muchas empresas es que contratan a una empresa de desarrollo de aplicaciones de bajo coste o un equipo de programadores. Las empresas que hacen esto acaban con un resultado menor. Es importante elegir una empresa de desarrollo de aplicaciones estable porque es de suponer que quiera que la misma empresa en el futuro ofrezca el soporte de la aplicación y haga mejoras o corrija errores.

Al hablar de problemas de desarrollo de aplicaciones, por ahorrar dinero, algunas empresas optan por subcontratar su trabajo a pequeñas empresas de desarrollo de aplicación extranjeras. Los problemas comunes con esta solución incluyen tratar con las diferencias horarias, lo que provoca retrasos en la comunicación y barreras significativas del idioma. Si no puede comunicarse con facilidad con su desarrollador de aplicación, explicarle sus necesidades y seguir el desarrollo de la aplicación, el resultado final normalmente no será lo que esperaba.

Por último, su objetivo debería ser establecer una relación a largo plazo con el desarrollador de aplicación que contrate. Incluso si decide no añadir nuevas características o funciones a la aplicación, a medida que Apple lance nuevas versiones del sistema operativo iOS, podría necesitar actualizar la aplicación para que siga estando operativa.

> **Nota:** *Como regla general, en lo que se refiere a contratar una empresa de desarrollo de aplicación, generalmente recibe lo que paga. Un freelance o una pequeña empresa de desarrollo podrían crear la aplicación inicial, pero si quiere o necesita que se actualice o amplíe con nuevas características en el futuro, ese mismo freelance o pequeña empresa de desarrollo puede que no estén disponibles o que hayan salido del negocio.*

Antes de contratar a un desarrollador de aplicación, analice el portfolio de trabajo de la empresa. Evalúe con cuidado la calidad de sus aplicaciones, incluidas las interfaces y funcionalidad. Además, recuerde que numerosos factores entran en el cálculo de los costes de desarrollo y la cantidad de tiempo que llevará el proceso de desarrollo.

Los costes de desarrollo de la mayoría de las aplicaciones de buena calidad, creadas por empresas de desarrollo con experiencia y competentes, son costosas. De forma realista, el proceso de desarrollo, programación y pruebas normalmente lleva entre 12 y 16 semanas.

Cuánto más detalle inicial ofrezca su empresa o planifique la aplicación, más sencillo le será a la empresa de desarrollo de la aplicación que contrate ofrecerle un precio realista. Cuánto termine pagando por el desarrollo de la aplicación se basa en parte en la complejidad de la propia aplicación.

> **Truco:** *Mientras esboza su aplicación sobre el papel y piensa qué debería poder hacer, comience con el aspecto que debería tener la pantalla inicio y menú principal. Luego, trabaje desde ahí centrándose en una página o pantalla de la aplicación cada vez. Esto le ayudará a crear una planificación más exhaustiva para su aplicación.*
>
> *Para ayudarle a diseñar un mapa o planificación detallada de su aplicación, considere utilizar un software de flujos o diagramas fácil de usar en su ordenador principal, como Microsoft Visio (*`http://www.microsoft.com`*), SmartDraw (*`http://www.smartdraw.com`*) u OmniGraffle (*`http://www.omnigroup.com/products/omnigraffle`*).*

Para que las cosas sean sencillas, comience por desarrollar una aplicación con las características principales y funcionalidad que quiera o necesite. Trabaje con su equipo de desarrollo de aplicación para tener funcionando la aplicación principal y desplegarla entre su fuerza de ventas o clientes. Más tarde, puede revisar la aplicación y añadir nuevas características y funciones después de que la aplicación inicial haya tenido éxito. Después de lanzar su aplicación, solicite comentarios de su audiencia para descubrir formas de mejorar su interfaz, características y funcionalidad.

Contratar a un programador, frente a una empresa de desarrollo de aplicaciones, es una opción barata para empresas de tamaño pequeño y medio. Puede encontrar programadores de aplicaciones iOS al utilizar un motor de búsqueda y escribir la frase de búsqueda **desarrollador de aplicaciones iOS** para encontrar vínculos a sitios Web de desarrolladores de aplicaciones. Otro método de encontrar un desarrollador cualificado es buscar en App Store aplicaciones que le gusten y ponerse en contacto con sus desarrolladores. Parte de la descripción de cada aplicación de App Store incluye el nombre del desarrollador y un vínculo a su sitio Web.

Truco: Es una buena idea hacer que un abogado que represente a su empresa formalice un contrato entre su organización y el desarrollador de la aplicación. El contrato debería indicar claramente quién es realmente el propietario del código de programación e indicar que su empresa también recibirá el código fuente asociado con la aplicación, no sólo la aplicación terminada. Además de indicar quién es el propietario del código, el contrato debería darle el derecho de modificar el código según lo necesite en el futuro y asegurarse de que el código no contiene una puerta trasera que pudiera utilizar más tarde el desarrollador de la aplicación para fines no autorizados. Además, si su empresa es propietaria del código, al comprárselo al desarrollador, el contrato debería estipular los derechos que el desarrollador tiene para reutilizar o revender el código fuente (o partes de él) para desarrollar futuras aplicaciones.

Otras soluciones potenciales de aplicaciones personalizadas de bajo coste

Si está pensando en desarrollar una aplicación propietaria para uso interno que gestione tareas especializadas, determine si sería menos costoso hacer que el desarrollador cree un sitio Web móvil al que puedan acceder sus empleados utilizando el iPad. Otra alternativa, sería crear una aplicación de base de datos personalizada al utilizar FileMaker Pro y, después, utilizar la aplicación FileMaker Go para iPad que permita acceso remoto a esa base de datos personalizada.

A menudo, crear una base de datos personalizada FileMaker Pro es significativamente menos costoso y más rápido que desarrollar una aplicación personalizada iOS, aunque la funcionalidad podría ser similar, dependiendo de las necesidades de su empresa. Para aprender más sobre las opciones FileMaker Pro y FileMaker Go, visite `http://www.filemaker.com/es/products/fmp/`.

Truco: Para aprender más sobre desarrollar una aplicación iOS personalizada para su negocio, visite el sitio Web iOS In Business de Apple en `http://www.apple.com/business/accelerator`.

Estrategias de desarrollo de aplicaciones personalizadas iPad

Cuando decida avanzar con una aplicación personalizada, siga estas estrategias para asegurar el éxito de la planificación, desarrollo y despliegue de la aplicación:

- Haga sus investigaciones para determinar qué es posible y después decida exactamente qué quiere que haga su aplicación personalizada. Cuando haga esto, póngase en la piel de los usuarios de la aplicación. Determine sus gustos, necesidades y niveles de experiencia al utilizar el iPad y, una vez hecho esto, atienda al usuario en cada paso del camino.

- Desarrolle una planificación específica para su aplicación, defina el objetivo general u objetivo de la aplicación, así como cada característica o función que quiera que incluya.

- Planifique el proceso de desarrollo de forma realista, asegurándose de que tiene el presupuesto y recursos para gestionar el proceso de forma adecuada. Las principales etapas del desarrollo de una aplicación incluyen la planificación, diseño, codificación/programación, depuración, pruebas y despliegue/implementación. Cada uno de estos pasos requiere planificación, tiempo, recursos y dinero. Realizar recortes durante cualquiera de estos pasos puede suponer problemas costosos, retrasos en el desarrollo o resultados no esperados.

- Asegúrese de reunir al equipo con más conocimiento y experiencia posible en desarrollo de aplicaciones, comenzando por las personas de su empresa u organización que claramente conocen cómo funciona el negocio, las necesidades de los que van utilizar la aplicación y el objetivo final de la propia aplicación. Complemente ese equipo interno con programadores expertos y probadores de la aplicación.

- Para las aplicaciones que se crean desde cero, comience por incorporar la funcionalidad principal que se quiere y se necesita, y asegúrese de que funciona correctamente y que tiene una interfaz de usuario intuitiva. Después, con el tiempo, añada características adicionales y funciones. No sólo le ahorrará tiempo y dinero, sino que hará que el desarrollo de la aplicación sea fácil de gestionar.

- Antes de desplegar la aplicación entre sus empleados o clientes, asegúrese de que se ha probado correctamente y está libre de fallos y que funciona exactamente como debería. La forma más sencilla de apartar a sus clientes o molestar a aquellos que utilizarán la aplicación es lanzar una aplicación que contenga fallos, no sea estable o no funcione, que no gestione los objetivos previstos de forma adecuada o que no sea intuitiva.

- La aplicación también debería funcionar al utilizar la última versión del sistema operativo iOS y utilizar completamente las posibilidades del iPad. Si la aplicación final no sirve para el propósito definido, no cumple con satisfacción una necesidad, no soluciona un problema o proporciona valor al usuario, no la aceptarán ni la adoptarán los usuarios previstos.

Nota: Después de crear y preparar para la distribución su aplicación personalizada, tiene varias opciones en función de la audiencia objetivo de su aplicación. Una aplicación iPad se puede distribuir a través de App Store y ponerse disponible al público en general, o su empresa puede trabajar con Apple para utilizar otras soluciones de empresa para distribuir una aplicación internamente. Para aprender más sobre el desarrollo y distribución (despliegue) de una aplicación personalizada, visite `http://www.apple.com/business/accelerator`.

Nota: Según AppleInsider, un sitio Web que sigue las últimas noticias relacionadas con Apple, Apple está trabajando en un software Mac, similar a iBooks Author, que permitirá a las personas desarrollar sus propias aplicaciones iPhone y iPad sin necesidad de conocimientos de programación. Para aprender más sobre este software, visite `http://www.appleinsider.com/articles/12/04/12/apple_wants_to_make_it_easy_for_non_programmers_to_build_ios_apps.html`.

18. Accesorios imprescindibles

El iPad se ha hecho popular en el mundo de los negocios porque es elegante, ligero y tiene hasta 10 horas de duración de batería. Además, es personalizable y se puede utilizar para una gran variedad de tareas. Al añadir accesorios opcionales a su tableta, puede seguir personalizando el dispositivo y, al mismo tiempo, mejorar sus posibilidades de uso para ampliar su funcionalidad.

Teclados externos para su tableta

Muchos usuarios de iPad han descubierto que el teclado virtual en pantalla de la tableta es ideal para redactar pequeños mensajes de correo electrónico o llevar a cabo una cantidad limitada de entrada de datos, pero no es adecuado para escribir de forma táctil y crear documentos amplios. Al añadir un teclado externo a su iPad, puede utilizar un teclado de tamaño completo o un teclado portátil que tiene las mismas teclas que un teclado (al contrario que los iconos planos que se muestran en la pantalla plana de la tableta). Numerosas empresas ofrecen teclados compatibles con iPad. Algunos se conectan a la tableta por medio del puerto conector base mientras que otros utilizan una conexión inalámbrica Bluetooth. Algunos teclados externos opcionales son de tamaño completo y otros son más compactos y están diseñados pensando en la portabilidad.

> **Truco:** *Algunas carcasas de iPad tienen teclados Bluetooth externos incorporados. Otros protegen la tableta mientras se transporta y, además, sirven como soporte mientras se utiliza.*

El teclado inalámbrico de Apple (71 €) es un teclado de tamaño completo para el iPad que utiliza una conexión Bluetooth. Este teclado es ideal para escribir en pantalla o para entrada de datos y es el mismo que viene con la mayoría de los iMac (de modo que puede servir una doble tarea, dependiendo del dispositivo en el que lo utilice). El teclado funciona con dos pilas AA. Es ideal para trabajar con su iPad en un escritorio cuando la portabilidad no es importante.

El iKeyboard (`http://www.iKeyboard.com`) es un accesorio que se sitúa directamente sobre el teclado virtual del iPad cuando necesita que las teclas tengan una sensación más táctil (véase la figura 18.1).

Figura 18.1. *El iKeyboard es un accesorio barato que se ajusta a la pantalla del iPad y añade una sensación táctil a las teclas mostradas en el teclado virtual.*

iKeyboard no añade prácticamente grosor a la tableta, de modo que puede utilizarlo con la mayoría de fundas y estuches, y mejora la precisión de tipo táctil al escribir en el teclado virtual del iPad. iKeyboard está hecho de plástico resistente y se puede adherir y retirar de la pantalla de la tableta cientos de veces sin dejar residuos en el iPad. Está disponible en negro y blanco y, a diferencia de otros teclados, no requiere pilas.

Para la gente que está en continuo movimiento, Logitech Keyboard Case de Zagg para iPad (`http://www.zagg.com/accessories/logitech-ipad-2-` `-keyboard-case`) es un teclado inalámbrico (Bluetooth) al estilo tradicional, ligeramente más compacto que un teclado de tamaño completo pero con teclas de teclado reales que le permiten escribir e introducir datos rápidamente.

> **Nota:** *El beneficio del Logitech Keyboard Case de Zagg es que puede escribir en un teclado externo tradicional que, además, sirve como un soporte iPad y estuche duro. Es ideal para trabajar en un avión, por ejemplo.*
>
> *El diseño de este teclado es prácticamente el mismo que el del propio iPad. La única desventaja es que las teclas son algo más pequeñas que en un teclado normal, por lo que lleva un tiempo acostumbrarse. Para alguien que esté acostumbrado a escribir en un teclado tradicional, este teclado externo de iPad es una alternativa ideal al teclado virtual en pantalla de la tableta.*

Lo que está muy bien de Logitech Keyboard Case (véase la figura 18.2) es que se utiliza como una funda dura para su iPad mientras está en movimiento, lo que añade un poco más de grosor a la tableta mientras la transporta. Este teclado sirve como un soporte para el iPad y mantiene la tableta tanto en posición de retrato como paisaje. El propio teclado se alimenta con una batería interna recargable.

Figura 18.2. Logitech Keyboard Case es una solución perfecta para alguien que necesita portabilidad pero que también quiere un teclado al estilo tradicional para utilizar con el iPad.

Otro teclado externo compatible con los diferentes modelos iPad (así como otros dispositivos móviles iOS, incluidos iPhone e iPod touch), es el teclado iType de Ion Audio (29 €, `http://www.ionaudio.com`). Es un teclado portátil, inalámbrico (Bluetooth), de 49 teclas QWERTY que hace que escribir con sus pulgares sea un proceso rápido y sencillo, lo que para muchos es más rápido y más eficiente que utilizar el teclado virtual en pantalla del iPad. Mantiene este teclado en sus manos mientras lo utiliza, por lo que no es como utilizar un teclado de tamaño normal. Con la práctica, el resultado final es una entrada rápida de datos en su tableta.

El teclado Roll-Up Keyboard de Brookstone (`http://www.brookstone.com`) ofrece un teclado normal compatible con el iPad; sin embargo, está hecho de silicona y normalmente se enrolla en un paquete compacto para facilitar su transporte. Cuando lo sitúa sobre una superficie plana, puede utilizar el teclado normal pero luego puede enrollarlo y guardarlo mientras está en movimiento. El teclado ofrece una conexión inalámbrica y teclas de tamaño normal que no hacen ruido mientras escribe. Brookstone también ofrece una amplia selección de otros teclados externos para iPad, así como fundas, altavoces externos, auriculares, soportes de ordenador y cargadores.

El Verbatim Bluetooth Mobile Keyboard (`http://www.verbatim.com/prod/accessories/keyboards/wireless-mobile-keyboard`) es un teclado de plástico resistente que se pliega en un diseño compacto para facilitar su transporte, pero a su vez se despliega en un teclado inalámbrico de tamaño casi completo que puede utilizar sobre cualquier superficie plana. El teclado funciona con dos pilas AAA e incluye teclas del cursor, un diseño de teclado completo QWERTY, además de teclas de función adicionales. Viene con su propia funda.

Sustituir los movimientos del dedo con un lápiz

Algunas aplicaciones le permiten escribir o dibujar directamente en la pantalla del iPad y otras requieren pulsar con precisión. En lugar de utilizar su dedo, puede comprar un lápiz (*stylus*). Un stylus es un dispositivo con forma de bolígrafo que tiene una punta suave que no araña ni ensucia la pantalla del iPad pero que ofrece un mayor nivel de precisión que su dedo cuando escribe o dibuja en su iPad. También puede utilizar un stylus para interactuar con la pantalla táctil de su tableta cuando lleva guantes. Un stylus básico como el Bamboo Stylus de Wacom (29,90 €, `http://www.wacom.eu/`) está diseñado específicamente para utilizarse con un iPad. Este stylus parece un bolígrafo en sus manos pero ofrece una punta estrecha y suave ideal para las aplicaciones que le permiten escribir o dibujar en la pantalla de la tableta. Otras empresas ofrecen productos similares; sin embargo, muchos tienen puntas más gruesas que impiden la precisión de la pantalla táctil del iPad y algunos no son cómodos en su mano.

El stylus Blue Tiger de Ten One Designs (`www.tenonedesign.com/blue-tiger`) es un stylus sensible a la presión que se comunica directamente con el iPad vía conexión Bluetooth 4.0. Le permite escribir sobre la pantalla de la tableta y, a la vez, descansar su muñeca en la pantalla sin afectar negativamente a la precisión. Mostrado en la figura 18.3, el stylus Blue Tiger es una herramienta útil para escribir a mano en la pantalla del iPad, o se puede utilizar junto con aplicaciones compatibles de dibujo o edición de fotos que se benefician de su sensibilidad a la presión.

Figura 18.3. En lugar de utilizar su dedo, el stylus Blue Tiger ofrece mayor precisión cuando escribe o dibuja en la pantalla de la tableta.

Muchos profesionales encuentra útil utilizar una aplicación que transforme su iPad en un bloc de notas tradicional de modo que puedan tomar notas directamente en la pantalla en lugar de escribirlas al utilizar el teclado virtual del iPad. Es un tipo de aplicación donde es útil utilizar un stylus en lugar de su dedo.

Opciones de batería

Dependiendo de cómo se utilice, su iPad tiene un tiempo medio de vida de batería de 10 horas (menos si navega mucho por Internet vía conexión 3G o 4G). Desafortunadamente, no siempre es conveniente recargar su iPad al conectarlo a su ordenador principal (vía el cable USB proporcionado) o al enchufarlo a una toma de corriente. Afortunadamente, puede comprar paquetes de batería opcionales y cargadores de batería que le ayuden a mantener su iPad con carga suficiente.

Paquetes de batería

Numerosas compañías ofrecen paquetes de batería externos recargables para el iPad que se conectan a la tableta por medio de un cable al puerto conector base. Este paquete de baterías opcional viene con configuraciones y tamaños diferentes, pero la mayoría de ellas son más pequeñas que una baraja de cartas. El cargador universal 9000 mAh de RichardSolo (`http://www.RichardSolo.com`) conecta su iPad por medio del cable USB proporcionado. Puede ampliar la vida de la batería de su tableta entre cargas. Mostrado en la figura 18.4, este paquete de batería externa recargable mide 3,76" x 1,57' x 1,57' y duplica la vida de la batería de su iPad en 20 horas por carga. También se puede utilizar para recargar su iPhone u otros dispositivos con un puerto USB.

Figura 18.4. *El RichardSolo 9000 es uno de los muchos paquetes de batería externos disponibles para el iPad que puede ampliar considerablemente la vida de la batería entre cargas.*

Cargadores de batería

Su iPad viene con un cable blanco USB que se utiliza para conectar la tableta a su ordenador principal (a menos que tenga un ordenador antiguo que no tenga un puerto USB que proporcione potencia). La tableta utiliza la conexión USB para cargar sus baterías mientras está conectada al ordenador. Puede conectar el adaptador AC que viene con su iPad al cable USB y cargar su tableta al conectar el adaptador a una toma de corriente eléctrica. Para aquellos momentos en los que no están disponibles ni su ordenador principal ni una toma de corriente eléctrica, puede comprar y utilizar un cargador de coche opcional para enchufar el iPad en el encendedor de cigarrillos de 12 V de su coche. Los accesorios para cargadores de coche están disponibles en las tiendas de consumibles electrónicos, grandes distribuidores y tiendas de recambios de oficina, así como en las tiendas Apple.

Cuando elija un adaptador de cargador de coche, asegúrese de que está aprobado para funcionar con su modelo de iPad en lugar de un iPhone (que utiliza el mismo conector de 30 pines).

> **Truco:** *Mientras conduce, puede utilizar un adaptador de cargador de coche para recargar la batería de la tableta mientras está también en uso. Dependiendo de su vehículo, sin embargo, puede que el motor tenga que estar en funcionamiento para que funcione la toma de corriente de 12 V.*

Soportes de sobremesa para facilitar el acceso al iPad

Mientras está sentado en su escritorio, existen diferentes formas de apoyar su iPad para facilitar el acceso y la visualización. Estos soportes de sobremesa se presentan en una variedad de estilos. Algunos están diseñados exclusivamente para mantener su tableta en una dirección vertical u horizontal, mientras que otros son más flexibles. Lo ideal sería un soporte elegante y a la vez resistente. Debería poder mantener su iPad en modo retrato o paisaje y en una posición que sea adecuada para escribir.

Decenas de empresas ofrecen cientos de soportes iPad de uso general y especializados (diseñados para utilizar en situaciones específicas). Por ejemplo, existen soportes que se sujetan a una puerta de un frigorífico o armario de cocina, atriles o salpicaderos de automóvil o que están diseñados para su uso en un entorno con mucho tráfico.

La forma más sencilla de encontrar un soporte que mejor se ajuste a sus necesidades es utilizar Google o Yahoo!, por ejemplo, y escribir la frase de búsqueda **Soportes iPad**. Algunas de las empresas que se especializan en soportes para iPad y ofrecen una variedad de diseños, incluyen:

- Belkin (http://www.belkin.com).

- Blue Lounge (http://www.bluelounge.com).

- Brookstone (http://www.brookstone.com).

- Griffin Technology (`http://www.griffintechnology.com`).

- HyperJuice (`http://www.hypershop.com`).

- I K Multimedia (`http://www.ikmultimedia.com`).

- Incase (`http://www.goincase.com`).

- Joby (`http://www.joby.com`).

- Levenger (`http://www.levenger.com`).

- Logitech (`http://www.logitech.com`).

- SwingHolder (`http://www.standforstuff.com`).

- Targus (`http://www.targus.com`).

- Twelve South (`http://www.twelvesouth.com`).

Truco: Villa ProCtrl *(`http://pro-ipad-stand.com/1/apple-ipad-floor-stand-wallmount-counter-stand`) ofrece soportes de iPad 2 y nuevo iPad de aspecto muy contemporáneo, extremadamente duradero, diseñados en Holanda para utilizarse en entornos de mucho tráfico. Estos soportes incluyen bloqueos antirrobo y se pueden utilizar con un iPad para señalización digital, kioscos interactivos, paneles táctiles y pantallas de feria.*

Kit de conexión de cámara iPad

Si tiene una cámara digital aparte (además de la que está incorporada en su iPad), puede conectarla directamente a su tableta vía cable USB y el Kit Apple iPad Camera Connection (29 €). Con el kit de conexión, puede transferir rápidamente sus imágenes digitales de la tarjeta de memoria de la cámara a su tableta para visualizar, editar y compartir sus fotografías.

Disponible en las tiendas Apple, Apple.com, o donde se vendan los productos Apple, el iPad Camera Connection Kit viene con dos adaptadores que se conectan a la parte inferior de su iPad vía el puerto conector base de 30 pines.

Uno de los adaptadores sirve como un lector de tarjeta de memoria SD. Si su cámara digital utiliza una tarjeta de memoria SD, puede insertar la tarjeta directamente en este lector de tarjeta de memoria cuando se conecta a su iPad y, luego, transferir sus contenidos de fotografías digitales a su tableta. El segundo adaptador es un conector de puerto USB estándar. Puede utilizarlo para conectar su cámara digital (vía su puerto USB) a su iPad (vía este adaptador de conexión y el cable USB que se proporciona con su cámara digital).

> **Nota:** *Si su cámara digital hace también vídeo digital, puede transferir vídeos a su iPad al utilizar el iPad Camera Connection Kit.*

Después de transferir sus fotos desde su cámara digital, puede visualizarlas y compartirlas mediante la aplicación Fotos. También puede editar las fotografías al utilizar la aplicación opcional Apple iPhone o una aplicación de terceros como Photoshop Touch, Photogene, Luminance, Camera+ o CameraBag. Puede ver los vídeos que transfiere desde su cámara digital a su iPad al utilizar la aplicación Fotos o puede ver, editar y compartirlas con la aplicación iMovie.

Mejorar las posibilidades de grabación de su iPad

Tanto si quiere utilizar su tableta para grabar reuniones, conferencias, talleres o clases, si es músico o cantante que utiliza su tableta como un estudio de grabación portátil, o tiene otras tareas relacionadas con el trabajo que requieren crear grabaciones digitales de alta calidad, en ocasiones el micrófono incorporado en su iPad no ofrece la calidad de grabación que se necesita.

Mic-W (`http://www.mic-w.com`) es una de las empresas que ofrece micrófonos externos de calidad profesional para el iPad que se conectan directamente a la toma de auriculares de la tableta. Los micrófonos iSeries de la empresa ofrecen rendimiento excepcional para aplicaciones de medición de audio, grabación o incluso uso en difusión. Estos micros no requieren de fuente de alimentación adicional.

El micrófono Professional Class 2 de Mic-W es un micrófono de medición calibrado que cumple con la norma de nivel de sonido IEC 61672. Puede convertir su iPad en un medidor de nivel de presión sonora o un analizador en tiempo real para mediciones en los dominios del tiempo y la frecuencia. El Cardioid Recording Microphone es ideal para grabar voces o instrumentos acústicos, así como reuniones, conferencias o entrevistas, mientras que el High Sensitivity Cardioid Microphone también es ideal para la producción de grabaciones de sonido de alta calidad adecuados para la difusión. También está disponible un micrófono de solapa.

Auriculares y altavoces externos

Si escucha música, ve series de TV o películas, graba y después escucha reuniones importantes, o contenido en streaming desde la Web, el altavoz incorporado en su iPad tiene una calidad decente, pero no la suficiente para satisfacer a un audiófilo real. Es posible mejorar de manera espectacular la salida de sonido de su tableta simplemente al conectar auriculares estéreo de calidad decente a los auriculares del iPad o al utilizar altavoces de buena calidad externos e inalámbricos (Bluetooth).

Cuando se trata de añadir altavoces externos a su iPad, las opciones son numerosas y el precio varía mucho. Puede invertir cientos de euros en altavoces de última generación de empresas como Bose (`http://www.bose.com`) o Bang & Olufsen (`http://www.bang-olufsen.com`).

Nota: *Los altavoces externos se pueden conectar a su iPad de varias formas: por medio de la toma del auricular, el puerto conector base de 30 pines o con una conexión inalámbrica Bluetooth (de modo que no se necesiten cables).*

Si quiere buena calidad de sonido de un altavoz externo pero la portabilidad resulta importante para usted, el modelo Jambox Wireless Speaker de Jawbone (`http://www.jawbone.com`) es la compañía perfecta para su tableta. Realmente ofrece la potencia y la calidad de sonido que esperaría de un costoso sistema de cine en casa. Puesto que es portátil e inalámbrico (véase la figura 18.5), puede utilizarlo prácticamente en cualquier lugar.

iHome (`http://www.ihomeaudio.com` de SDI Tecnologies) ofrece una línea completa de altavoces externos con conectores incorporados para un iPad. Estos altavoces son de precio medio y son ideales para su uso en el hogar. El iA100 de iHome, por ejemplo, es un radiorreloj con numerosas funciones con puerto conector de iPad incorporado. También ofrece conectividad inalámbrica Bluetooth y una pantalla integrada de radio AM/FM y reloj.

Si prefiere escuchar audios de alta calidad en privado, como cuando está en un avión, considere invertir en unos auriculares estéreo de alta calidad y reducción de ruido. Varían en precio y están disponibles en compañías como Bose, Monster Beats, Audio-Technica, Sony y JVC.

Además de auriculares de gran tamaño que se ajustan a sus oídos, puede conseguir una verdadera portabilidad sin comprometer la calidad del sonido. Los auriculares Bose MIE2i (`http://www.bose.com`) son ideales para escuchar audio o ver programas de TV o películas en privado en su iPad.

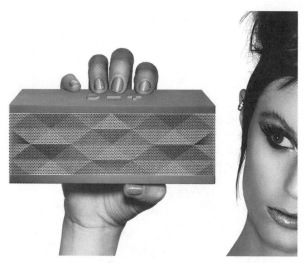

Figura 18.5. *El Jambox de Jawbone es el altavoz ideal para el iPad.*

Nota: Como descubrirá más adelante en este capítulo, si ya ha invertido en un sistema de cine en casa de alta calidad, existen muchas formas de conectar su iPad, al utilizar cables o una conexión inalámbrica. Conectarse a su sistema de cine en casa le permite visualizar contenido guardado en su tableta en una pantalla grande de televisión HD o escuchar audio en su equipo estéreo de sonido.

Incorporadas en iOS 5.1 están las características mejoradas AirPlay. Esta característica le permite transmitir de forma inalámbrica cualquier contenido de audio o vídeo (así como fotos) almacenado en su tableta a su televisor de alta definición mediante el uso de un dispositivo Apple TV.

Almacenamiento externo inalámbrico para su iPad

Seagate, un conocido fabricante de discos duros para ordenadores, ofrece su disco de almacenamiento inalámbrico móvil GoFlex Satellite diseñado para funcionar con el iPad (`http://www.seagate.com/www/en-us/products/external/external-hard-drive/goflex-satellite`). En lugar de utilizar el espacio de almacenamiento interno limitado de su tableta para guardar contenido multimedia, que incluye fotografías, música, películas y episodios de series de televisión, el GoFlex Satellite (véase la figura 18.6) es un disco duro externo portátil de 500 GB al que se puede acceder de forma inalámbrica vía Wi-Fi desde un iPad.

Figura 18.6. *El GoFlex Satellite es un disco duro inalámbrico que puede transmitir contenido multimedia a su iPad vía Wi-Fi. Al utilizarlo, puede acceder a toda su biblioteca multimedia (música, vídeos, fotografías, etc.) allí donde se encuentre.*

El contenido guardado en GoFlex Satellite desde su ordenador principal (un PC o Mac) es accesible simultáneamente desde hasta tres diferentes dispositivos de forma inalámbrica, y la propia unidad puede albergar más de 300 películas de alta duración.

Después de transferir su contenido multimedia a la unidad GoFlex Satellite vía conexión USB con su ordenador, utilice el navegador Web Safari para transmitir contenido en streaming (vía conexión Wi-Fi). GoFlex Satellite es ideal para guardar una gran cantidad de datos, documentos o archivos que quiera mientras está en movimiento. El disco duro ofrece hasta 5 horas de datos en streaming de forma continua.

Truco: *Sanho Corporation ofrece su* HyperDrive Hard Drive for iPad *(*http://www.hypershop.com*), un disco duro con una conexión USB que puede conectarse directamente en la parte inferior de la tableta al utilizar el puerto USB que viene con el Kit Apple iPad Camera Connection (se vende por separado).*

La HyperDrive iFlashDrive (8GB, 16 GB o 32 GB) es un dispositivo de unidad flash portátil que se puede conectar directamente al iPad a través de su conector base, así como a cualquier PC o Mac vía su conector USB. Proporciona una forma sencilla de hacer una copia de seguridad y transferir archivos, documentos o datos sin Internet o al utilizar un servicio basado en la nube, como iCloud.

Utilizar su iPad para procesar pagos de tarjeta de crédito

Para pequeños negocios y empresarios es posible transformar rápidamente su iPad en una máquina de procesamiento de tarjetas de crédito que funcione en cualquier parte donde haya conexión a Internet Wi-Fi, 3G o 4G. Muchos proveedores de tarjetas de crédito e instituciones financieras ofrecen ahora aplicaciones iPad/iPhone especializadas que permiten a sus clientes procesar transacciones de tarjeta de crédito al adjuntar un pequeño lector de tarjeta de crédito a la tableta.

Sin embargo, la mayoría de los proveedores de cuentas de tarjeta de crédito cobran una cuota de configuración de cuenta, cuota mensual y comisión por transacción, además de requerir al comerciante que firme un contrato de servicio de uno o dos años.

Con el iPad, Square (http://www.squareup.com) e Intuit (véase http://www.intuit.com) ofrecen soluciones de procesamiento de tarjeta de crédito para pequeños negocios que no tienen cuotas mensuales, ni comisiones de servicio mensuales o compromisos a largo plazo.

Puede configurar una cuenta en minutos y comenzar a procesar pagos de tarjeta de crédito. Tanto Square como Inuit ofrecen aplicaciones iPhone/iPad propietarias, así como sus propios lectores de tarjeta de crédito (gratuitos) que se conectan a la tableta vía su toma de auricular. La figura 18.7 muestra el lector de tarjeta de crédito proporcionado por Intuit para el servicio GoPayment compatible con iPad.

Después de configurar una cuenta de comerciante con cualquier empresa, paga un pequeño porcentaje del total de cada transacción (2,75 por 100 con Square, 2,7 por 100 con GoPayment de Intuit) pero sin otros costes ni comisiones recurrentes.

Al utilizar la aplicación específica para iPad de Square, por ejemplo, puede transformar su tableta en una caja registradora móvil completamente equipada (menos el efectivo) capaz de procesar tarjetas de crédito (Visa, Master Card o AmEx) o tarjetas de débito. Sus clientes solamente tienen que firmar en la pantalla de la tableta después de haber pasado su tarjeta de crédito por el lector, y se les envía por correo electrónico un recibo detallado y personalizado en segundos. Los ingresos que hace de sus ventas se depositan automáticamente en su cuenta bancaria en 24 horas.

Figura 18.7. Comience a aceptar pagos de tarjeta de crédito de sus clientes vía su iPad al utilizar la aplicación GoPayment de Intuit.

Opciones de conexión: HD, VGA y cine en casa

Cuando se trata de hacer presentaciones o compartir contenido multimedia en su iPad con grupos de personas, puede conectar fácilmente su tableta a una televisión HD o proyector LCD al utilizar los cables o adaptadores correctos. Gracias a la característica AirPlay incorporada en el sistema operativo iOS 5.1, también puede difundir contenido en streaming de forma inalámbrica (películas, episodios de series de televisión, fotografías, presentaciones digitales, etc.) desde su iPad a su televisión HD vía un dispositivo Apple TV (109 €).

Conectarse a un monitor HD o HDTV

Si tiene un televisor de alta definición (HDTV) o monitor con una entrada HDMI, puede utilizar el Adaptador AV digital de Apple (39 €) para conectar su iPad a ese monitor. Después de conectarlo, utilice la característica vídeo en espejo de iOS, de tal modo que todo lo que vea en la pantalla de su iPad también se visualizará en el monitor o televisor.

Es una buena forma de mostrar sus presentaciones Keynote a grupos de personas en una reunión o mostrar sus fotografías digitales en su televisor de casa. Además de este adaptador, necesita un cable estándar HDMI (se vende por separado) para conectar su iPad a su monitor.

Advertencia: El Adaptador AV digital de Apple le permite mostrar todo lo que aparezca en la pantalla de su tableta simultáneamente en un monitor HD o televisor que tenga una entrada HDMI.
Tenga en cuenta, sin embargo, que ciertas aplicaciones que reproducen contenido de vídeo con derechos de autor, como episodios de televisión o películas descargadas de iTunes, o contenido en streaming al utilizar las aplicaciones Netflix o HBO Go, no se pueden mostrar en un monitor con este adaptador.

Conectarse a un monitor VGA

El Adaptador VGA de Apple (29 €) conecta el puerto conector base de 30 pines de su iPad a un cable del monitor (se vende por separado) que, luego, se conecta a un monitor de ordenador estándar VGA. Esto le permite mostrar contenido desde su tableta en un monitor de ordenador mientras hace presentaciones con contenido, datos, dibujos o animaciones desde su iPad, por ejemplo. Este tipo de conexión funciona también con la mayoría de los proyectores LCD.

Conectarse a un sistema de sonido o sistema de cine en casa

Existen varias formas de darle más voz a su iPad. El método que le ofrece más flexibilidad para transmitir de forma inalámbrica contenido de audio y vídeo, así como fotografías entre su tableta y el televisor, es conectar un dispositivo Apple TV (109 €) a su sistema de cine en casa y tener Wi-Fi instalado en su casa. Con este equipo, puede utilizar completamente la característica AirPlay de iPad.

Tenga en cuenta, sin embargo, que Apple TV y el equipo de cine en casa se pueden utilizar fácilmente en un entorno de trabajo, oficina, salas de conferencias o auditorio para transmitir contenido desde su tableta y compartirlo con otros en pantallas grandes de televisión y monitores conectados a sistemas de audio de alta gama.

También puede conectar su iPad directamente a su sistema de cine en casa al utilizar el Cable Apple de A/V Compuesto (39 €) que le permite ver vídeo iPad en pantalla grande con sonido en estéreo.

Si quiere realizar una presentación o transformar una pared en blanco de su casa u oficina en una pantalla diagonal de 60", el Cinemin Swivel (http://www.wowwee.com/en/products/tech/projection/cinemin/swivel) o el Cinemin Slice (http://www.wowwee.com/en/products/tech/

`projection/cinemin/slice`) son proyectores extremadamente portátiles que se conectan directamente a su iPad. Ambos dispositivos le permiten realizar presentaciones, ver vídeos o proyectar fotografías digitales en cualquier pared o pantalla sin necesidad de una televisión, sistema de altavoces o cables.

> **Truco:** El Adaptador AV digital de Apple, el Adaptador VGA de Apple, el Cable Apple de A/V Compuesto y el dispositivo Apple TV se venden por separado y están disponibles en cualquier sitio donde vendan productos Apple, incluidos las Apple Store y Apple.com

Puede configurar cualquier proyector en minutos y puede utilizarlo prácticamente en cualquier sitio con su iPad. Estos proyectores ofrecen resolución WVGA.

Accesorios para viajar al extranjero

Cuando viaja al extranjero con su iPad, acceder a una red 3G o 4G y recargar su tableta son procesos relativamente sencillos con independencia de si viaja con un ordenador portátil.

Utilizar los adaptadores de alimentación internacionales

Cuando viaja al extranjero, necesita poder recargar la batería de su iPad. Si quiere recargar su tableta al utilizar una toma de corriente eléctrica en el extranjero, debe acoplar un adaptador especial al final del cable blanco USB que viene con su iPad.

Disponible en las Apple Store y Apple.com, el Kit de adaptadores para viajes (39 €) viene con seis adaptadores internacionales que se conectan al cable USB que viene con su iPad. Este kit le permite conectar su tableta en cualquier parte del mundo.

Reemplazar la tarjeta micro SIM de su iPad para acceso Web inalámbrico

Si tiene un modelo iPad sólo Wi-Fi, su tableta puede conectarse a Internet vía conexión Wi-Fi en cualquier parte del mundo a la que viaje que tenga un punto de acceso público disponible (como muchos hoteles, cafeterías y aeropuertos).

iPad 2 con Wi-Fi + 3G

Cuando sale al extranjero, su servicio 3G/4G deja de estar disponible. Sin embargo, puede visitar Apple Store o cualquier distribuidor de Apple autorizado mientras está en el extranjero (o muchos proveedores de servicios móviles) para obtener una tarjeta micro SIM que, temporalmente, reemplaza su tarjeta micro SIM mientras está de viaje.

Puesto que puede comprar servicios de datos inalámbricos 3G o 4G con carácter mensual o, en algunos casos, adquirir una determinada cantidad de uso de datos inalámbricos, puede obtener fácilmente una nueva tarjeta micro SIM que funcione en el país o países que visite, insertarla en su iPad y poder acceder al servicio de datos inalámbrico 3G o 4G.

Si existe una Apple Store allí donde va, puede conseguir una tarjeta micro SIM de cualquier proveedor de servicio de datos 3G/4G local, incorporar la tarjeta en su iPad y activar la cuenta de datos inalámbricos 3G/4G al utilizar una tarjeta de crédito en 10 minutos. De forma alternativa, puede visitar un proveedor de servicios inalámbricos e intercambiar usted mismo las tarjetas micro SIM.

Después de configurar el servicio de datos 3G/4G en un país determinado, cuando regrese a ese país puede utilizar la misma tarjeta micro SIM y comprar acceso adicional.

Mientras viaja, el precio del acceso de datos inalámbricos 3G/4G varía en función del país que visite y el proveedor del servicio de datos inalámbrico que utilice. Probablemente encontrará precios razonables en la mayoría de los países.

En Europa, uno de los principales proveedores de servicios de datos 3G/4G inalámbricos que soporta el iPad 2 y nuevo iPad es O2 (`http://www.o2.co.uk`). Con la tarjeta micro SIM de O2 instalada en su iPad, puede contratar un servicio de datos inalámbricos 3G/4G de tarifa plana por día de hasta 200 MB de uso de datos.

Truco: Si sabe que necesita intercambiar las tarjetas micro SIM de su iPad cuando viaja al extranjero, asegúrese de llevar consigo la pequeña herramienta de extracción de tarjeta SIM de metal que viene con su tableta. Para más información sobre el aspecto de esta herramienta y cómo utilizarla adecuadamente, visite esta página del sitio Web de Apple: `http://support.apple.com/kb/HT4577`.

19. Fotografía digital en su iPad

El nuevo iPad tiene dos potentes cámaras de alta resolución incorporadas que, cuando se utilizan con la aplicación Cámara, hace que tomar fotos detalladas, nítidas y vibrantes sea tan fácil como pulsar sobre la pantalla del dispositivo.

Cuando se trata de visualizar, organizar, mejorar, imprimir y compartir fotos digitales en su dispositivo iOS, tiene multitud de opciones. La aplicación Fotos preinstalada en el iPad ofrece buenas características de organización y edición básica de fotos. Sin embargo, está disponible en la App Store la aplicación iPhoto de Apple (3,99 €). Mejora sustancialmente sus posibilidades de visualizar, organizar, editar, mejorar, compartir e imprimir imágenes en el iPad 2 o nuevo iPad, y funciona particularmente bien con la pantalla Retina del nuevo iPad.

Cuando utiliza su iPad como herramienta de negocios, existen muchas situaciones en las que tomar fotos de personas, sitios o cosas puede ser beneficioso. Las fotografías que toma, edita o guarda en su iPad se pueden importar más tarde a varias aplicaciones como Contactos, Pages, Numbers o Keynote, así como a aplicaciones de bases de datos, como FileMaker Go o Bento.

Muchas otras aplicaciones también le permiten importar o utilizar de alguna forma fotografías digitales. Por ejemplo, la aplicación Square que se utiliza para procesar tarjetas de crédito permite importar fotografías como parte de su funcionalidad de caja registradora, de modo que puede pulsar sobre la fotografía de un artículo que alguien esté a punto de comprar para crear un recibo detallado.

Por supuesto, si es un usuario activo en Facebook o Twitter y utiliza su iPad para promocionar en línea sus productos, servicios o un negocio, puede compartir fácilmente fotografías tomadas o guardadas en su tableta con otros por medio de estos y muchos otros servicios en línea.

Cargar imágenes digitales en su iPad

Antes de que pueda visualizar, editar, imprimir y compartir sus imágenes digitales favoritas, primero necesitará hacerlas utilizando la aplicación Cámara o Photo Booth preinstalada en su iPad, o transferir imágenes a su tableta.

Además de hacer fotografías con una de las cámaras incorporadas en su iPad, existen varias formas de importar fotografías en su dispositivo iOS y luego guardarlas en la aplicación Fotos:

- Utilizar el proceso de sincronización iTunes para transferir fotografías a su dispositivo. Configure iTunes para sincronizar las carpetas de imágenes o álbumes que quiera, e inicie después una sincronización iTunes o sincronización iTunes inalámbrica desde su ordenador principal.

- Cargar fotografías vía iCloud.

- Recibir y guardar fotografías enviadas por correo electrónico. Cuando quiera incorporar una fotografía a un correo electrónico, como se muestra en la figura 19.1, mantenga su dedo pulsado sobre él durante un segundo o dos hasta que aparezca un menú que le ofrezca la opción de Guardar imagen o Copiar en el Portapapeles virtual de su dispositivo (después de lo cual puede pegarlo en otra aplicación).

- Recibir y guardar fotografías enviadas vía mensaje de texto. Pulse sobre la imagen que ha recibido al utilizar la aplicación Mensajes y, luego, pulse sobre el comando Copiar para copiar la imagen al Portapapeles virtual de su dispositivo (después de lo cual puede pegarlo en otra aplicación).

- Guardar imágenes directamente desde un sitio Web mientras navega por la Web. Mantenga su dedo pulsado sobre la imagen en un sitio Web. Si no está protegido contra copia, después de un segundo o dos, aparece un menú que le permite Guardar imagen o Copiar en el Portapapeles virtual de su dispositivo (después de lo cual puede pegarlo en otra aplicación).

- Utilizar el Kit Apple iPad Camera Connection (29 €, disponible desde las Apple Store o Apple.com) para cargar imágenes desde la tarjeta de memoria de su cámara digital directamente en su iPad.

Figura 19.1. *Si recibe una fotografía digital como anexo de un correo electrónico entrante, puede guardar esa imagen en la aplicación Fotos al mantener pulsado su dedo en la imagen en miniatura de la imagen (en el correo electrónico) y, después, pulsar sobre la opción Guardar imagen cuando aparece.*

Nota: *Cuando utiliza el comando Guardar imagen, la imagen se guarda en el Carrete de Fotos. Más tarde, puede revisar, editar, mejorar, imprimir o compartirla utilizando la aplicación Fotos u otra aplicación, como* iPhoto *o PSTouch.*

Tomar fotografías con la aplicación Cámara

La aplicación Cámara preinstalada con iOS 5.1 es fácil de utilizar para sacar imágenes digitales o clips de vídeo. Para comenzar a utilizar la aplicación Cámara, ábrala desde la pantalla Inicio de su iPad.

La pantalla visor de la cámara principal (véase la figura 19.2) aparece tan pronto lanza la aplicación Cámara. El área principal de la pantalla sirve como el visor de su cámara. En otras palabras, lo que ve en la pantalla del iPad es lo que fotografiará o capturará en vídeo. En la parte inferior de la pantalla existen varios iconos. En la esquina inferior izquierda, verá una imagen en miniatura de la última fotografía o clip de vídeo que ha realizado. Pulse sobre ella para ver esa imagen o clip de vídeo al lanzar automáticamente la aplicación Fotos. Junto a la imagen en miniatura está el icono **Más**. Pulse sobre él para activar o desactivar la cuadrícula virtual que se puede superponer en la pantalla para ayudarle a enmarcar o componer sus imágenes. La cuadrícula no aparecerá en sus fotografías.

Icono Imagen en miniatura   Icono Más   Icono Selección de cámara   Icono Foto/Vídeo

Figura 19.2. *Desde la pantalla principal de la aplicación Cámara puede tomar fotografías digitales o hacer vídeos.*

Como ya sabe, el iPad 2 o nuevo iPad tiene dos cámaras incorporadas, una en la parte delantera del dispositivo y otra en la parte trasera. Pulse sobre el icono situado cerca de la esquina inferior derecha de la pantalla para cambiar entre cámaras.

Además, cerca de la esquina inferior derecha de la pantalla Cámara está el interruptor virtual Cámara/Vídeo. Pulse sobre él para mover el interruptor a la izquierda e iniciar la aplicación Cámara en modo Cámara para realizar fotografías digitales o mover el interruptor virtual a la derecha para hacer vídeos.

Situado a la derecha de la pantalla, está el botón de obturación de la cámara. Pulse sobre él para realizar una foto o iniciar o detener la cámara de vídeo. En modo Cámara, pulse sobre este botón con forma de cámara para hacer una foto. Oirá un sonido y la foto se guardará en su iPad. En modo Vídeo, el icono con forma de cámara se transforma en un círculo con un punto rojo en su interior. El punto es más brillante cuando pulsa sobre él para comenzar a realizar un clip de vídeo.

Cómo tomar una fotografía

Realizar una fotografía digital con la aplicación Cámara es sencillo. Siga estos pasos:

1. Lance la aplicación Cámara desde la pantalla Inicio.

2. Asegúrese de que la aplicación está establecida en modo Cámara.

3. Pulse sobre **Más** para activar o desactivar la característica cuadrícula según vea conveniente.

4. Elija cuál de las dos cámaras incorporadas en su dispositivo quiere utilizar al pulsar sobre el icono de selección de cámara.

5. Componga o enmarque su imagen al sujetar su iPad y apuntar a sus objetivos.

6. Seleccione cuál será el objetivo de su fotografía, como una persona u objeto. Pulse con su dedo en la pantalla donde aparece su objetivo en el visor, y aparecerá un recuadro de sensor de enfoque automático en la pantalla. La cámara enfoca donde está situado este recuadro (frente a enfocar algo en primer plano, en el fondo o junto a su objetivo). Si va a fotografiar a muchas personas, la aplicación Cámara muestra varios recuadros de sensor de enfoque automático, uno en la cara de cada sujeto.

7. Si quiere utilizar la característica de aumento de la aplicación Cámara, utilice el movimiento de pellizco en la pantalla. Aparecerá un deslizador de aumento (véase la figura 19.3), cerca de la parte inferior de la pantalla. Utilice su dedo para mover el punto en el deslizador a la derecha para acercar y a la izquierda para alejar.

8. Cuando tiene su imagen encuadrada en el visor, pulse sobre el botón de obturador (el icono con forma de cámara) para hacer una fotografía. Verá una animación de un obturador virtual que se cierra y luego se reabre en la pantalla, indicando que la fotografía se ha tomado. Al mismo tiempo, oirá un sonido.

9. En unos segundos, la fotografía se guardará en su dispositivo en el Carrete de Fotos. Ahora puede realizar otra fotografía o ver la fotografía al utilizar la aplicación Fotos (u otra aplicación de fotografía).

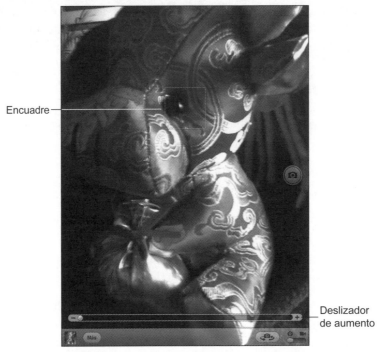

Encuadre

Deslizador
de aumento

Figura 19.3. *Mientras encuadra una imagen, puede acercar (o alejar) su objetivo utilizando el deslizador de zoom en pantalla. Utilice un gesto de pellizco con el dedo sobre la pantalla para que aparezca este deslizador y, luego, mueva el deslizador de derecha a izquierda para incrementar o disminuir el nivel de aumento. También se puede utilizar un movimiento de pellizco para acercar o alejar la imagen.*

Cómo hacer un vídeo

También puede hacer vídeo con la aplicación Cámara. Siga estos pasos para hacer vídeo en su iPad:

1. Lance la aplicación Cámara desde la pantalla Inicio.

2. Asegúrese de que la aplicación está establecida en modo Vídeo (compruebe el interruptor virtual en la esquina inferior derecha de la pantalla y asegúrese de que el icono de botón de obturación es circular y la pantalla muestra un punto rojo).

3. Elija qué cámara quiere utilizar al pulsar sobre el icono de selección de cámara. Puede cambiar entre la cámara frontal o trasera en cualquier momento.

4. A continuación, dirija su iPad hacia los objetos que quiere capturar en vídeo.

5. Cuando esté listo para comenzar a grabar vídeo, pulse sobre el icono de botón de obturación (el icono con forma de punto rojo). El punto rojo se hace más brillante, lo que indica que ya está filmando. Su iPad capturará cualquier imagen que vea en la pantalla así como cualquier sonido en la zona.

6. Mientras filma vídeo, observará un temporizador en la esquina superior derecha de la pantalla. Su único límite a la cantidad de vídeo que puede grabar se basa en la cantidad de memoria disponible en su iPad y la duración de la batería. Sin embargo, esta aplicación está diseñada más para filmar pequeños clips de vídeo que para películas caseras de larga duración.

7. Además, mientras esté filmando, pulse sobre cualquier parte de la pantalla para enfocar sobre el objeto al utilizar el sensor de enfoque automático incorporado de la aplicación.

8. Par dejar de grabar, pulse de nuevo en el icono de obturador del punto rojo. Sus imágenes de vídeo se guardarán. Ahora puede visualizarlo, editarlo y compartirlo en la aplicación Fotos.

Nota: *La aplicación Fotos le permite recortar sus clips de vídeo, así como ver y compartir los vídeos. Si quiere editar sus vídeos, además de añadir títulos y efectos especiales, puede comprar y utilizar la aplicación iMovie de Apple disponible en App Store (3,99 €). Para más información sobre iMovie, visite* `http://www.apple.com/es/ipad/from-the-app-store/apps-by-apple/imovie.html.`

Consejos para realizar fotos llamativas con su iPad

Aunque esté utilizando una tableta para realizar fotografías, frente a una cámara digital SLR de una marca como Nikon o Canon, puede seguir utilizando las técnicas básicas de composición y encuadre de fotografías para realizar fotografías con calidad profesional.

Para crear las mejores fotografías, enfocadas, bien iluminadas y bien enmarcadas cuando utiliza su iPad, siga estas estrategias básicas (muchas de las cuales también se aplican a filmar vídeo):

- Preste atención a su fuente de luz. Como norma general, la fuente de luz (como el sol) debería estar detrás de usted (el fotógrafo) y brillando sobre su objetivo. Cuando la luz de la fuente de luz primaria brilla directamente sobre la lente de su cámara (en este caso su iPad), acabará con brillos no deseados o una imagen sobreexpuesta.

- Mientras mira en la pantalla del visor, preste atención a las sombras. Pueden aparecer sombras no deseadas creadas por el sol o por una fuente de luz artificial. Cuando aparecen sombras en sus imágenes, pueden ser una distracción, por lo que asegúrese de que no cubran sus objetivos.

- Las fotografías de personas son buenas para mostrar emociones, espontaneidad o la vida real. La clave para tomar buenas fotos es tener la cámara lista para disparar y ser discreto, de modo que sus objetivos no sean conscientes de que tiene una cámara (su iPad) apuntándoles. Intente anticipar cuándo hay algo interesante, sorprendente o divertido, o algo que generará gran emoción y esté listo para realizar una fotografía. Además, no se acerque demasiado a su objetivo. Es mejor estar separado varios metros y utilizar su zoom.

- Cuando esté listo para pulsar sobre el icono de obturación y realizar una foto, mantenga su iPad perfectamente inmóvil. Incluso el más mínimo movimiento podría resultar en una fotografía borrosa, especialmente en situaciones de poca luz.

- Conozca el tiempo de retardo de la aplicación Cámara. El tiempo de retardo se refiere al tiempo entre que pulsa el icono del obturador y se toma y guarda la imagen en su tableta. Si se acostumbra a este tiempo de retardo, puede compensarlo y no perder disparos. Intente anticiparse a lo que va a suceder, especialmente si su sujeto está en movimiento, y dispare las fotografías en consecuencia, sabiendo que el momento perfecto es esencial.

- Cuando haga fotografías de retratos de personas u objetos específicos, asegúrese de utilizar el recuadro del sensor de enfoque automático de la aplicación Cámara para enfocar su objetivo. Mientras mira por el visor, pulse sobre la cara del sujeto principal, por ejemplo. Esto asegura que la aplicación Cámara enfoque a la persona y no algo en primer plano, fondo o lo que haya a un lado del sujeto.

- Su objetivo no tiene que estar mirando directamente a la cámara para sacar una fotografía interesante. Algunas veces, se crea una imagen más sugerente cuando su objetivo no está mirando a la cámara. Sin embargo, cuando hace fotografías a animales, normalmente obtiene las mejores imágenes si enfoca a sus ojos.

- Cuando encuadra sus objetivos en el visor, preste atención a qué hay en primer plano, en el fondo o a los lados. Estos objetos a menudo se utilizan para encuadrar su objetivo y añadir sentido de multidimensionalidad a una fotografía. Asegúrese de que el sensor de enfoque automático de la aplicación Cámara enfoca a su objetivo y no a alguna otra cosa en la fotografía, para asegurar la claridad.

Truco: Cuando realice una fotografía digital, mantenga el iPad lo más inmóvil posible. Esto también es importante cuando filma un vídeo. Sin embargo, cuando haga esto último, si elige desplazarse hacia arriba, abajo, izquierda o derecha, por ejemplo, utilice movimientos lentos y fluidos.

Cómo utilizar la cuadrícula

Es un error común entre fotógrafos aficionados sujetar su cámara directamente sobre su objetivo, apuntar a su cabeza, centrar el objetivo y sacar una foto. El resultado es siempre una imagen genérica, incluso si está bien iluminada y con un enfoque perfecto. En su lugar, cuando mira en el visor de la pantalla para componer o encuadrar su imagen, utilice la cuadrícula. Es una estrategia utilizada por fotógrafos profesionales, fácil de utilizar y con muy buenos resultados.

Imagine una cuadrícula de tres en raya superpuesta en el visor de su cámara. O bien, pulse sobre el icono **Más** cuando dispara con la aplicación Cámara y active la característica **Cuadrícula**. El recuadro central de la cuadrícula de 3x3 corresponde con el centro de la imagen que va a sacar mientras mira en el visor de la pantalla. En lugar de encuadrar su objetivo en el recuadro, vuelva a encuadrar la imagen de modo que su objetivo se sitúe en una de las líneas horizontales o verticales de la cuadrícula, o que el punto focal principal de la imagen esté situado en uno de los puntos de intersección de la cuadrícula.

Truco: Mientras hace fotos, en lugar de mantener la cámara de frente, directamente enfocando a su objetivo, intente disparar desde una perspectiva diferente, como posición ligeramente por encima, por debajo o hacia un lateral del objetivo. Esto le permite crear imágenes visualmente más interesantes.

Utilizar la cuadrícula cuando encuadra sus imágenes lleva algo de práctica, pero si utiliza esta técnica de enfoque de forma coherente y correcta, descubrirá que mejora la calidad de sus imágenes. Por supuesto, también tiene que tener en cuenta la iluminación, así como lo que hay delante, detrás y a los lados de su objetivo principal. Y asegúrese de aprovechar su creatividad a la hora de elegir su ángulo o perspectiva en cada disparo.

> **Truco:** *Cuando hace una fotografía a un sujeto en movimiento, capture al sujeto en el marco mientras también tiene en cuenta la cuadrícula.*

Utilizar la aplicación Fotos para visualizar, editar, mejorar, imprimir y compartir sus fotos y vídeos

Después de tomar las fotos o importarlas en su iPad, para visualizar, editar, mejorar, imprimir o compartir estas imágenes, lance la aplicación Fotos desde la pantalla Inicio de su iPad. De forma alternativa, desde la aplicación Cámara, pulse sobre el icono de imagen en miniatura en la esquina inferior izquierda de la pantalla de la aplicación principal Cámara.

Visualizar fotos y vídeos

La pantalla de imágenes en el iPad (véase la figura 19.4) muestra varias pestañas de visualización en la parte superior central de la pantalla denominadas **Fotos**, **Álbumes** y **Lugares**.

Figura 19.4. Cuando está seleccionada la pestaña Álbumes, esta pantalla de la aplicación Fotos muestra imágenes en miniatura que representan cada álbum guardado en su tableta.

Pulse sobre la pestaña Fotos para ver imágenes en miniatura de todas las imágenes guardadas en su tableta (véase la figura 19.5), con independencia del álbum en el que estén. Utilice su dedo para moverse arriba o abajo y desplazarse por sus imágenes.

Fotos en streaming

Fotos   Álbumes   Lugares

Figura 19.5. *Desde la pantalla de imágenes, pulse sobre la pestaña Fotos para ver las imágenes en miniatura de todas las imágenes guardadas en su tableta en la aplicación Fotos.*

Cuando se encuentra activa la pestaña **Fotos**, aparecen los iconos **Pase de diapositivas** y **Compartir** en la esquina superior derecha de la pantalla. Pulse sobre **Pase de diapositivas** para crear una presentación digital de sus imágenes y ajustar los parámetros específicos, como efectos de transición y qué música se reproduce.

Cuando visualiza sus imágenes en miniatura al pulsar la pestaña **Fotos**, pulse sobre el icono **Compartir** que se encuentra en la esquina superior derecha de la pantalla para compartir, copiar, mover o eliminar cualquiera de las imágenes que se muestran.

Cuando pulsa sobre el icono **Compartir**, aparece la pantalla Seleccionar fotos, donde se muestran de nuevo imágenes en miniatura de todas las imágenes que se encuentran almacenadas en su tableta. En este punto, pulse sobre una o más imágenes en miniatura para seleccionarlas. Una vez seleccionada, una imagen en miniatura muestra un icono de marca de verificación cerca de la esquina inferior derecha.

En la esquina superior izquierda de esta pantalla están visibles los otros iconos **Compartir** (éste muestra la palabra **Compartir**) y un icono **Copiar**. Dependiendo del tipo de álbum, podría también ver un icono rojo **Eliminar**. En la esquina superior derecha de la pantalla aparece el icono **Añadir a...** y **Cancelar**.

Pulse sobre el icono **Compartir** para enviar por correo electrónico o imprimir las fotos seleccionadas. Pulse sobre el icono **Copiar** para mover las imágenes seleccionadas a otro álbum, o pulse el icono **Eliminar** (si aplica) para eliminar las imágenes seleccionadas desde su iPad.

Pulse sobre el icono **Añadir a…** para copiar las imágenes seleccionadas en un nuevo álbum que pueda crear cuando se le solicite. Si pulsa sobre el icono **Cancelar** sale de esta pantalla.

Desde la pantalla principal Seleccionar fotos, pulse sobre la pestaña **Álbumes** (mostrado en la parte superior central de la pantalla) para ver las imágenes en miniatura que representan los álbumes individuales que contienen sus fotos. Por defecto, todas las fotos y vídeos tomadas con la aplicación Cámara se guardan en el álbum **Carrete**. Desde esta pantalla, pulse sobre cualquier imagen en miniatura de álbum para revelar las imágenes en miniatura individuales de todas las imágenes guardadas en este álbum.

---

*Truco: Para crear un nuevo álbum, desde la pantalla principal **Álbumes**, pulse sobre el icono **Editar** que se muestra en la parte superior derecha de la pantalla. Luego, pulse sobre el icono **Nuevo álbum** que aparece cerca de la esquina superior izquierda de la pantalla. Cuando se le solicite, escriba el nombre del álbum cuando aparezca la ventana emergente Nuevo álbum. Luego puede copiar o mover las fotos a ese nuevo álbum al utilizar los comandos **Copiar** o **Añadir a…**.*

Desde la pantalla principal de ver imágenes, pulse sobre el icono **Lugares** para ver un mapa de dónde se tomaron las imágenes. Esta característica de geoetiquetado funciona con todas las fotos que haya tomado con su iPad (o con otro dispositivo iOS) o también con imágenes tomadas con una cámara digital que tenga una característica de geoetiquetado. Si ninguna de las imágenes guardadas en su iPad tiene geoetiquetado asociado, no se muestra esta característica **Lugares**.

Nota: En la aplicación Fotos, también se muestran las imágenes en miniatura de clips de vídeo tomadas al utilizar la aplicación Cámara. Sin embargo, en la esquina inferior izquierda de una imagen en miniatura de un clip de vídeo se sitúa un icono de cámara de película, y su longitud se muestra en la esquina inferior derecha de la imagen en miniatura, como puede ver en la figura 19.6.

Icono Cámara de vídeo — Longitud del vídeo

Figura 19.6. Las imágenes en miniatura de clips de vídeo guardados en la aplicación Fotos parecen algo diferentes a las fotos. Los clips de vídeo tienen un icono de cámara de vídeo en la esquina inferior izquierda y la longitud del vídeo se muestra en la esquina inferior derecha de su imagen en miniatura.

Visualizar una imagen en modo pantalla completa

Cuando visualice imágenes en miniatura de sus imágenes desde la pantalla principal de ver imágenes, pulse sobre cualquier imagen en miniatura para ver una versión completa en pantalla de esa imagen. Cuando vea una imagen, pulse sobre ella para que aparezcan varios iconos de comando para editar y compartir la imagen en la pantalla (véase la figura 19.7).

Figura 19.7. Cuando visualice una imagen en modo pantalla completa, pulse sobre cualquier parte de esa imagen para revelar los iconos de comando que utilizará para editar, mejorar y compartir esa imagen.

Para salir de la vista de una imagen y regresar a la vista de múltiples imágenes en miniatura que ofrece la pantalla principal de ver imágenes, pulse sobre el icono con forma de flecha que apunta a la izquierda, mostrado en la esquina superior izquierda de la pantalla. La palabra que se muestra en este icono es el nombre del álbum en el que está guardada la foto, como **Carrete**. Mientras ve una imagen en modo de pantalla completa, en la parte inferior de la pantalla habrá una representación de una tira de imágenes de todas las imágenes guardadas en el álbum actual o todas las imágenes guardadas en su iPad si antes estaba en el modo de visualización de Fotos. En la esquina superior derecha están los iconos de comando utilizados para editar fotos, visualizar presentaciones digitales, compartir imágenes o eliminar la imagen que está viendo en modo pantalla completa.

Editar fotos y vídeos

Después de seleccionar una imagen para visualizarla en modo pantalla completa, pulse sobre el icono **Editar** (mostrado en la esquina superior derecha de la pantalla) para acceder a los comandos de edición de fotos.

Truco: Cuando pulsa sobre la miniatura de un clip de vídeo, tendrá la opción de reproducir ese clip en la aplicación Fotos. También puede pulsar en cualquier parte de la pantalla (excepto en el icono Reproducir*) para acceder a la característica de recorte de vídeo (editar), así como el icono* Compartir *y al icono* Papelera *(utilizado para eliminar el clip de vídeo de su iPad).*
Para cortar un clip de vídeo, examine la tira de imágenes del clip situado en la parte superior de la pantalla y mueva las pestañas de edición en consecuencia, para definir la parte del clip que quiere editar. El recuadro alrededor de la tira de imagen se vuelve amarillo, y aparece el icono de comando Cortar *a la derecha de la pantalla. Antes de pulsar en el comando, pulse el icono* Reproducir *para una visualización previa de su clip de vídeo recién editado. Si está bien, pulse sobre el icono* Cortar *para guardar sus cambios. Aparecen dos iconos de comando adicionales:* Cortar original *y* Guardar como vídeo nuevo*.* Cortar original *altera el clip de vídeo original y reemplaza el archivo, y* Guardar como vídeo nuevo *crea un archivo aparte y mantiene una copia del clip original.*

Los comandos de edición de Fotos

Cuando pulsa sobre el icono de comando **Editar** al visualizar una imagen en modo pantalla completa, aparecen los siguientes iconos cerca de la parte inferior central de la pantalla. Estos iconos proporcionan las herramientas para editar y mejorar rápidamente su imagen.

- **Girar:** Pulse sobre este icono una vez para girar la imagen 90 grados en el sentido de las agujas del reloj. Puedo pulsar sobre el icono **Girar** hasta tres veces antes de que la imagen vuelva a su orientación original.

- **Mejorar:** Pulse sobre la característica **Mejorar** para mejorar al instante la fotografía y hacer que los colores sean más vibrantes. Debería observar una mejora drástica de la calidad visual, iluminación, detalle y nitidez de su imagen. Este comando afecta a toda su foto.

- **Ojos rojos:** Si las personas de su fotografía muestran signos de ojos rojos como resultado de utilizar flash, pulse sobre el icono **Ojos rojos** para eliminar digitalmente esta decoloración no deseada de las pupilas.

- **Recortar:** Pulse sobre este icono para recortar la imagen y volver a posicionar a su sujeto en el marco. Si ha olvidado incorporar la cuadrícula mientras tomaba una fotografía, algunas veces puede compensarlo mediante el recorte de una fotografía. También puede recortar el fondo no deseado o hacer zoom sobre un sujeto en función de cómo lo recorta. Cuando aparece la cuadrícula de recorte, posicione su dedo en cualquier esquina o lado de la cuadrícula para determinar cómo recortar la imagen. Cuando haya terminado, pulse sobre el icono **Recortar** para confirmar sus cambios.

Truco: Mientras recorta una imagen y desplaza la cuadrícula de recorte con su dedo, primero pulse sobre la pestaña **Proporción** para mantener las dimensiones básicas de su imagen intactas, mientras sigue utilizando la característica de recorte. Esto le permite crear copias de tamaño perfecto sin deshacerse de las dimensiones de la imagen.

- **Volver al original:** Pulse sobre este icono mostrado cerca de la esquina superior izquierda de la pantalla para eliminar sus ediciones y devolver la fotografía a su apariencia original.

- **Deshacer:** Se deshace la última edición realizada sobre la imagen, pero cualquier otra edición permanece intacta.

- **Guardar:** Después de utilizar los diferentes comandos de edición para editar o mejorar su imagen, pulse sobre el comando **Guardar** para guardar sus cambios. Está situado cerca de la esquina superior derecha de la pantalla.

- **Cancelar:** Sale del modo edición de fotografía de la aplicación Fotos sin tener que realizar cambios sobre la fotografía que está visualizando. Puede encontrar este icono cerca de la esquina superior izquierda de la pantalla.

Imprimir fotos

iOS 5.1 es totalmente compatible con la característica AirPrint de Apple. De modo que, si tiene una impresora configurada para que funcione de forma inalámbrica con su iPad, puede crear impresiones de fotografías de sus imágenes digitales al utilizar el comando **Imprimir** de la aplicación Fotos. Siga estos pasos para imprimir una imagen.

1. Lance la aplicación Fotos desde la pantalla Inicio o al pulsar en la imagen en miniatura de la fotografía en la aplicación Cámara.

2. Desde la pantalla principal de ver imágenes, pulse sobre cualquier imagen en miniatura para visualizar una imagen en modo pantalla completa (podría necesitar abrir primero un álbum al pulsar sobre la miniatura del álbum si tiene seleccionada la opción de visualización **Álbumes**).

3. Pulse sobre la versión de pantalla completa de la imagen para hacer que aparezcan los diferentes iconos de comando.

4. Pulse sobre el icono **Compartir** que se muestra en la esquina superior derecha de la pantalla.

5. Desde el menú **Compartir**, seleccione la opción Imprimir.

6. Finalmente, cuando aparece el submenú Opciones, seleccione su impresora, determine cuántas copias quiere crear y luego pulse sobre el icono **Imprimir**.

Truco: *Para imprimir de forma inalámbrica desde su iPad con la característica AirPrint, debe tener una impresora compatible.*

Compartir fotografías y vídeos

La aplicación Fotos ofrece varias formas de mostrar y compartir sus imágenes digitales favoritas. Mientras ve una fotografía en modo pantalla completa en el iPad, pulse sobre el icono **Pase de diapositivas** para crear una presentación de sus imágenes y visualizarla en la pantalla. Al utilizar los cables opcionales, también puede conectar su tableta a una televisión de alta definición o monitor que muestre su presentación, o conectarlo a su sistema de cine en casa de forma inalámbrica con Apple TV.

Enviar Fotos por correo electrónico

Pulse sobre la opción Enviar por correo para enviar de una a cinco imágenes a uno o más destinatarios vía correo electrónico desde la aplicación Fotos. Cuando visualiza una imagen, pulse sobre el botón **Compartir** seguido de la opción Enviar por correo. Aparece una pantalla de correo electrónico con esa fotografía ya anexada al cuerpo del mensaje. Utilice el teclado virtual para completar los campos Para y Asunto, como se muestra en la figura 19.8, y pulse sobre el icono **Enviar**.

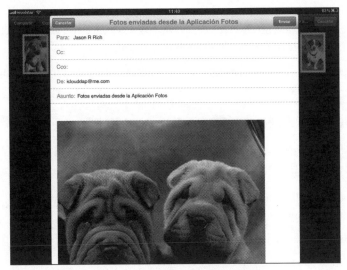

Figura 19.8. *Puedes enviar un correo electrónico con una o cinco fotografías adjuntas desde la aplicación Fotos.*

Para enviar de una a cinco fotografías en un único mensaje de correo electrónico, siga estos pasos:

1. Lance la aplicación Fotos.

2. Desde la pantalla principal de ver imágenes, pulse sobre la pestaña **Fotos**.

3. Pulse sobre el icono **Compartir** que se muestra en la esquina superior derecha de la pantalla.

4. Con su dedo, pulse hasta en cinco imágenes en miniatura para seleccionar las imágenes que quiere incluir en un mensaje de correo electrónico. Cuando selecciona cada imagen desde la pantalla Seleccionar fotos, aparece un icono de marca de validación en la esquina inferior derecha de cada miniatura.

5. Después de que haya seleccionado las imágenes, pulse sobre el otro icono **Compartir**. Muestra la palabra Compartir y se puede encontrar en la esquina superior izquierda de la pantalla. Si no está activo el icono **Compartir**, es posible que haya seleccionado sin querer más de cinco imágenes a incluir en el correo electrónico.

6. Pulse sobre la opción Enviar como mensaje que aparece.

7. Cuando se muestra la pantalla para redactar el correo electrónico, las fotos que ha seleccionado aparecen ya adjuntas (incorporadas) en el mensaje de correo electrónico saliente. Simplemente, complete el campo Para con las direcciones de correo electrónico de los destinatarios y, luego, complete el campo Asunto utilizando el teclado virtual.

8. Pulse sobre el icono **Enviar** para enviar el correo electrónico que contiene sus imágenes.

Asignar una fotografía a un contacto

Siga estos pasos para vincular una imagen guardada en la aplicación Fotos a un contacto específico en la aplicación Contactos:

1. Desde la aplicación Fotos, seleccione una fotografía y visualícela en modo pantalla completa.

2. Pulse sobre la imagen para que aparezcan los diferentes iconos de comando.

3. Pulse sobre el icono **Compartir**.

4. Pulse sobre la opción Asignar a un contacto.

5. Aparece una ventana Mis contactos que muestra los nombres asociados con todos sus contactos. Desplácese por la lista o utilice el campo Buscar para encontrar la entrada específica a la que quiere asociar la fotografía.

6. Pulse sobre el nombre de esa persona o empresa desde la lista Mis contactos.

7. Cuando se abre la ventana Seleccionar foto, utilice su dedo para mover o escalar la imagen. Lo que ve en el recuadro es lo que se guardará.

8. Pulse sobre el icono **Usar**, en la esquina superior derecha de la ventana Seleccionar foto, para guardar la fotografía y vincularla con el contacto seleccionado.

9. Cuando lanza Contactos y accede a la entrada de esa persona (véase la figura 19.9), verá que aparece la fotografía seleccionada en esa entrada.

Figura 19.9. *Si utiliza la aplicación Contactos para gestionar su base de datos de contactos, puede adjuntar una fotografía a cada entrada de contacto.*

Mandar una foto por tweet

Como sabe, la funcionalidad Twitter se ha integrado en varias aplicaciones populares del iPad permitiéndole redactar y enviar tweets desde estas aplicaciones. Fotos es una de las aplicaciones que se integra con Twitter, permitiéndole enviar un tweet a sus seguidores con un mensaje de texto y una fotografía. Después de pulsar sobre el icono **Compartir** mientras visualiza una fotografía en modo pantalla completa, seleccione la opción Publicar en Twitter. Redacte su mensaje tweet (que ya tendrá anexado la imagen seleccionada) y, luego, pulse sobre el icono **Enviar**.

Copiar una fotografía

Desde la aplicación Fotos, puede guardar una fotografía en el Portapapeles virtual de su iPad y después pegar esa fotografía en otra aplicación compatible, como Pages, Numbers o Keynote. Siga estos pasos para copiar una fotografía en el portapapeles virtual de su dispositivo:

1. Desde la aplicación Fotos, seleccione una fotografía y visualícela en modo pantalla completa.

2. Pulse sobre la imagen mientras está en modo pantalla completa para hacer que aparezcan los iconos de comando.

3. Pulse sobre el icono **Compartir**.

4. Pulse sobre la opción Copiar foto. Ahora está guardada en el Portapapeles virtual.

5. Lance una aplicación compatible, como Pages, y mantenga su dedo pulsado sobre la pantalla para utilizar la opción **Pegar** para pegar su fotografía desde el Portapapeles a la aplicación activa.

Eliminar fotografías guardadas en su iPad

Para eliminar fotografías guardadas en la aplicación Fotos en el iPad, acceda a la pantalla principal de ver imágenes y pulse sobre la opción **Fotos**. A continuación, pulse sobre el icono **Compartir**. Cuando aparece la pantalla Seleccionar fotos (véase la figura 19.10), pulse para seleccionar una o más imágenes. Después de seleccionar las imágenes, pulse sobre el botón rojo y blanco **Eliminar** que se muestra en la esquina superior izquierda de la pantalla Seleccionar fotos.

Figura 19.10. *Desde la pantalla Seleccionar fotos puede seleccionar imágenes en miniatura de fotografías y luego pulsar sobre el botón Eliminar para eliminar esas imágenes de su dispositivo iOS.*

Nota: Aunque puede eliminar todos los álbumes de su iPad, no puede eliminar fotos individuales de la aplicación Fotos a menos que se hayan tomado con la tableta. Si ha transferido (sincronizado) las imágenes desde su ordenador, por ejemplo, esas imágenes se deben deseleccionar durante el proceso de sincronización.

Trabajar con fotos en streaming de iCloud en la aplicación Fotos

Si tiene su iPad configurado para trabajar con iCloud, la característica **Fotos en streaming** está activada y su tableta está conectada a una conexión Wi-Fi, descubrirá la pestaña **Fotos en streaming** que se muestra en la parte superior central de la pantalla principal Fotos. La característica Fotos en streaming de iCloud guarda, sincroniza y muestra automáticamente hasta las 1.000 fotos más recientes o fotografías digitales importadas desde iPhoto en su ordenador principal, su iPhone y su iPad.

> **Nota:** *Fotos en streaming puede incluir hasta 1.000 imágenes y guardarlas en línea hasta 30 días . Por defecto, son las 1.000 fotos o transferencias más recientes a su Fotos en streaming. Sin embargo, puede editar manualmente la colección de imágenes que son parte de sus Fotos en streaming. Más allá de las 1.000 imágenes guardadas en iCloud (o después de los 30 días), se hace una copia de seguridad de todas sus imágenes digitales y se guardan en el disco duro de su ordenador principal (o un disco duro conectado a su ordenador principal).*

Cuando visualiza **Fotos en streaming** en su iPad desde la aplicación Fotos, se muestran las imágenes en miniatura de las imágenes. Para ver estas imágenes como una presentación, pulse sobre el icono **Pase de diapositivas**. Para compartir, copiar o eliminar cualquiera de las imágenes de **Fotos en streaming**, pulse sobre el icono **Compartir**.

Después aparece un nuevo icono **Compartir** junto con los iconos **Copiar** y **Eliminar** cerca de la esquina superior izquierda de la pantalla. Pulse sobre una o más imágenes en miniatura para seleccionarlas y luego elija qué comando **Compartir** le gustaría utilizar.

> **Nota:** *Cuando elimina fotografías desde **Fotos en streaming**, no solamente se eliminan de su iPad sino que también se eliminan de **Fotos en streaming** guardadas en iCloud.*

A diferencia de las otras imágenes guardadas en álbumes, las fotografías que se visualizan desde sus **Fotos en streaming** no se guardan permanentemente en su iPad. Para mover una o más imágenes desde **Fotos en streaming** a un álbum, pulse sobre el icono **Compartir**, pulse sobre las imágenes en miniatura de las imágenes que quiere guardar en su tableta y pulse sobre el icono **Guardar** que se muestra cerca de la esquina superior derecha de la pantalla.

Para crear y utilizar la característica Fotos en streaming de iCloud, debe configurar una cuenta gratuita iCloud, tener la última versión de OS X Lion o OS X Mountain Lion instalada en su Mac y la versión más actual de iTunes. Además, debe actualizar su software iPhoto de su Mac con la última versión (iPhoto'11 versión 9.2 o superior).

> **Truco:** Para utilizar la característica Fotos en streaming de iCloud, desde la aplicación Ajustes en su iPad, pulse sobre la opción Fotos que se lista en el menú principal Ajustes. Luego, active la opción **Fotos en streaming** desde la pantalla principal de Fotos. Para utilizar esta característica y poder subir y descargar fotografías a y desde sus dispositivos iOS, se requiere una conexión a Internet Wi-Fi.

> **Nota:** Si es un usuario PC Windows, puede instalar el Panel de Control de iCloud en su ordenador y utilizarlo para transferir fotografías a y desde sus Fotos en streaming. Para descargar este software gratuito de Windows desde el sitio Web de Apple, visite `http://www.apple.com/es/icloud/setup/pc.html`.

Actualizar a la aplicación iPhoto de Apple

Si desea opciones más avanzadas de organizar, editar, visualizar y compartir fotografías de lo que puede realizar con la aplicación gratuita Fotos, visite App Store y compre una copia de la aplicación iPhoto de Apple (3,99 €). La versión iOS de iPhoto no solamente ofrece funcionalidad similar a iPhoto '11 para Mac, sino que incluye gran variedad de nuevas características, además de facilitar la sincronización o transferencia de imágenes entre dispositivos iOS, Mac y Fotos en streaming de iCloud.

Organizar sus imágenes desde la pantalla Álbumes de iPhoto

Cuando lanza iPhoto por primera vez, lo que ve es la pantalla Álbumes. Mostrada en la parte central superior de esta pantalla (véase la figura 19.11) están las múltiples pestañas de comando que le permiten decidir cómo quiere ver sus imágenes. Pulse sobre **Álbumes** para ver imágenes en miniatura de cada álbum guardado en iPhoto y, luego, pulse en cualquier vista en miniatura de álbum para ver las imágenes de ese álbum y comenzar a trabajar con ellas.

Figura 19.11. *La pantalla Álbumes de iPhoto ordena
automáticamente sus imágenes en álbumes.*

Al pulsar sobre la opción Fotos, desde la pantalla Álbumes se muestra una colección completa en miniatura que representa todas las imágenes guardadas en su tableta en una única pantalla (desplazable). Desde esta ventana, pulse sobre cualquier vista en miniatura para comenzar a trabajar con una imagen.

Cuando importa nuevas fotos desde su PC o Mac con iTunes, o utiliza el Kit de conexión de cámara para iPad, se crean nuevos eventos y se visualizan al pulsar sobre la pestaña Eventos. O bien, puede organizar sus fotos editadas en periódicos y, a continuación, ver y compartir estos periódicos al pulsar sobre la pestaña de comando Diarios.

Visualizar fotos individuales con iPhoto

Desde las pantallas Álbumes, Fotos o Eventos, pulse sobre cualquier imagen en miniatura para visualizar esa imagen y comenzar a trabajar con ella al utilizar las herramientas de edición y mejora incorporadas en iPhoto, como se muestra en la figura 19.12.

En la parte superior de la pantalla de edición de iPhoto existe una serie de iconos de comando y opciones de menú. El área principal de la pantalla de edición es donde verá una sóla imagen cada vez. En cualquier momento, pulse sobre el icono de interrogación para obtener la ayuda en pantalla al utilizar las características o funciones aplicables en iPhoto.

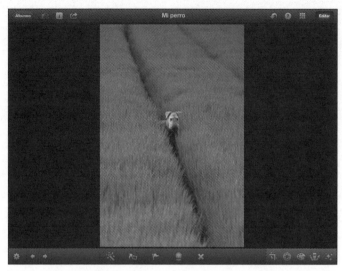

Figura 19.12. *Visualice una imagen y luego utilice las herramientas de edición de iPhoto para editarla y mejorarla.*

Mientras edita una fotografía, puede acercar un área específica de la imagen al utilizar un movimiento de pellizco inverso con su dedo pulgar e índice, o pulsar dos veces sobre el área de la foto que quiere que se agrande.

Siempre que visualice una imagen seleccionada, al pulsar sobre el icono **Editar** que se muestra en la esquina superior derecha de la pantalla, puede acceder a una amplia colección de herramientas de edición y mejora de fotos, cada una de las cuales se representa por un icono que se muestra en la parte inferior de la pantalla.

El icono **Efectos** (que se muestra a la derecha del icono del pincel), por ejemplo, le ofrece un acceso instantáneo a una gran variedad de efectos especiales que se encuentran ordenados por categorías. Pulse sobre cualquiera de las barras de efectos para mostrar una colección de efectos especiales que puede añadir a una foto con sólo pulsar una vez en la pantalla. Puede mezclar y combinar fácilmente efectos especiales para crear un imagen realmente artística o visualmente impresionante.

Situados cerca de la parte inferior central de la pantalla de edición, tiene a su disposición cinco iconos de comando adicionales que le proporcionan fácil acceso a una variedad de otras herramientas de mejora y edición de fotografías. Pulse sobre el icono de **Varita mágica** para mejorar automáticamente toda una imagen con un sólo toque o pulse sobre el icono **Rotar** para rotar una imagen 90 grados en el sentido de las agujas del reloj. Puede pulsar este icono tantas veces como desee.

Truco: Otra forma de rotar una imagen es utilizar su dedo pulgar e índice sobre la pantalla táctil para llevar a cabo un gesto circular.

Otra forma de poder reunir sus imágenes favoritas para verlas, compartirlas y editarlas mejor, por ejemplo, es separarlas al pulsar sobre el icono **Favoritos** para cada una de ellas. Esto guarda estas imágenes en un **Evento** aparte.

Cuando haya terminado de editar una imagen, pulse sobre el icono **Editar** de nuevo para guardar sus cambios y visualizar la imagen en su forma recién editada. Cuando está en modo de visualizar una única imagen, mueva su dedo de derecha a izquierda o de izquierda a derecha para ver todas las imágenes guardadas en el mismo álbum o carpeta de evento.

Imprimir y compartir imágenes con iPhoto

Desde la pantalla de visualizar fotografías, pulse sobre el icono **Compartir** (mostrado cerca de la esquina superior derecha de la pantalla) para que se muestre el menú Compartir de la aplicación. Desde aquí, puede transferir una imagen a un Diario, al Carrete, a iTunes o puede publicar la fotografía en línea vía Twitter, Facebook o Flickr. Si su iPad está conectado a la misma red inalámbrica que otro dispositivo Mac o iOS, puede transmitir la imagen de forma inalámbrica a ese ordenador o dispositivo o mandarla por correo electrónico desde la aplicación.

Crear y mostrar diarios

Piense en un diario como una característica de collage digital con un tema personalizado. Después de seleccionar una colección de fotos a incluirla en un diario, seleccione la opción **Diarios**. Comience por añadir un título original, y luego elija un tema. iPhoto ofrece seis temas de diario diferentes. Después de elegir su tema, pulse sobre el icono de comando **Crear diario**. La aplicación tarda en crear el diario entre unos cuantos segundos y varios minutos, dependiendo de cuántas fotografías quiera incluir.

Cuando se ha formateado el diario básico (véase la figura 19.13), puede personalizarlo al mover las fotografías, cambiarlas de tamaño, añadir títulos, incluir mapas, mostrar fechas o incluso mostrar el tiempo actual cuando se tomó la imagen (si se tomaron utilizando un iPhone o iPad).

Figura 19.13. *La característica Diarios de iPhoto ofrece una nueva y divertida forma de mostrar y compartir varias imágenes.*

Igual que las fotografías individuales, los diarios se pueden visualizar en la pantalla del iPad, publicado en línea o compartido vía correo electrónico. Mientras visualiza un diario, pulse sobre una imagen para verla en modo pantalla completa. Luego, puede volver a la vista **Diarios**.

iPhoto ofrece muchas herramientas relacionadas con fotos en una única aplicación

La aplicación iPhoto es realmente un punto de partida para gestionar todas las necesidades de fotografía digital prácticamente desde cualquier lugar. La aplicación funciona a la perfección con imágenes tomadas en su iPhone o iPad con la aplicación Cámara (o una aplicación compatible), así como con imágenes importadas en su iPad desde otras fuentes, incluida su cámara digital. Lo que está bien de iPhoto es que ofrece una colección extremadamente potente de herramientas, y la aplicación sigue siendo muy intuitiva (no obstante, la ayuda está siempre a un toque en pantalla). Incluso si no quiere pensar en sí mismo como fotógrafo especializado, al utilizar esta aplicación puede mejorar fácilmente todas sus imágenes digitales para mejorar su apariencia visual.

Utilizar potentes posibilidades de edición de fotografías con aplicaciones de fotografía de terceros

Si quiere tener disponible herramientas de edición de fotografías incluso más potentes desde su iPad, compruebe una o más aplicaciones de fotografía de terceros disponibles en App Store. Lo siguiente es un pequeño ejemplo de algunas aplicaciones de fotografía de iPad que ofrecen características de edición realmente útiles.

CameraBag

CameraBag (1,58 €) le permite eludir la aplicación Cámara y realizar imágenes digitales directamente desde esta aplicación. Después, puede realizar una vista previa de sus imágenes y añadir cualquiera de los 14 efectos especiales o filtros. También es posible cargar imágenes en la aplicación CameraBag que se hayan tomado con la aplicación Cámara o transferido a su iPad.

Cada efecto disponible desde CameraBag altera considerablemente la apariencia de su imagen en segundos. Por ejemplo, puede hacer que rápidamente una fotografía tenga el aspecto como si se hubiera tomado con una cámara de 35mm en 1962 o 1972, o añadir un efecto que automáticamente mejora o altera los colores de una imagen.

Después de tomar una imagen y añadir sus efectos favoritos, se guarda en el álbum Carrete. También puede mandarla por correo electrónico desde la aplicación. CameraBag es fácil de utilizar y es fantástica para añadir efectos a fotografías antes de compartirlas en Facebook o Twitter, por ejemplo.

Photogene

Esta aplicación ofrece algunas de las funcionalidades ofrecidas por Photoshop Elements para Mac o PC, pero a su vez le permite realizar edición a nivel profesional en la pantalla de su tableta. Con un precio de 2,39 €, esta aplicación es una ganga considerando las características de edición y mejora de fotografías que ofrece. Además de servir como herramienta de edición de fotografías, Photogene puede reemplazar a la aplicación Fotos para visualizar y organizar sus imágenes y álbumes. Además de recortar, rotar, ajustar, retocar y mejorar imágenes, puede añadir títulos de texto, marcos, efectos de borde y otras mejoras visuales a sus fotografías.

> **Nota:** *Photogene es para edición de fotografías pero también le permite añadir efectos especiales o filtros a sus imágenes antes de compartirlas.*

Por ejemplo, esta aplicación ofrece 11 filtros de imagen diferentes que puede utilizar para alterar una imagen con un sólo toque en la pantalla.

Al utilizar sus herramientas, puede corregir imperfecciones en la cara de alguien en un retrato o eliminar un objeto no deseado de una fotografía. También puede ajustar los colores y el balance de blanco de una foto al utilizar una serie de deslizadores controlados con el dedo.

Snapseed

Esta herramienta avanzada de edición de fotografías es fácil de utilizar y le permite incorporar rápidamente gran variedad de efectos visuales de calidad profesional a sus fotografías digitales. También puede recortar imágenes, transformarlas en blanco y negro, añadir marcos y bordes o ajustar manualmente el foco de una imagen después de que se haya tomado.

La mayoría de los efectos se pueden controlar al deslizar su dedo por la pantalla mediante una interfaz muy intuitiva. Los efectos visuales que puede crear, sin embargo, van desde mejoras sutiles a alteraciones de una imagen extremadamente drásticas. Un conjunto de herramientas de filtros y efectos le permiten transformar una imagen a todo color de un día moderno en una que parezca que se haya tomado utilizando una cámara antigua. O bien, puede sacar los colores naturales en una imagen al utilizar lo que en Snapseed se conoce como herramientas de mejora "Drama".

Photoshop Touch

Desarrollado por Adobe, software pionero en la creación y edición de fotografías digitales para Mac y PC, incluido Photoshop y Photoshop Elements, esta versión específica de iPad de Photoshop, denominada Adobe Photoshop Touch (7,99 €), ofrece posibilidades avanzadas de edición de fotografías en la pantalla de la tableta. A diferencia de muchas aplicaciones de edición de fotografías, le permite editar o mejorar partes en lugar de toda una imagen. Además, puede llevar a cabo tareas de edición avanzadas, como añadir efectos especiales, reemplazar colores, añadir marcos digitales a imágenes, añadir texto a fotografías o eliminar fondos.

Utilizar Adobe Photoshop Touch requiere de un poco de aprendizaje, pero puede ofrecer resultados de calidad profesional al utilizar las herramientas de edición potentes y únicas incorporadas en esta aplicación de vanguardia.

Apéndice A. Utilizar el iPad para comprar regalos de última hora

¿Cuándo fue la última vez que olvidó comprar un regalo de un cumpleaños, aniversario o vacaciones? O puede que su agenda sea tan caótica que no pued encontrar tiempo para comprarlos usted mismo. Bien, en su cuenta atrás, su iPad es el perfecto compañero para ir de compras. No solamente puede utilizar el iPad cuando esté conectado a Internet para compras en línea, sino que puede utilizarlo mientras compra en un pequeño centro comercial o su tienda favorita para encontrar los precios más bajos de aquello que vaya a comprar.

Desde su iPad, puede visitar casi cualquier tienda en línea, no basada en Flash, al utilizar el navegador Safari. Sin embargo, puede tener algunas de las mejores experiencias de compra con su iPad utilizando aplicaciones especializadas disponibles de forma gratuita desde App Store. Con el uso de estas aplicaciones, proporcionarse una dosis de terapia de compras desde casi cualquier sitio, no sólo es posible, sino también divertido, fácil y asequible.

Compra por catálogo desde su iPad

Si es alguien que le gusta pasar el tiempo hojeando catálogos de compras por correo, ahora puede leer y comprar de cientos de sus catálogos favoritos directamente desde su iPad y compartir sus experiencias de compra con amigos vía Facebook o correo electrónico.

Encontrar los precios más bajos... rápidamente

Cuando sabe exactamente que está buscando comprar, varios sitios Web de comparación de precios le permiten encontrar proveedores locales u en línea que venden ese artículo al precio más bajo posible. Desde su iPad, puede utilizar la aplicación Nextag Shopping para este objetivo.

Una característica fantástica de esta aplicación es que mientras está comprando en una tienda, puede utilizar la cámara incorporada en su iPad 2 o nuevo iPad para fotografiar (escanear) un producto o su código de barras, la aplicación lo identifica y le ayuda a encontrar el precio más bajo posible de ese artículo en concreto. Puede incluso configurar la aplicación para que le avise cuando el artículo está rebajado.

Con la cámara incorporada del iPad, las aplicaciones gratuitas PriceGrabber y Barcode Scanner también le permiten escanear el código de barras de cualquier producto mientras está en una tienda y después rápidamente encontrar los competidores locales u en línea que vendan el mismo artículo por menos dinero y lo tengan en stock. Estas aplicaciones funcionan con millones de artículos y productos, desde grandes electrodomésticos y electrónica de consumo a prendas de vestir y artículos para el hogar.

Al convertirse en un comprador inteligente utilizando su iPad, no sólo evita pagar el precio total de cualquier cosa que quiera o necesite, sino que también podrá ahorrar cientos o quizás miles de euros al año, dependiendo de lo que compre.

Ahorrar dinero en casi cualquier cosa con la aplicación Amazon

La aplicación gratuita de Amazon le proporciona acceso a la extensa selección de productos de Amazon.com que, a menudo, se ofrecen con descuentos significativos en comparación con los vendedores locales. La aplicación le permite visualizar la página de inicio de Amazon.com, buscar productos específicos por nombre, categoría, o código de barras, encontrar ofertas especiales, ver las recomendaciones y crear y administrar una lista de deseos.

La aplicación le permite buscar productos por departamento o utilizar el campo de búsqueda para encontrar exactamente lo que quiere en segundos. Con Amazon, también puede comprar productos de otros comercios participantes y, en algunos casos, comprar artículos utilizados por usuarios seguidores de Amazon con un descuento significativo.

Si a menudo se encuentra comprando en Amazon.com desde su ordenador o iPad, tiene sentido suscribirse al servicio Amazon Prime. Por una cuota anual, la mayoría de sus compras las recibirá sin costes de envío en 2 días, con independencia del tamaño o peso de los artículos comprados. No sólo garantiza que recibirá el producto rápidamente, sino que con el tiempo ahorrará una fortuna en gastos de envío.

Los regalos de última hora están sólo a unos toques de pantalla

Con el potencial y funcionalidad de su iPad y las aplicaciones Contactos, Calendario, Recordatorios y Centro de notificaciones preinstaladas, realmente no tiene excusa para olvidar el cumpleaños, aniversario de alguien o una ocasión especial. Sin embargo, si finalmente necesita un regalo de última hora y está muy ocupado para visitar una tienda local, siempre y cuando su iPad tenga acceso Web, podrá comprar flores, globos, joyas, una cesta de regalo o un osito de peluche, por ejemplo, y enviarlo directamente a alguien y desde cualquier parte del mundo.

Si está constantemente fuera, o se encuentra en la necesidad de comprar algún regalo de última hora, debería tener instaladas algunas de las aplicaciones imprescindibles en su dispositivo iOS que le permitan comprar regalos y que los distribuyan en el mismo día o al día siguiente. Por ejemplo, la aplicación 1800Flowers le permite comprar fantásticos arreglos florales, plantas o cestas de regalos desde su tableta. Puede ver las fotos en línea de lo que está disponible y mantener la información de su tarjeta de crédito guardada de forma segura en 1800Flowers, de modo que pueda cursar un pedido en menos de un minuto al pulsar varias veces sobre la pantalla.

Puede comprar cualquier cosa desde su iPad

Al utilizar aplicaciones especializadas disponibles desde App Sotre puede comprar casi cualquier cosa disponible a la venta en Internet, incluidos coches nuevos y usados, barcos, electrodomésticos, ropa, joyas y zapatos. Por ejemplo, si va a comprar una casa nueva, visite App Store y, en el campo Buscar, introduzca la frase de búsqueda **Inmobilarias**. Descubrirá aplicaciones como Knight Frank, Idealista y Habitania que le permitirán comenzar a comprar una nueva casa y ver qué está disponible virtualmente en cualquier parte.

De forma similar, si está comprando un coche nuevo, introduzca la frase de búsqueda **Concesionarios** en el campo Buscar, de App Store, para descubrir aplicaciones así como fabricantes de automóviles conocidos.

Si necesita un par nuevo de zapatos pero está demasiado ocupado para acercarse a un centro comercial, descubrirá una aplicación para esto también. La aplicación Shoes.com le permite comprar zapatos por marca y diseñador. También puede comprar ropa y zapatos al utilizar las aplicaciones propietarias de El Corte Inglés y otros centros comerciales populares.

Apéndice B. Jugar en su iPad

Trabajar siempre y no jugar puede generar usuarios iPad aburridos. Mediante la lectura de muchos tipos de aplicaciones relacionadas con el trabajo, ha tenido la oportunidad de tener una visión de cómo la gente que utiliza el iPad 2 o nuevo iPad en el mundo empresarial competitivo de hoy en día.

Su iPad es, por supuesto, capaz de algo más que meramente una herramienta de trabajo. Se puede utilizar también para competir contra otros (oponentes humanos u ordenadores) en una amplia variedad de juegos desafiantes y emocionantes, divertidos y únicos. Disponible desde App Store, existen literalmente miles de juegos desafiantes, visualmente impactantes y muy innovadores. De modo que si necesita una diversión rápida, está buscando perderse durante horas en un mundo simulado de acción y aventura o quiere desafiar a otros en un juego de habilidad, tiene el dispositivo correcto.

Truco: En App Store, cada semana Apple revisa todos los últimos juegos disponibles para el iPad y elige uno como juego de la semana. Estos juegos tienden a ser los más avanzados en términos de gráficos, sonido así como el propio juego, y hacen el mejor uso de las características incorporadas en el iPad.

Desde el iPad, pulse sobre el icono de aplicación App Store mostrado en su pantalla **Inicio**. A continuación, pulse sobre el icono de comando **Destacados** que se muestra en la parte inferior de la pantalla. El juego de la semana se muestra en un banner grande cerca de la parte superior de la pantalla de la App Store o en los banners gráficos más pequeños que se muestran cerca de la parte superior derecha de la pantalla.

De forma alternativa, pulse sobre el botón **Categorías** en la parte inferior de la pantalla de App Store y, después, seleccione la categoría **Juegos**. El juego de la semana se promociona en el banner gráfico cerca de la parte superior de la pantalla (puede encontrar, comprar y descargar también el juego de la semana de Apple para iPad al acceder a App Store desde iTunes en su ordenador principal).

Podría pensar que los juegos de vídeo son solamente para niños. Bien, piénselo de nuevo. Muchos de los juegos más populares para iPad están realmente diseñados para adultos inteligentes. Encontrará muchos juegos de cartas (como el blackjack y el póker), rompecabezas, juegos de casino, crucigramas, Sudoku, juegos de deportes y simulaciones reales, por ejemplo, disponibles desde App Store.

En cada categoría de juego descubrirá muchas experiencias de juego diferentes, algunas creadas por los diseñadores con más talento e imaginativos de la industria de los videojuegos.

Aunque algunos de los juegos disponibles son adaptaciones de videojuegos populares, originalmente diseñados para sistemas de juego de Nintendo, Sony, Microsoft, Sega o Atari, por ejemplo, las ediciones de iPad de estos juegos a menudo se benefician de las características y funcionalidad que es única en el iPad.

Puesto que su iPad puede conectarse a la Web, puede disfrutar de juegos multijugador en tiempo real y competir contra amigos, compañeros de trabajo, sus hijos o desconocidos. De hecho, el Game Center en línea de Apple (accesible desde los juegos compatibles con Game Center, o la aplicación Game Center preinstalada en su iPad) ofrece un foro en línea gratuito en el que puede encontrar y competir contra otros mientras experimenta un creciente número de juegos populares de iPad con varios jugadores.

Están disponibles miles de juegos gratuitos desde App Store. Algunos ofrecen opciones de compra opcionales de modo que puede acceder a niveles adicionales, herramientas para el juego o funcionalidad añadida. Muchos de los juegos son aplicaciones de pago, cuyo precio oscila entre los 0,79 € y los 2,99 € (aunque en ocasiones puede encontrar un juego a un precio más alto).

Quince juegos emocionantes de iPad

Según sus gustos personales, encontrará fácilmente muchos juegos diferentes que se ajusten a lo que quiere mientras navega por App Store. Este apartado lista un total de 15 juegos extremadamente populares o realmente innovadores, listados en orden alfabético, que realmente merecen la pena en su tableta.

- Angry Birds HD (2,39 €): Es uno de los juegos de estrategia más populares disponibles para el iPad. Es un juego de un jugador fácil de aprender pero difícil de dominar. Existen muchas otras versiones populares como Angry Birds Rio HD (2,39 €), Angry Birds Seasons HD (gratis) y Angry Birds Space HD (2,39 €).

- Doodle Jump HD (2,39 €): Los gráficos en este juego se parecen a un dibujo animado dibujado a mano. El objetivo es ayudar a un personaje en constante movimiento a que salte y escale en un laberinto sin fin lleno de obstáculos. Este juego es sencillo de aprender pero muy difícil de dominar y extremadamente adictivo.

- Draw Something (gratis): Es uno de los juegos más populares creados para el iPad. Se da una palabra y después un jugador intenta dibujarla en la pantalla del iPad mientras otro jugador intenta adivinar la palabra basado en el dibujo.

- Final Fantasy III for iPad (13,99 €): Un juego de aventura que es una adaptación del increíblemente popular juego de ordenador.

- Flight Control HD (3,99 €): Un juego de estrategia que simula una torre de control de tráfico de un aeropuerto.

- Infinity Blade II (5,49 €): Este juego de aventura muestra algunos de los gráficos más impresionantes de cualquier juego o aplicación iPad creado. Representa un combate de mucha acción, impresionantes personajes en 3D y entornos interactivos y fotorrealistas.

- Madden NFL 12 by EA Sports for iPad (5,49 €): Un juego muy realista de simulación de fútbol NFL.

- NY Times Crosswords (gratis, pero requiere de una compra de suscripción): Juegue a los crucigramas diarios que se publican en *The New York Times* o acceda a una base de datos con más de 4.000 crucigramas publicados previamente.

- PAC-MAN for iPad (3,99 €): Juegue al clásico juego de arcade, completo con recreaciones de los gráficos originales, música y efectos de sonido.

- SCRABBLE para iPad (3,99 €): Disfrute de este clásico juego de palabras contra un ordenador u otros jugadores. Están disponibles muchos de los juegos de palabras como Monopoly (2,99 €) y BOGGLE para iPad (2,39 €).

- Sudoku: Ponga a prueba su mente mientras intenta resolver sudokus creados por las mismas personas que han desarrollado los sudokus de periódicos como *Los Angeles Times* y *Chicago Tribune*.

- TETRIS for iPad (2,39 €): Juegue al juego de estrategia lleno de acción que ayudó a poner en marcha la revolución de los videojuegos a finales de los años ochenta. Esta versión, sin embargo, incluye gran variedad de nuevos modos de juego.

- Texas Poker Pro (19,99 €): Compita contra otros (u oponentes controlados por ordenador) mientras juega al Texas Poker.

- Tiger Woods PGA TOUR 12 for iPad (3,99 €): Si no lo puede hacer en persona, este juego de simulación es la siguiente mejor opción. Juegue en campos simulados contra adaptaciones fieles de los mejores golfistas.

- Words with Friends HD (2,39 €): Es un juego de múltiples jugadores similar al Scrabble que le permite crear palabras en base a letras proporcionadas. Se ha convertido en uno de los juegos creados para iPhone e iPad más populares.

Truco: Para descubrir algunos de los mejores juegos de múltiples jugadores en línea para competir con amigos o extraños, lance la aplicación Game Center y pulse sobre el icono **Juegos** (mostrado en la parte inferior de la pantalla).

Índice alfabético